Le clan des MacLaren

Susan King

Le clan des MacLaren

*Traduit de l'américain
par Perrine Dulac*

Titre original :
THE STONE MAIDEN

First published in the United States under the title
The Stone Maiden by Susan King.

Published by arrangement with Signet/NAL,
a division of Penguin Putnam Inc.

Je remercie le sculpteur Walter S. Arnold, mon agent Karen Solem et mon éditeur Audrey LaFerh, sans oublier Mary Jo Putney, Jacci Reding, Jo Ann Power, Jean Brashear, Eileen Charbonneau et Julie Booth.

L'honneur est chose délicate.
Proverbe écossais

Prologue

Sept cavaliers apparurent au sommet de la colline couverte de neige. Leurs armures étincelaient au soleil couchant.

Alainna les regardait approcher. Le vent glacé agitait sa chevelure rousse et le tartan drapé par-dessus sa robe. Dans quelques instants, elle serait piétinée, à moins qu'ils ne ralentissent ou qu'elle ne s'écarte. Pourtant, elle ne se sentait pas en danger.

Le soleil disparut, et Alainna eut l'impression que le temps s'arrêtait. Son grand-oncle, le barde du clan, disait qu'aux grands changements de la journée – aurore, coucher du soleil – les royaumes terrestre et céleste pouvaient se mêler. C'était le cas en ce moment, elle en était sûre.

Du vallon lui parvenaient les cris des hommes de son clan. Ils étaient en train de chasser et n'avaient pas remarqué sa présence sur la colline. Campée dans la neige, elle ne leur accorda pas un regard. Ses cheveux volaient comme des flammes dans le vent.

Arrivé près d'elle, le premier cavalier tira sur ses rênes. Son grand étalon à la robe crème se cabra. Les autres s'arrêtèrent et attendirent, tandis que leur chef s'approchait d'Alainna au pas.

— Qui êtes-vous ? demanda-t-elle.

Il l'observait, silencieux. Sur le bouclier accroché

à sa selle figurait une flèche blanche sur un fond azur, symbole qui ne rappelait rien à Alainna.

Le guerrier ôta son heaume et le coinça sous son bras, puis il retira son camail. Les dernières lueurs du soleil firent briller sa chevelure d'or. Sa cape bleu sombre brodée d'argent semblait taillée dans le ciel nocturne, et ses yeux d'un gris profond évoquaient un ciel nuageux.

— Alainna MacLaren, dit-il.

Comment pouvait-il connaître son nom, alors qu'elle ignorait le sien ?

— Vous êtes la fille du chef du clan Laren, poursuivit-il. Maintenant qu'il n'est plus, c'est vous qui le remplacez à la tête du clan.

— En effet, répondit-elle. Qui êtes-vous ? Un prince de la *daoine sith*, le peuple féerique ? Ou bien conduisez-vous les guerriers de la Fianna, la bande de Fionn MacCumhaill, surgie du fond des âges ?

— Non.

— Alors, vous devez être Aenghus à l'éternelle jeunesse, dieu du soleil.

Le soir, à la veillée, elle aimait plus que tout entendre son grand-oncle raconter les exploits d'Aenghus MacOg, le beau héros aux cheveux d'or, et elle n'était pas surprise de voir un dieu guerrier apparaître au coucher du soleil, à l'instant magique où la lumière fait place à l'obscurité de la nuit.

— Avons-nous vraiment l'air d'appartenir au royaume des dieux ?

— Oui. Sinon, pourquoi viendriez-vous sur nos terres à la tombée du jour ?

— Pour vous, bien sûr.

— Pour moi ?

— Vous nous avez appelés. Vous m'avez appelé, moi.

10

Le cœur d'Alainna bondit dans sa poitrine. Soudain, elle reprenait espoir. Elle et son clan avaient désespérément besoin d'aide, mais elle n'avait sollicité personne. Comment ce guerrier avait-il entendu sa prière ? Comment, sinon par magie ?

— Qui êtes-vous ? souffla-t-elle.

— Si vous voulez sauver votre clan, je vous aiderai, mais il vous faudra renoncer à ce à quoi vous tenez le plus.

— Je renoncerais à tout pour sauver mon clan. Je le jure.

— Très bien, dit-il.

Elle fixa son beau visage et ses yeux d'argent. Il n'appartenait pas à cette terre, elle en était sûre. Dans le monde où il vivait, il devait être prince ou roi.

— Qu'attendez-vous de moi ? demanda-t-elle.

— Venez avec moi.

— Si j'accepte, l'avenir de mon clan s'éclairera ?

— Oui.

Un frisson la parcourut – un frisson de désir, et non de peur. Elle voulait partir avec lui. Elle ferma les yeux.

— Alainna, venez avec moi, répéta-t-il, d'une voix douce comme une note de harpe.

Elle aimait son clan et sa famille et ne supportait pas l'idée de les abandonner, mais elle devait tout faire pour les sauver. Elle l'avait promis à son père mourant.

Si elle avait le courage d'aller dans l'autre monde, son clan prospérerait. Leur fier héritage continuerait à se transmettre.

Elle prit une profonde inspiration et regarda le guerrier silencieux.

— Jurez-moi que mon clan perdurera.

— Je vous le jure.

Elle leva le bras en signe d'acceptation. Il avança

son cheval et se pencha vers elle, la main tendue. Ses doigts étaient tièdes sur les siens. Elle sentit son cœur bondir dans sa poitrine...

Alainna se réveilla et s'assit, le cœur battant. Ce n'était qu'un rêve, se dit-elle. Un simple rêve. Elle refoula un sanglot et se prit la tête dans les mains.

Si seulement ce rêve avait été vrai ! Son clan avait besoin d'un guerrier de cette espèce, d'une intervention miraculeuse. Seule, elle était incapable de le sauver. Elle pouvait empêcher les siens de mourir de faim et faire de son mieux pour préserver leur héritage, mais elle n'avait pas les moyens de repousser leurs ennemis.

Le clan Laren consistait en une poignée d'hommes et de femmes âgés dirigés par Alainna. Le clan rival du leur, leur ennemi depuis des générations, ne tarderait pas à triompher d'eux. Avec l'arrivée du printemps s'achèverait le charme qui les protégeait depuis si longtemps, laissant le champ libre à leurs adversaires.

Ses parents la suppliaient d'épouser un guerrier des Highlands, un champion soutenu par des hommes prêts à se battre. Le clan Laren avait besoin d'un homme fort et vigoureux. Malheureusement, personne ne voulait s'embarrasser d'un clan faible, encore moins le défendre contre un ennemi redoutable.

Elle soupira. Si seulement ce rêve avait été vrai, songea-t-elle de nouveau.

L'acier étincelait, tandis que, l'épée au poing, Sébastien pivotait, rompait et se fendait. La lame siffla et remonta. Les muscles tendus, la garde de l'épée enveloppée de cuir dans la main droite, Sébastien dansait sur ses pieds nus. La lame vibra dans l'air frais du petit matin.

Autour de lui, le sommet des remparts était recouvert de gelée blanche. Un vent vif agitait ses mèches dorées, mais il avait chaud sous sa chemise de lin.

Il s'efforçait d'améliorer sa vitesse et son équilibre et frappait dans le vide avec rage, mais sa lame ne transperçait que l'air. Il n'avait aucun ennemi à combattre.

Le vent soufflait violemment. Sébastien s'arrêta, hors d'haleine, et balaya du regard la cime des arbres de la forêt, les tours de l'abbaye, les montagnes à l'horizon. Pour un chevalier ambitieux, l'Écosse était un beau pays, plein de promesses. Il avait déjà passé trois années dans cette contrée glaciale et ne tarderait guère à recueillir la récompense que le roi ne manquerait pas de lui offrir.

Mais il devait partir au plus tôt. Il ne pouvait attendre davantage.

Il se retourna. Botte, attaque, contre, dégagement. Lorsque le roi demeurait à Dunfermline, les guetteurs ne s'étonnaient pas de voir ce garde d'honneur breton s'entraîner. Ils laissaient souvent Sébastien seul sur les remparts, tandis qu'ils dévoraient leur petit déjeuner.

Il avait quitté son lit avant l'aube et avait gagné le sommet de la tour. Il aimait le petit matin, cette heure de la journée pleine d'espérance, ce moment où il pouvait savourer la vue grandiose qui se déployait devant ses yeux. Un sentiment de plénitude et de paix s'emparait alors de son âme.

Une nouvelle botte effleura la pierre, faisant jaillir des étincelles. Sébastien brûlait de se battre.

La veille, il avait reçu une lettre, apportée par un messager breton dont le bateau avait été considérablement retardé. À sa lecture, Sébastien était resté comme assommé.

Son petit garçon avait été exposé à de grands dangers, et il n'avait pas été là pour le protéger. Il ne savait même pas où se trouvait l'enfant en ce moment. Une fois de plus, il maudit l'ambition qui l'avait conduit en Écosse, au lieu de rester en Bretagne avec son fils de cinq ans.

La lettre était envoyée par l'abbé du monastère où il avait laissé Conan, et où lui-même avait été élevé. Un incendie avait détruit les bâtiments des bénédictins, blessant de nombreux moines et en tuant quelques-uns. Son fils et les autres garçons étaient indemnes, mais sans toit. En attendant la reconstruction du monastère, les moines cherchaient désespérément une âme charitable pour les héberger.

L'abbé demandait à Sébastien où envoyer Conan. Il espérait que le chevalier, qui connaissait le duc de Bretagne et le roi d'Écosse, pourrait les aider, peut-être leur prêter un de ses domaines bretons.

Cette lettre avait mis des mois à lui parvenir. Sébastien gémit de désespoir et pourfendit l'air d'un grand coup d'épée, puis il se tourna vers le soleil levant, chemise et cheveux au vent.

Il avait cédé à son ambition, et voilà qu'il apprenait que son fils adoré, pour qui il poursuivait la gloire et la fortune, était en danger.

Conan hériterait un jour des biens de sa mère, mais ils étaient encore entre les mains de la famille de la défunte, qui n'avait que mépris pour Sébastien. Celui-ci avait conquis l'amour de sa douce épouse, mais n'avait jamais pu obtenir l'estime de sa famille. Sa valeur n'avait jamais été reconnue. Car Sébastien Le Bret, réputé pour ses prouesses et son courage au combat, chevalier au service de ducs et de rois, n'avait ni ancêtres ni héritage.

Enfant trouvé, recueilli par le monastère de Saint-Sébastien, en Bretagne, il ne possédait que le nom que lui avaient donné les moines. Le reste, il l'avait gagné à la force du poignet. Il était las de lutter mais, pour son fils, il continuerait.

À présent, il devait laisser ses rêves de côté et regagner au plus tôt la Bretagne. Il leva l'épée au-dessus de sa tête et l'abattit en une frappe ultime, puis il se tint immobile dans le vent.

Le soleil couronnait les montagnes d'un casque glorieux. Le devoir l'appelait auprès du roi d'Écosse. Sébastien se retourna, ramassa sa tunique et son baudrier et se dirigea vers l'escalier.

1

Écosse, les Highlands,
Automne 1170

Avant que l'aube ne pointe, Alainna déposa un petit sac d'avoine et un bouquet de fleurs des champs au pied de la colonne de pierre. Après une brève prière, elle se redressa. Derrière la haute pierre, le loch balayait le rivage en cadence et une pâle lueur éclairait l'horizon.

Elle se tordit nerveusement les mains, puis se ressaisit : l'impatience n'aurait aucun effet sur l'esprit bienfaisant de la Vierge.

La Vierge de pierre était une colonne de granit gris de trois mètres cinquante de haut, qui ressemblait vaguement à une femme. On discernait sur la pierre des inscriptions patinées par le temps. Ce matin-là, le monument était enveloppé d'une brume glacée.

— Vierge, je suis Alainna, fille de Laren de Kinlochan, fils de Laren, fils de Donal, fils d'Aodh...

Elle ne poursuivit pas, bien qu'elle connût les noms de ses ancêtres jusqu'à la Vierge de pierre elle-même et à Labhrainn, le prince irlandais qui avait fondé le clan, des siècles plus tôt.

D'après la légende, l'esprit d'une vierge était enfermé, depuis des siècles, dans cette colonne de pierre, considérée comme la protectrice du clan Laren. Génération après génération, les membres du clan avaient fait des offrandes à la Vierge et avaient formulé des incantations dans l'espoir d'obtenir sa protection. En tant que chef du clan depuis la mort de son père, qui avait eu lieu quelques mois plus tôt, Alainna espérait rapporter un bon augure aux siens.

Elle marmonna le souhait de voir son clan perdurer et attendit.

Le vent détachait des mèches rousses de ses nattes. Elle entendit le chant d'un oiseau, le murmure du loch, l'aboiement de son lévrier poursuivant un mulot. Le soleil levant illuminait la forteresse de Kinlochan, qui s'élevait de l'autre côté de l'étroite étendue d'eau. Alainna attendit longtemps, mais aucun signe n'apparut.

Elle poussa un soupir. Comment empêcher le clan Laren de s'évanouir dans l'oubli ? Certainement pas par les offrandes, ni par les incantations. La réponse était dans l'action.

Son lévrier accourut vers elle en aboyant, puis il tourna la tête vers la rive du loch. À travers le brouillard, Alainna aperçut un cerf fouillant la bruyère.

— *Ach*, Finan, tu aimerais lui courir après, hein ? dit-elle en caressant la tête de son grand lévrier.

Le chien répondit par un aboiement qui la fit frissonner.

— Finan, qu'y a-t-il ?

Un homme descendait la colline. Alainna le reconnut aussitôt. La taille de l'étranger, sa carrure, ses cheveux noirs et les couleurs de son tartan, rouge et brun, étaient ceux de Cormac, le jeune chef du clan Nechtan.

Son ennemi s'avançait vers elle. Si elle avait su

qu'il l'observait, elle ne se serait pas attardée, seule avec son chien.

— Assis, Finan ! ordonna-t-elle en attrapant le collier du chien.

L'animal frissonna et grogna, mais il obéit.

— Alainna de Kinlochan ! lança Cormac de sa voix épaisse, en se campant à quelques pas d'elle. Je t'ai vue pendant que je chassais. J'ai à te parler.

— Nous n'avons rien à nous dire, Cormac MacNechtan.

— Si. Tu es seule ? demanda-t-il en scrutant les alentours.

— Pas pour longtemps, répondit-elle.

De toute façon, songea-t-elle, si son absence se prolongeait, les hommes de son clan partiraient à sa recherche.

Durant son enfance, elle avait souvent aperçu Cormac sur les collines où elle se promenait avec ses deux jeunes frères et leur frère de lait. Elle le savait méchant et ne voulait rien avoir à faire avec lui. Mais, à présent, ils étaient l'un et l'autre chefs de clans, des clans ennemis, et elle ne pouvait pas refuser de lui parler.

Fière et droite à côté de la grande colonne de pierre, elle tenait fermement le collier de Finan et se sentait protégée par le chien autant que par la Vierge de pierre.

— Fais taire ton chien, ou je m'en charge, dit-il en effleurant le fourreau de son poignard.

— Du calme, Finan.

Le lévrier se tut.

— C'est un chien obéissant, remarqua Cormac.

— Je l'ai depuis qu'il est né.

— Il a donc été gâté par une main de femme.

— Tu veux que je te prouve le contraire ?

— Pour l'instant, tu n'as rien à craindre. D'après la légende de la Vierge de pierre, si un homme du clan Nechtan maltraite une femme du clan Laren, il lui arrivera malheur.

— Dommage que la légende n'empêche pas les hommes du clan Nechtan de faire la guerre à ceux du clan Laren.

— Nous gardons une vieille rancune contre vous.

— La haine que vous nous portez est ancienne, mais la nôtre l'est tout autant ! Si vous le pouviez, vous nous anéantiriez.

— Pas toi, Alainna. Toi, je te veux pour moi.

— Ne dis pas ça devant la Vierge !

— Elle ne vous protégera plus très longtemps. Le charme s'achève au printemps, nous le savons tous.

Malgré sa mâchoire proéminente, Cormac n'était pas laid, mais la colère qui faisait briller ses yeux noirs le défigurait.

— Certains prétendent que le pouvoir de la Vierge diminue déjà, ajouta-t-il.

— Notre barde dit au contraire que, lorsque le charme prendra fin, le pouvoir de la Vierge augmentera.

En fait, personne ne savait ce qui se passerait au printemps suivant.

— Le vieux Lorne MacLaren dit ça parce qu'il ne veut pas admettre que son clan est perdu ! La Vierge de pierre ne vous protégera plus, si elle l'a jamais fait. Votre clan s'écroulera.

— Nous pouvons être détruits par les querelles, la maladie, la malchance. Notre clan peut être décimé. Nous pouvons être menacés par un ennemi cruel, ajouta-t-elle en le foudroyant du regard, mais notre fierté et notre héritage demeureront. Votre haine ne les anéantira pas !

— Si tu daignes m'écouter, j'ai de bonnes nouvelles pour ton clan.

— Les nouvelles qui sont bonnes pour le clan Nechtan ne peuvent pas l'être pour le clan Laren.

Elle jeta un regard vers Kinlochan. Des rubans de fumée s'élevaient des cheminées. Les siens ne tarderaient pas à partir à sa recherche. S'ils voyaient Cormac avec elle, il y aurait une nouvelle bagarre.

— J'ai demandé au roi William la main de la vierge de Kinlochan. La vierge de chair et d'os, pas celle de pierre, dit-il.

Sa plaisanterie lui arracha un hennissement.

— Jamais je ne t'épouserai ! s'écria Alainna.

— Maintenant que tu es devenue chef de clan, tu dois te marier. Ton père est mort et ne peut pas arranger ton mariage.

— Mort ? Tué de tes mains, oui !

— Pas des miennes, Alainna.

— Lui et mes frères ont été tués par une lame MacNechtan, cela revient au même. Jamais je ne t'épouserai ! répéta-t-elle.

— Toi et tes aînés souhaitez mettre un terme à cette querelle, je le sais. Et mon clan me presse de t'épouser. Il est temps que je me marie.

— Tu n'as qu'à épouser celle que tu as repoussée après lui avoir fait un enfant.

— Non. C'est toi que je veux. Et puis, quelle gloire tirerions-nous d'une victoire sur les vieillards du clan Laren ? Tu ne peux pas diriger seule ce vaste domaine. Tu dois donc devenir ma femme. C'était la volonté de ton père, d'ailleurs.

— C'est faux.

Finan grogna et avança d'un pas. Alainna toucha d'une main tremblante la tête du chien.

— Vous nous prendriez notre terre et jusqu'à notre nom ! lança-t-elle.

— Le roi a le droit de décider de ton sort, et il le

fera. Il sera content de régler aussi facilement une vieille querelle.

— Même le roi ne peut pas m'obliger à faire quelque chose contre mon gré.

— Une femme têtue est une femme stupide, marmonna-t-il. Tu as la réputation d'être obstinée, mais je te croyais raisonnable. Les hommes du clan Laren sont trop vieux pour manier l'épée. Ton frère de lait, Giric MacGregor, est jeune, mais il est seul, et nous sommes nombreux.

Il fit un pas en avant, mais le chien aboya, l'obligeant à reculer.

— Épouse-moi, et le sang du clan Laren se perpétuera dans nos fils.

— Je ne veux pas de fils portant le nom des MacNechtan !

— Tu es belle, mais exaspérante. On dit aussi que tu es forte, que tu manies le maillet et le burin comme un homme, dit-il en la détaillant d'un regard avide. J'ai des outils que tu pourras utiliser quand tu en auras envie.

— Pars. Mon bras est fort, mais à retenir ce lévrier, il se fatigue.

— Vierge de pierre, siffla-t-il en plissant les yeux, fais attention. Au printemps, ta sécurité ne sera plus assurée. Qui protégera alors ton clan ? Pas une fille armée d'un maillet, ni quelques vieillards.

— Un jour, mon clan te tuera, Cormac.

— Si je le voulais, je te prendrais tout de suite, au pied de cette pierre. Aucun chien ni aucun esprit ne réussirait à m'en empêcher. Je peux aussi attendre le printemps. J'ai le choix. Pas toi.

— Je ne t'épouserai pas. Et personne, ni roi ni Highlander, ne m'y obligera.

— Je serai généreux et te laisserai jusqu'à la Sainte-Brighid, date à laquelle le charme s'achève. D'ici là, le roi aura envoyé son consentement.

Épouse-moi ou assiste à la mort de ton clan. D'une façon ou d'une autre, la querelle sera réglée.

Avant qu'elle ait eu le temps de répondre, il pivota et gravit la colline. Le cœur battant, Alainna le regarda disparaître dans le brouillard. Le chien aboya, mais resta à ses pieds.

Fermant les yeux, elle récita à voix basse une vieille prière écossaise pour que survienne un miracle, puis elle se dirigea vers Kinlochan. Finan courait devant elle dans les hautes herbes brunes, tandis qu'elle longeait l'extrémité du loch, où l'eau bruissait paisiblement sur les galets.

La brume s'était évaporée à mesure que le soleil se levait. La tour de bois de Kinlochan, entourée de sa palissade, se détachait sur le ciel du matin. Des montagnes barraient l'horizon, leurs crêtes déchiquetées couronnées de nuages. L'étroit loch s'étirait à leur pied, tel un ruban d'argent.

La porte de la forteresse s'ouvrit, et trois hommes sortirent en courant, leurs tartans battant leurs jambes nues. Ils lui firent un signe de la main et s'élancèrent à sa rencontre.

Elle répondit à leur salut et trébucha sur un morceau de bois. Machinalement, elle se baissa et découvrit une vieille flèche enfouie dans la bruyère. Elle la ramassa et l'examina. Elle était en mauvais état, mais sa pointe était toujours acérée.

Était-ce le signe qu'elle attendait ? En ce cas, c'était un très mauvais présage : une flèche ne pouvait qu'annoncer une nouvelle guerre.

Elle faillit la jeter, mais se rappela le guerrier qu'elle avait vu en rêve : sur son bouclier figurait une flèche. Il avait offert de sauver son peuple. Subjuguée, elle avait voulu le suivre, même dans l'autre monde.

À la pensée de ce beau guerrier, elle soupira, puis secoua la tête. Les rêves ne lui étaient d'aucun secours.

Finan aboya et courut vers les trois hommes. Elle lui emboîta le pas en serrant la flèche dans sa main.

— Alainna ! s'écria Giric, son frère de lait.

Il se précipita vers elle, suivi de Niall, son vieux cousin, et de Lulach, un de ses deux grands-oncles. Le chien les accueillit avec des bonds de joie. Giric lui caressa la tête en passant et reçut en retour un regard plein d'adoration.

Malgré sa haute taille et sa large carrure, il se déplaçait avec grâce. Ses cheveux bruns balayaient son beau visage et un tartan ceinturé battait ses jambes musclées.

— Nous t'avons aperçue avec Cormac, dit-il. Il ne t'a rien fait, au moins ?

— Tuons-le. Où est-il ? demanda Niall.

Il avait les joues creuses et les lèvres serrées sous sa moustache. La brise rabattait ses cheveux d'argent sur son visage. Il les repoussa du moignon de son bras gauche.

— Tu n'as rien, ma fille ? s'enquit Lulach, ses yeux bleus pleins de colère. Si je l'avais vu plus tôt, je l'aurais tué de mes propres mains.

— Avec tes vieilles jambes, tu n'aurais pas pu le rattraper, dit Niall.

— Ne t'inquiète pas pour mes vieilles jambes.

— Je vais bien, assura Alainna. J'étais sous la protection de la Vierge. Cormac ne pouvait rien contre moi.

— C'est vrai, il aurait été stupide d'oublier le charme, dit Niall.

— Il est stupide, remarqua Lulach.

— C'est la protection d'une bonne lame qu'il te faut, pas celle d'une colonne de pierre, reprit Giric, le visage contracté et les poings serrés. Ne te fie à aucun homme du clan Nechtan.

— Cormac n'oserait pas me toucher.

Mais elle frissonna au souvenir de la menace de Cormac de la prendre au pied de la pierre.

— Elle n'a pas de lame, mais elle a une flèche, dit Niall. Où l'as-tu trouvée ?

— Dans l'herbe.

— Laisse-la. Elle a peut-être été perdue par une fée.

— Elle est de fabrication humaine, décréta Lulach. Il lui manque des plumes. Mais la pointe est encore bonne.

— J'ai trébuché dessus après avoir déposé une offrande au pied de la Vierge. C'est peut-être un présage...

— ...qu'il y aura un MacNechtan de moins, déclara Niall. Tu as eu raison de faire une offrande par une si belle journée, mais tu n'aurais pas dû sortir seule.

— Tu ne bénéficieras bientôt plus de la protection de la Vierge, la prévint Lulach. Sept siècles de charme vont s'achever au printemps.

— Il reste plusieurs mois d'ici à la Sainte-Brighid, rétorqua Alainna.

— Alors, que voulait Cormac ? demanda Niall.

— Trancher ton autre main, lança Lulach.

— *Baothan*, grommela Niall, crétin.

— Ne vous disputez pas, je vous en supplie, fit Giric en se retenant de rire. Nous devons maintenir la paix entre nous. Alainna a assez de soucis comme ça.

— C'est vrai, approuva Niall. Alainna, nous nous sommes attardés hier chez Esa. Malheureusement, elle refuse de venir à Kinlochan. Nous avons même proposé de transporter son grand métier à tisser, mais elle ne veut pas quitter son âtre.

— Si seulement nous pouvions la convaincre de nous rejoindre, soupira Alainna.

— Autant parler à un mur, dit Lulach. Elle a décidé de passer l'hiver dans les collines.

— Elle pleure toujours son Ruari *Mor*, bien que sa mort remonte à plus d'un an. Difficile d'oublier un amour si fort.

— Nous retournerons la voir, suggéra Giric. Que voulait Cormac, Alainna ?

— Ce qu'il veut est évident et mérite qu'on lui coupe la tête, dit Lulach.

— Il a parlé mariage, annonça Alainna.

Lulach eut un reniflement méprisant. Niall cligna des yeux, l'air horrifié.

— Qu'a-t-il dit ? insista Giric.

— Je vous l'expliquerai autour d'une bouillie d'avoine bien chaude. Je meurs de faim.

Elle se remit en marche et siffla Finan.

— Cormac MacNechtan veut épouser notre *toiseach*, notre chef ? demanda Niall. Jamais !

— Jamais ! répéta Lulach. Nos clans ont besoin de paix, et elle d'un mari, mais pas de celui-là.

— Nous en avons souvent discuté depuis la mort de Laren MacLaren, dit Giric. Il est temps que tu te maries, Alainna.

— Où trouver un guerrier prêt à épouser une querelle ? Et qui plaise à ce clan, en outre ? demanda-t-elle.

— Se marier au chef du clan Laren est avantageux, dit Niall. Des forêts giboyeuses, un loch poissonneux, de riches herbages, une fille belle et de fière naissance...

— Et des querelles séculaires, ajouta Alainna.

— Tu es notre benjamine, dit Lulach. Un bon mariage apporterait la sécurité à notre clan pour plusieurs générations.

La sécurité. Elle les voulait tous en sécurité. Sa gorge se serra.

— Mais celui que j'épouserai donnera son nom à nos enfants.

Ses compagnons se turent.

— L'homme qu'elle épousera pourrait prendre notre nom, suggéra Niall.

— Ça se fait parfois, à ce que j'ai entendu dire, ajouta Lulach.

— Où trouver un homme qui accepterait de prendre notre nom et de se charger de nos ennuis ?

— Si seulement tu pouvais épouser notre Giric ! soupira Niall. Il n'est pas de notre sang et il nous aime tous.

— Mais il est son frère de lait, remarqua Lulach.

— C'est au roi d'en décider, dit Giric. Il a le droit de lui choisir un mari. Alainna, en tant qu'héritière, tu vas devoir lui rendre hommage. Demande l'aide du roi William.

— Tu as raison, mais il faut faire vite, dit-elle, en songeant qu'elle aurait intérêt à devancer Cormac auprès du roi.

— Giric peut t'accompagner à la cour, déclara Niall.

— Le roi passe l'hiver à Dunfermline, à deux jours de cheval d'ici. Il connaîtra certainement quelque guerrier en manque de terre.

— Et s'il propose un chevalier étranger ? demanda Lulach.

— Nous lui ferons part de nos souhaits, répondit Niall. Nous sommes loyaux, et il n'aimerait sûrement pas voir disparaître un ancien clan. Il nous aidera et nous trouvera le champion celte qu'il nous faut.

— Alainna, fit Giric, c'est ce que tu veux, n'est-ce pas ?

— Ce qui convient à mon clan me convient, dit-elle d'une voix tremblante.

Son secret désir était irréalisable, elle le savait. Le guerrier qu'elle avait vu en rêve n'existait pas.

La vieille flèche toujours serrée dans sa main, elle gravit d'un pas ferme la pente rocheuse qui conduisait à la porte de la forteresse de Kinlochan.

2

Le chambellan du roi appela le solliciteur suivant. Sébastien se tenait, indifférent, sur l'estrade royale. Soudain, son regard fut arrêté par l'éclat des cheveux roux de la femme qui s'avançait.

Le garde d'honneur du roi d'Écosse resta immobile et silencieux, subjugué. Elle était comme une fleur au milieu des mauvaises herbes, et il ne pouvait détacher ses yeux d'elle.

Les deux chevaliers qui se trouvaient à côté de lui émirent de petits sifflements. Une rumeur admirative parcourut la foule, où se mêlaient chevaliers, dames, marchands, paysans et même barbares, qui attendaient tous de demander justice au roi William. La matinée avait été ennuyeuse, et l'arrivée de la jeune fille en brisait la monotonie.

La tête haute, les épaules droites, la main sur la garde de son épée, Sébastien fronça les sourcils.

Éclairée par le soleil qui entrait par les hautes fenêtres, elle avait tout d'une apparition. Vêtue d'une robe bleu nuit et d'un tartan brun et pourpre, elle s'agenouilla avec grâce.

Le chambellan lui demanda de décliner son nom.

— *Alainna nighean Labhrainn mac Labhrainn an Ceann Lochan*, murmura-t-elle en gaélique, bien que le chambellan lui eût parlé en anglais.

Sébastien perçut de la fierté dans sa voix basse et envoûtante.

— Qui est-elle ? demanda le chevalier qui se tenait près de lui.

— Elle s'appelle Alainna MacLaren de Kinlochan, répondit Sébastien, prononçant *Allinna*, comme l'avait fait la jeune fille.

Hugo et Robert, ses voisins, hochèrent la tête.

Assis sur son siège, William d'Écosse se pencha et s'adressa à elle en gaélique. La jeune fille expliqua la raison de sa venue.

— Bastien, tu connais assez cette langue pour nous traduire leur conversation, dit en anglais Robert de Kerec, le chevalier qui se trouvait à sa gauche.

Robert était son plus vieil ami, et bien qu'ils fussent tous deux d'origine bretonne, ils avaient servi en Angleterre comme écuyers, puis comme chevaliers.

— Ce ne sont pas les leçons qui lui ont manqué, intervint Hugo de Valognes. La jolie fille qui lui apprend le gaélique ne se limite pas à cette langue, d'ailleurs, mais je suis prêt à parier qu'en certaines matières, Bastien est plus maître qu'élève.

— Je continue à prendre des cours, dit Sébastien sans détourner le regard.

Hugo gloussa et donna un coup de coude à Robert.

À la cour d'Écosse, la plupart des chevaliers bretons parlaient anglais et français, mais ils connaissaient à peine la langue du pays. Outre le breton, Sébastien parlait français, anglais et latin depuis l'enfance, de sorte que le gaélique lui avait paru facile.

La fille du chevalier avait proposé de le lui enseigner en échange d'une tendre amitié. Le professeur appréciait la vivacité d'esprit de son élève et admirait sa beauté, sa force et son courage.

— Que dit-elle ? demanda Robert.

— Alainna de Kinlochan est le chef d'un clan des Highlands, et elle vient rendre hommage au roi à la suite de la mort de son père, répondit Sébastien.

Ses deux camarades hochèrent de nouveau la tête.

Vêtus de cottes de mailles et de surcots vert foncé brodés d'argent, les trois chevaliers, membres d'une garde d'honneur réputée pour sa bravoure, ses talents militaires, sa discipline et son allure, se tenaient près du roi. Robert était mince, alors que Hugo était grand et fort. Sébastien savait que son adresse inégalée avait valu à ce dernier une place privilégiée parmi les chevaliers envoyés par le duc de Bretagne au service du roi William.

— Une héritière des Highlands ? Intéressant, fit Hugo. Elle n'a pas l'air d'une sauvage.

Sébastien opina du chef. La jeune fille avait le teint laiteux, et ses épaisses tresses cuivrées tombaient le long de son corps souple. Ses yeux étaient du même bleu profond que sa robe. N'eût été le tartan drapé sur ses épaules et retenu sous son menton par un anneau d'argent, on aurait pu la croire bretonne ou anglaise.

Sébastien l'observa en silence, notant ses membres élancés, sa taille fine, ses épaules droites, ses seins ronds, son visage serein.

— Un morceau de choix, chuchota Hugo. Si elle vient chercher un mari, je suis son homme.

— Voilà peut-être un autre candidat, dit Robert.

Sébastien vit un Highlander à la carrure imposante s'avancer. Alainna MacLaren se releva. Elle n'était pas petite, mais cet homme la dominait de près de deux têtes. Il portait un tartan brun et pourpre, et son beau visage large était encadré de tresses auburn. Il s'adressa au roi en gaélique.

— Un barbare, murmura Hugo. Il n'attend même pas qu'on l'autorise à parler ! Et le roi permet ça ! Jamais on ne tolérerait un tel manque de manières en France.

— Chut, murmura Robert. Tu vis ici depuis assez longtemps pour savoir que les Écossais se comportent comme si personne, même pas le roi, ne leur était supérieur. Cet orgueil a son charme, et le roi n'en est pas offensé. S'il ne s'en formalise pas, pourquoi le ferais-tu ?

— Pas étonnant qu'ils aient autant d'ennuis ici, marmonna Hugo.

La main sur la garde de son épée, prêt à intervenir en cas de problème, Sébastien surveillait l'estrade. Il était un excellent observateur, capable de juger les gens d'un regard. Dans le port de tête de la jeune fille, il devinait un caractère fier et fort. Mais, dans ses yeux bleus, il lisait une profonde tristesse. Une lionne fragile, songea-t-il.

À la demande du roi, la jeune fille recommença à parler en anglais. Instruite autant que jolie, pensa Sébastien. Comme l'avait dit Hugo, elle n'avait rien d'une sauvage. De sa belle voix basse, elle passait avec aisance d'une langue à l'autre.

Il avait connu des femmes belles et intelligentes, mais n'en avait jamais vu qui rayonnât d'un tel charme. Il l'observait avec une fascination grandissante.

— Sire, dit-elle, mon parent, Giric MacGregor, m'a accompagnée à la cour, afin que je vous rende hommage au nom de mon fief. Mon père, Laren MacLaren, le chef de notre clan, a été tué il y a six mois, lors d'une bataille avec le clan Nechtan. Mes deux frères sont morts au cours de précédentes

31

échauffourées avec le même clan, me laissant chef du clan Laren et seule héritière de Kinlochan.

Le timbre chaud de sa voix pénétrait Sébastien comme une caresse.

— Nous vous présentons nos condoléances, damoiselle Alainna, répondit le roi.

Elle inclina la tête.

— Sire, je viens m'acquitter du tribut de vassalité envers vous.

— Le détachement d'un ou deux chevaliers au service de la couronne est le règlement habituel.

— Sire, pour l'instant, je ne peux vous offrir aucun chevalier. Mon clan a été décimé. Nous sommes riches par nos terres et notre lignage, mais il nous reste peu de biens et encore moins d'hommes. Nous avons été pratiquement ruinés par cette querelle. Permettez-moi de vous offrir autre chose pour prendre possession de mon fief.

Le roi acquiesça, et Alainna de Kinlochan se tourna vers son parent, qui sortit des plis de son tartan un objet enveloppé dans un tissu et le tendit au roi.

William découvrit une pierre rectangulaire de la taille d'une main, sur la surface de laquelle étaient sculptés une croix et un cercle entrecroisés à la manière celte. Même de loin, Sébastien pouvait en admirer la beauté.

— Très joli, approuva le roi. Est-ce le travail d'un artisan de Kinlochan ?

— Oui, répondit Alainna.

— Nous acceptons ce tribut, damoiselle. Chaque année, Kinlochan devra nous remettre une pierre sculptée.

— Merci, sire. Si vous m'y autorisez, je voudrais vous soumettre un autre problème, celui de mon mariage.

— Nous devons y réfléchir.

— Sire, vous avez le droit de me choisir un mari, je le sais. Les anciens de mon clan aimeraient cependant poser quelques conditions à mon futur mariage.

— Des conditions ? fit le roi.

— Mes parents désirent que j'épouse un guerrier celte capable de combattre nos ennemis, sire, un homme dont le lignage soit égal au nôtre. Il devra parler gaélique et être compatissant et courageux. Et il faudra que ses terres ne soient pas trop éloignées des nôtres, afin qu'il puisse rejoindre Kinlochan en un jour.

— Et le champion qui relèvera ce défi gagnera votre main ? dit le roi, amusé. Nous avons à la cour des chevaliers bretons honnêtes et fiers de leurs prouesses militaires. L'un de mes gardes d'honneur pourrait faire l'affaire.

Hugo et Robert se gonflèrent comme des paons. Sébastien resta de marbre.

— Je ne souhaite pas épouser un Breton, sire. Mes parents aimeraient me voir épouser un Celte. Sire, ajouta-t-elle après avoir repris sa respiration, il y a une condition supplémentaire. Nous voulons que mon mari renonce à son nom et adopte celui de notre clan.

Sébastien la regarda, les yeux écarquillés. Elle avait de la fierté, du caractère, de la beauté... et beaucoup d'arrogance, ce qu'il n'avait pas remarqué jusque-là.

— Ah, là, elle exagère, marmonna Hugo.

— C'est beaucoup demander à un homme, breton ou celte, dit le roi. Cela dit, si le fief en vaut la peine, c'est envisageable. Cependant, même s'il existait un guerrier aussi désintéressé, il ne serait pas sage d'entraîner un autre clan celte dans cette querelle.

— Je ne veux pas d'étranger pour mari, répondit-elle en levant le menton.

— Vous avez de belles possessions, damoiselle Alainna, dit le roi. L'un de nos chevaliers bretons ferait un bon mari pour vous.

— Sire, je vous en supplie, tenez compte de ma demande.

Dans le silence qui suivit, Hugo changea de position, et sa cotte de mailles cliqueta. Alertée par le bruit, la jeune fille tourna la tête vers eux.

La clarté de son regard toucha Sébastien comme un éclair. Avant qu'elle ne se détourne, il lut le désespoir dans ses yeux bleus et éprouva aussitôt de la compassion pour elle. Il demeura impassible, mais son cœur se mit à battre plus vite.

— Le roi rejettera sa demande, murmura Robert.

— Cette région a besoin de la puissance militaire des Bretons, pas d'un nouveau chef de guerre celte.

— Je veux des terres et une femme, et je suis venu en Écosse pour les trouver, marmonna Hugo, mais je ne renoncerai pas à mon nom pour les obtenir. Toi, en revanche, tu peux adopter son nom sans hésiter, ajouta-t-il à l'adresse de Sébastien.

— Tais-toi, fit Sébastien d'un ton sec.

— Je n'avais pas l'intention de te blesser, dit Hugo. Tu n'as pas...

— Tais-toi, siffla Sébastien.

En guise d'avertissement, Robert donna un coup de coude à Hugo. Celui-ci parlait souvent sans réfléchir, Sébastien le savait. C'était un excellent guerrier, et il lui avait déjà sauvé la vie au combat, mais il se comportait comme un rustre.

Quelle que fût la valeur de la terre ou celle de la jeune fille, Sébastien n'accepterait jamais d'abandonner son nom pour celui d'une femme. Il tenait au nom de Sébastien Le Bret, que ses prouesses avaient rendu illustre.

Le roi murmura quelque chose à la jeune fille, qui regarda son compagnon, les joues rouges de colère ou de confusion. Le Celte lui sourit.

« Ah ! pensa Sébastien. Alainna MacLaren affiche une fierté et une détermination à toute épreuve, mais elle montre sa faiblesse à cet homme, qui est aussi barbare qu'elle est gracieuse. Leurs liens, quelle qu'en soit la nature, sont forts. »

Il éprouva un pincement de jalousie, mais chassa rapidement ce sentiment et souhaita en lui-même que la jeune femme trouve le fier guerrier celte qui répondrait à ses exigences.

En tout cas, il n'était pas son homme.

3

— Damoiselle Alainna, la question de votre mariage sera étudiée avec soin, déclara le roi William. Dès qu'une décision aura été prise, vous en serez informée. Adieu.

Alainna jeta un regard inquiet à Giric. Son frère de lait et elle avaient fait un long voyage pour un bien maigre résultat. Le roi semblait décidé à lui choisir un mari sans tenir compte de sa demande.

— Sire... commença-t-elle.

Ignorant la jeune femme, le roi se tourna vers les chevaliers qui se tenaient sur l'estrade. Tous trois étaient blonds et portaient les mêmes vêtements.

— Messire Sébastien, escorte dame Alainna et son parent. Veille à ce qu'on leur donne des provisions pour leur voyage.

— Sire, fit le plus grand des trois en s'avançant.

Alainna avait remarqué qu'il ne la lâchait pas des yeux.

Le Breton se planta devant elle et inclina la tête.

— Damoiselle, si vous voulez venir avec moi, dit-il en gaélique, à la grande surprise d'Alainna.

Elle sentit la pression de ses doigts à travers sa manche. Étonnée par ce contact chaleureux, elle le regarda.

— Non, répondit-elle. J'ai encore quelque chose à dire au roi.

— À votre guise.

Il resta à côté d'elle, robuste et fort, sa manche lui effleurant l'épaule.

Elle le regarda, un instant distraite par sa rude beauté, que déparait une cicatrice sur le sourcil gauche. Il avait les cheveux dorés, les yeux gris, le visage anguleux et la mâchoire carrée. Une impression de calme se dégageait de toute sa personne.

Détournant les yeux, elle reprit la parole.

— Sire, je vous en supplie, à propos de mon mariage...

— Damoiselle, vous m'avez déjà adressé votre requête.

— Sire, l'ennemi de mon clan, Cormac Mac-Nechtan, a l'intention de vous demander ma main. Mais il veut seulement posséder Kinlochan et diriger notre clan en m'épousant, moi, leur chef.

— C'est vrai, sire, confirma Giric. C'est une querelle ancestrale.

— Un mariage entre ennemis est une bonne façon de résoudre un conflit.

— Je ne peux pas épouser Cormac ! s'écria Alainna. Je vous supplie de comprendre. Il nous faut des guerriers qui combattent pour nous.

— Il vous faut un homme capable d'élever un

château, d'y mettre des hommes d'armes et d'apporter la paix dans cette région.

— Un Highlander, fit-elle avec un soupir de soulagement.

— Un chevalier breton, rectifia le roi. Je vous en choisirai un parmi les hommes les plus valeureux de ma cour. Adieu, damoiselle.

— Sire... supplia-t-elle, paniquée.

Le chevalier breton la prit par le bras.

— N'insistez pas, damoiselle, murmura-t-il. Si vous voulez parvenir à vos fins, rédigez une supplique.

— Je ne sais pas écrire, dit-elle, s'arrachant à son étreinte. Mais je peux parler.

— À vos risques et périls.

Elle lui jeta un regard furibond.

— Beau couple, commenta le roi. Très beau. Sébastien, si je me rappelle bien, tu es veuf... Depuis quand es-tu à mon service ?

Alainna regarda le roi, stupéfaite.

— Presque trois ans, sire, répondit le chevalier.

— Et tu n'as pas encore reçu de récompense. Tu n'es pas marié, n'est-ce pas ?

Alainna les écoutait, le cœur battant. Son regard affolé passait de l'un à l'autre.

— Le privilège de servir comme garde d'honneur pour le roi d'Écosse me suffit, sire.

Ses doigts se crispèrent comme un étau autour du bras d'Alainna.

— Nous verrons ce que nous pouvons faire pour toi. Damoiselle, messire Sébastien Le Bret est l'homme qu'il vous faut.

— Sire... protesta Alainna.

— Je ne suis pas le champion qu'attend cette dame, dit le chevalier.

— Et modeste, avec ça. Tu es un chevalier modèle, réputé pour ta force et ton courage, répondit le roi. Exactement ce qu'a demandé dame Alainna. Et tu parles gaélique. Cela devrait lui plaire.

— J'en doute fort, sire.

— Pour l'instant, nous vous enverrons simplement à Kinlochan avec des troupes.

— Mon clan n'acceptera jamais un chevalier breton à Kinlochan ! s'exclama Alainna

Le roi l'examina. La détermination qu'elle lut dans ses yeux la fit hésiter. Le roi William n'était pas un homme cruel, elle le savait, mais il était emporté et pouvait interpréter son refus comme un crime de lèse-majesté.

— Nous en parlerons plus tard, Sébastien. Adieu, damoiselle Alainna.

Le roi fit signe au chambellan d'appeler le solliciteur suivant.

Sébastien empoigna Alainna par le bras et l'entraîna. Elle tourna la tête pour regarder en arrière.

— Sire... commença-t-elle.

— Taisez-vous, ordonna Sébastien.

— Il veut vous donner mes terres !

— Si je refuse, il ne pourra rien me donner. Venez par ici. Messire, dit-il à Giric, je vais envoyer un page chercher vos chevaux.

— Les chevaux sont dans une écurie en ville, répondit Giric. Je vais aller les chercher moi-même. Alainna ?

— Je... j'attendrai dans l'abbaye, dit-elle en gaélique à son frère de lait. Je ne veux pas partir sans l'avoir vu. Giric, je ne peux pas épouser un Breton !

— Calme-toi. Va, je te retrouverai à l'abbaye.

— Laissez-moi vous y conduire, damoiselle, proposa le chevalier en gaélique. C'est un magnifique

38

bâtiment, dont la vue ne manquera pas de vous apaiser. Par ici.

La tête haute, le cœur battant, Alainna le suivit à travers la foule.

Les lèvres serrées, les yeux pleins de larmes, elle gravit le chemin pentu derrière le chevalier. L'abbaye de Dunfermline dressait ses tours de pierre dorée au sommet de la colline.

Elle marchait si vite qu'elle se prit les pieds dans le bas de sa jupe et dut s'arrêter. Des feuilles mortes encombraient la traîne de sa robe. Empoignant le lainage, elle le secoua avec plus de colère que de grâce.

— Du calme, gente dame, fit le chevalier en se penchant pour l'aider. Vous allez abîmer votre robe.

Elle soupira et brossa sa jupe avec plus de douceur. La robe bleu nuit brodée de fils dorés et rouges était le plus beau vêtement qu'elle possédât.

— Ma famille pensait que ma demande aurait plus de chance d'aboutir avec cette tenue, dit-elle. Elle ne m'a servi à rien.

— Jolie demande, cependant. Et non moins jolie robe.

Elle lui lança un regard sévère. Il lui sourit. Ce fut un sourire fugitif mais franc, dont la chaleur la pénétra. Embarrassée, elle détourna la tête et rajusta son tartan sur ses épaules.

— Beau tissage, dit-il.

— C'est une femme de mon clan qui l'a confectionné. Les tartans qu'elle tisse sont chauds et légers, et très recherchés. Dans les Highlands, nous nous habillons simplement, mais nous ne sommes pas les sauvages que vous croyez, messire. Mon père m'a fait faire cette robe à Glasgow. Il pensait me la voir porter pour mon mariage. Au lieu de quoi, je la porte pour rendre hommage au roi.

— Votre père aurait été fier de vous, aujourd'hui, murmura-t-il en gaélique.

Alainna trouvait réconfortant de l'entendre parler sa langue. C'était comme une caresse. Elle se laissa un instant attendrir, puis elle se retourna vivement et reprit sa marche.

— Peu de Bretons parlent gaélique, fit-elle remarquer.

— Je l'ai appris pour servir la couronne. Vous-même parlez bien anglais.

— Mon père a tenu à ce que mes frères et moi l'apprenions. C'est notre prêtre qui nous l'a enseigné. Le père Padruig dit que la plupart des étrangers jugent le gaélique dur et barbare, mais c'est la langue des bardes et des poètes. C'est comme une musique.

— Parfois, en effet.

— Je ne me suis jamais entretenue avec un chevalier si haut placé, anglais ou celte.

— Pas si haut placé que vous pouvez le penser, gente dame.

Elle fronça les sourcils, intriguée. Son armure et son arme étaient d'une grande valeur, et son surcot vert foncé était tissé de fils d'argent. Il respirait l'autorité, l'intelligence et la force.

— Il paraît que la garde d'honneur du roi est très bien considérée à la cour et que le roi lui accorde sa faveur.

— Nous avons été envoyés à la cour d'Écosse par notre suzerain, le duc Conan de Bretagne. C'est un honneur de servir le roi William.

— Est-ce là ce qu'on appelle l'humilité chevaleresque, messire ? J'ai entendu parler des vœux prononcés par les chevaliers étrangers.

— Nous essayons de les honorer. Quant à l'humilité, je ne pense pas que ce soit ma principale qualité.

— Quand le roi a déclaré qu'il voulait vous envoyer à Kinlochan, vous avez réagi nerveusement. Était-ce du déplaisir ou de l'excitation à l'idée d'obtenir une terre écossaise ?

— L'offre du roi n'était pas sérieuse. Vous vous inquiétez pour rien.

— Je ne m'inquiète pas, rétorqua-t-elle, les nerfs à vif. Mais s'il vous envoie – vous ou l'un de vos camarades – à Kinlochan, j'aurai de quoi m'inquiéter !

— Ne vous affolez pas. Le roi n'a encore rien décidé.

— Mon clan attend un héros celte, et le roi va me choisir un mari breton ! Je vais devoir leur dire que j'ai échoué !

— Vous avez fait de votre mieux. Si le roi m'envoie chez vous, ce sera pour amener la paix.

— La paix ! S'il envoie des Bretons, ce sera toujours la guerre !

— Vous avez demandé l'aide du roi, lui rappela-t-il.

— Pour répondre au vœu de mon clan, pas pour satisfaire ses souhaits personnels !

— Il pense à l'Écosse. Vous pensez au clan Laren.

— À quoi d'autre devrais-je penser ?

— Vous avez réponse à tout. Heureusement que nous allons à l'église. Quelques prières tempéreront votre ardeur.

Elle le foudroya du regard, mais il resta impassible. Au bout d'un moment, elle lui jeta un coup d'œil à la dérobée. Elle avait envie d'en savoir plus sur lui, surtout si le roi le lui destinait.

— Pour mériter la faveur du roi, vous devez être le fils d'un grand seigneur, dit-elle.

— La naissance n'est pas tout. Le mérite personnel et la volonté sont aussi des gages de réussite. J'ai été élevé en Bretagne et j'ai passé des années en Angleterre. Je suis breton ou anglo-normand, comme vous voulez, et je ne suis l'héritier de personne.

— Un cadet venu en Écosse pour y gagner terre, statut et richesse. Vous prenez sans doute les Écossais pour de simples barbares.

— Pas tous les Écossais.

Alainna souleva le bas de sa jupe et pressa le pas. Malgré sa cotte de mailles et son épée, le chevalier gravissait la colline à grandes enjambées.

— Vous êtes grand et blond comme vos camarades, dit-elle. Êtes-vous parents, tous les trois ? Descendez-vous des Vikings, comme certaines familles des Highlands ?

— Que de questions ! Non, nous ne sommes pas parents. Et les chevaliers de la garde d'honneur bretonne doivent tous être grands et blonds. Quant au sang viking, j'en ai peut-être. Je ne le sais pas de façon certaine.

Alainna était surprise. Tous les Highlanders qu'elle connaissait pouvaient énumérer leurs ancêtres sur plusieurs siècles.

— Je suppose que les Bretons n'ont pas comme les Gaëls le culte des ancêtres.

— Les Bretons et les Normands sont fiers de leurs lignages et de leurs noms.

Elle le regarda, étonnée. Il était comme un chat sauvage se chauffant au soleil : calme en apparence, mais capable de bondir à la moindre menace. Mieux valait ne pas le provoquer. Cependant, il y avait de la bonté dans son regard.

Ils atteignirent l'esplanade herbue sur laquelle donnait l'entrée de l'abbaye. Des tours jumelles s'élevaient au-dessus des portes de chêne enca-

drées de portiques sculptés. À part quelques bénédictins en robes noires, l'abbaye était déserte.

Elle gravit les marches pour admirer les sculptures des chapiteaux.

— C'est une magnifique abbaye, dit le chevalier.

— Elle doit pourtant sembler bien modeste, com-
parée aux cathédrales normandes ou anglaises. On
dit qu'elles sont comme des miracles de pierre et de
verre.

— Celle-ci est à la fois simple et belle. Je la préfère aux autres, trop travaillées à mon goût.

— Elle ressemble à la cathédrale de Durham en
Angleterre. Certains des sculpteurs qui y ont travaillé sont venus ici.

— Pour quelqu'un qui n'est pas d'ici, vous
connaissez bien l'histoire de l'abbaye.

— Le cousin de mon père y a travaillé, il y a vingt
ans. Il était tailleur de pierres. J'ai toujours voulu
voir son travail, dit-elle en caressant une colonne.
Il me disait que l'abbaye de Dunfermline était
devenue un lieu de pèlerinage parce que notre
bien-aimée reine Margaret y est enterrée. Elle était
si bonne que beaucoup d'Écossais souhaiteraient
qu'elle soit béatifiée.

— Je lui ai moi aussi adressé des prières. Elle est
la patronne des pauvres et des déshérités, ajouta-
t-il en posant sa main puissante sur la pierre.

— Vous êtes en Écosse pour vous approprier des
terres écossaises. Je doute que notre reine
Margaret vous considère comme pauvre et déshé-
rité.

— J'ai le droit de partager votre mauvaise
humeur, mais pas votre sainte reine ?

— Je voulais dire...

— J'ai compris ce que vous vouliez dire. Vous
avez une piètre opinion des Bretons.

— Ce n'est pas exactement ça.

— Alors, qu'est-ce que c'est, exactement ? demanda-t-il, le regard glacial.

Elle détourna les yeux en rougissant.

— Je sais que, par le passé, les Bretons et les Normands ont aidé l'Écosse et nos rois, et que la couronne écossaise reconnaît leur valeur militaire. Mais ils apportent trop de changements à notre pays.

— Et vous refusez d'en épouser un.

— Oui.

— Votre clan pourrait pourtant tirer profit d'une telle union.

— Jamais.

— Vous êtes têtue.

— C'est vrai. Pour le bien de mon peuple, je le dois. Je ne veux pas assister à la ruine de mon clan.

— Et vous craignez qu'un mari breton n'y contribue. Pourquoi ?

— Les Bretons détruiraient notre héritage, notre histoire, notre nom même.

— Il y a plus de chance que ce soit l'œuvre de votre ennemi des Highlands que celle d'un Breton.

— Aussi n'épouserai-je ni l'un ni l'autre.

— Au moins, c'est clair. Quant à moi, n'étant pas sujet écossais, je ne suis pas obligé d'accepter une faveur du roi William.

— Vous refuseriez Kinlochan ?

— J'ai d'autres projets.

Alainna fut à la fois soulagée et déçue. Elle tenait, bien sûr, à ce qu'il repousse la proposition du roi, mais elle était intriguée par cet homme, attirée par sa force, son esprit, son regard pénétrant et bienveillant.

Soudain, elle retint son souffle, effarée. Ne ressemblait-il pas au guerrier de son rêve ? Mais com-

44

ment un Breton pouvait-il ressembler à ce guerrier idéal ? C'était impossible !

— Le roi va vous offrir Kinlochan, dit-elle sèchement. Quel Breton refuserait un tel cadeau ? Vous êtes ambitieux et désireux de vous établir sur le sol écossais.

— Je n'ai aucune envie d'épouser une fille des Highlands colérique et de m'installer dans une montagne reculée pour mener son combat. Je laisse cette tâche à votre champion celte.

Alainna battit des paupières, abasourdie. Le bras appuyé contre la pierre, la main juste au-dessus de la sienne, il la regardait fixement, tout près d'elle.

Elle ne recula pas d'un pouce et soutint son regard. Elle avait rarement vu des yeux si expressifs et d'un gris si clair.

— Si cette offre vous est faite, vous ne devez pas l'accepter.

— Est-ce une mise en garde ?

— Oui, répondit-elle.

Son cœur battait la chamade. Elle ne pouvait détacher les yeux des siens. Elle devinait qu'il était aussi volontaire et déterminé qu'elle, peut-être même plus, et trouvait cela à la fois effrayant et excitant.

— Je n'aime pas les mises en garde, dit-il à mi-voix. J'ai tendance à passer outre.

— Les clans celtes ne veulent pas de Bretons parmi eux. Les barbares des Highlands attaquent quiconque tente de prendre leur terre. C'est pourquoi il y a si peu de colons dans les Highlands, contrairement aux Lowlands. Contenez donc votre cupidité et votre ambition.

— Êtes-vous un chef rebelle pour tenir des propos si violents ?

— Si quelqu'un essayait de s'emparer de notre

terre, nous nous révolterions. Mais nous ne nous révoltons pas contre notre roi.

— L'année dernière, j'étais aux côtés de votre roi, tandis qu'il mettait en déroute une armée de Celtes rebelles. Après cette expérience, je vous assure que je ne tiens pas du tout à partager une terre avec ce genre de sauvages.

— Bien. Dites au roi que Kinlochan ne peut appartenir qu'à un guerrier celte.

— Que Dieu ait pitié de ce Celte.

Sur ces mots, il se retourna et ouvrit le grand portail cintré.

— Gente dame, vous vouliez voir l'abbaye, lui rappela-t-il. C'est l'occasion ou jamais.

Alainna songea soudain que c'était sous les porches des églises qu'avaient lieu les cérémonies de mariage. Troublée par cette pensée, elle franchit vivement la porte.

Sébastien la laissa passer, et Alainna entra dans la paix et le silence. La lumière était transparente et dorée, une traînée d'encens flottait dans l'air. Elle s'approcha de l'autel et s'agenouilla. Sébastien en fit autant. Lorsqu'ils se relevèrent, leurs regards se croisèrent un instant, et elle détourna vivement la tête.

Des piliers massifs se dressaient jusqu'à une galerie percée de fenêtres. L'ensemble était couronné par une voûte en arceau.

Alainna descendit un des bas-côtés, ses pas résonnant faiblement sur les dalles de pierre.

Le chevalier attendait dans la nef. La lumière auréolait ses cheveux d'un halo d'or et faisait briller son haubert. Il était d'une beauté farouche.

Elle s'efforça de fixer son attention sur les sculptures de pierre. Ayant reconnu la main de son cousin dans plusieurs chapiteaux, elle prit plaisir à admirer son travail et parcourut l'église à la recherche de sa signature gravée dans la pierre.

En songeant aux sculptures qu'elle exécutait dans son petit atelier de Kinlochan, elle poussa un soupir. Jamais elle n'atteindrait une telle maîtrise.

Au pied d'un chapiteau sur lequel étaient sculptées des feuilles d'acanthe, elle sortit du petit sac en cuir accroché à sa ceinture un morceau de saule carbonisé et un carré de lin et y reproduisit le dessin des feuilles. Le cousin Malcolm répétait qu'on ne pouvait pas faire de bonne sculpture sans un bon dessin, et elle avait pris l'habitude d'esquisser des croquis de ce qu'elle voyait avant de réaliser ses travaux.

Elle regarda le chevalier, qui détourna aussitôt les yeux. Immobile, il ressemblait à un saint guerrier. Malgré la violence de ses paroles, il lui donnait le sentiment de la protéger. Elle ferma les yeux et sentit ses inquiétudes et ses peurs lâcher prise. Bientôt, elle retournerait à un monde d'incertitudes, mais elle tenait à savourer la sérénité et le réconfort qu'elle éprouvait dans cette église, en présence du chevalier.

Au bout d'un moment, elle rouvrit les yeux. En relevant la tête, elle reconnut la marque de Malcolm dans la pierre d'un pilier et s'en approcha vivement.

Sébastien scrutait les recoins de l'église. L'abbatiale semblait illuminée d'une clarté surnaturelle. Était-ce dû à la lumière de l'après-midi ou à la présence de la jeune fille, qui rayonnait, telle une flamme à l'intérieur d'une lanterne ?

Malgré son sang-froid et sa légendaire maîtrise de soi, il devait reconnaître qu'elle l'avait enflammé, lui aussi. En moins d'une heure, elle

avait éveillé en lui désir, colère et frustration...
mais aussi l'envie de la protéger et de lui apporter
la paix.

En constatant qu'elle avait disparu au milieu des
piliers, il traversa la nef et s'arrêta, stupéfait.

Alainna se tenait sur la base étroite d'un pilier,
sur la pointe des pieds, un bras autour de la
colonne, l'autre tendu vers une saillie, comme pour
trouver une prise et escalader le pilier.

— Vous avez l'intention de grimper tout en haut,
damoiselle ?

En l'entendant, elle sursauta. Son pied se prit
dans la traîne de sa robe, et elle perdit l'équilibre.
Il se précipita pour la rattraper.

— Aahhh ! fit-elle en tombant dans ses bras.

Sébastien sentit son corps ferme et souple sous
les épaisseurs de son tartan et de sa robe. Mais,
presque aussitôt, elle se mit à se contorsionner
pour lui échapper.

— Lâchez-moi, messire !

— Je vais le faire, mais dites-moi d'abord ce qui
s'est passé. Vous vous êtes tordu la cheville ? Vous
avez été effrayée par une souris ?

— Épargnez-moi vos plaisanteries. Vous m'avez
surprise et je suis tombée. Posez-moi par terre !

Il s'exécuta et demanda :

— Alors, pourquoi avez-vous essayé d'escalader
ce pilier comme un écureuil ?

Elle n'appréciait pas son humour, comprit-il.
Elle s'empourpra, ses yeux saphir s'obscurcirent,
ses sourcils se froncèrent. L'orage grondait.

Mais Sébastien aimait les orages.

— Si vous voulez, je peux aller chercher une
échelle, proposa-t-il.

Elle ouvrit la bouche pour lui répondre sèchement, mais ne put garder son sérieux plus longtemps. Son rire résonna comme des clochettes

dans la nef. Sébastien s'esclaffa à son tour, ce qui ne lui arrivait pas souvent.

— J'essayais d'atteindre la marque de mon cousin, là-haut, expliqua-t-elle enfin.

— Sa marque ? fit-il en levant la tête.

— Un symbole gravé dans la pierre. Quand un tailleur de pierres exécute un travail, il grave sa marque. Ce pilier porte celle de mon cousin. Je voulais la voir. La toucher.

Après un instant de réflexion, Sébastien ramassa le tissu et le charbon de bois qu'Alainna avait laissés par terre, posa un pied sur la base du pilier, tendit le bras et atteignit la marque sans difficulté. Il étala alors le tissu sur l'inscription et frotta le charbon dessus pour reproduire le symbole sur le carré de lin. Puis il redescendit et rendit le linge à Alainna.

— Un souvenir de votre cousin, dit-il.

— Merci, fit-elle, reconnaissante. Vous devez beaucoup tenir à votre famille pour comprendre combien cela est important pour moi.

— Je... je suis attaché à ma famille, balbutia-t-il. Vous êtes une imagière, n'est-ce pas ?

— J'ai un peu appris avec mon cousin. Venez, je vais vous montrer son travail.

Elle lui indiqua des feuilles d'acanthe et de vigne.

— Regardez. Malcolm exécutait toujours le contour des feuilles de cette façon, pour en rendre les bords fins et délicats.

Il l'écouta et admira le travail de son cousin, mais il ne put s'empêcher de regarder davantage la jeune femme que les dessins. Elle avait une voix basse et apaisante, et sa vue était comme un baume. Comme ils approchaient du portail, elle se tourna vers lui et déclara :

— Mon frère de lait doit m'attendre.

Sébastien hocha la tête, dépité, et lui ouvrit la porte.

Dehors, il aperçut Giric MacGregor, qui arrivait au petit trot. Il tenait une seconde monture par les rênes, un solide cheval des Highlands à la robe hirsute.

— Adieu, *Alainna an Ceann Lochan*. Nous ne nous reverrons pas. Je compte quitter bientôt l'Écosse.

— Oh... Alors, soyez béni, et que Dieu aplanisse votre route, dit-elle en gaélique. Et que les fées vous protègent.

— Que Dieu vous garde de tout mal, murmura-t-il. Et que les anges vous bénissent.

Elle tourna les talons et courut vers son frère de lait, qui l'aida à se mettre en selle. Elle prit les rênes et regarda en arrière.

Sébastien lui fit un signe de la main. Lorsqu'ils eurent quitté le parvis de l'abbaye, il se dirigea vers le chemin qui menait à la tour du roi. Au bout d'un moment, il jeta un coup d'œil derrière lui.

Alainna se retourna au même instant, et ils se détournèrent aussitôt. Il reprit sa route et se surprit à essayer de discerner les bruits de sabots, comme pour prolonger le fil qui le reliait à elle.

Perdu dans ses pensées, il atteignit la tour de pierre. Il avait le sentiment qu'il s'était passé quelque chose d'extraordinaire, mais il n'aurait su dire quoi. La fille des Highlands avait fait irruption dans sa vie tel un rayon de soleil. Elle partie, le monde semblait plus triste et plus froid.

À la pensée qu'elle allait épouser un autre guerrier, celte ou breton, il éprouva un pincement de jalousie. Mais, après tout, pourquoi s'en souciait-il ? se demanda-t-il en fronçant les sourcils.

4

— Les douleurs de Lorne me disent qu'il va neiger, ce soir, déclara Una.

Comme elle était petite, elle s'était dressée sur la pointe des pieds pour regarder par la fenêtre de l'atelier d'Alainna. Une faible lueur faisait briller ses cheveux argentés, en partie recouverts par un fichu blanc.

— Je n'ai pas mal, femme, dit Lorne.

Il prit dans ses mains une petite pierre sculptée en forme de croix et la tourna doucement dans ses longs doigts.

— Je sais bien que si ! Tu m'as demandé de mettre une dose de saule dans ta bière, rétorqua Una avec impatience. Et puis, regarde ces gros nuages gris. Le ciel est de la même couleur que tes pierres, Alainna.

— Je vois, répondit la jeune femme sans lever les yeux.

Sa grand-tante et son grand-oncle étaient entrés dans son atelier quelques minutes plus tôt, mais elle leur avait à peine accordé un regard. Elle contourna le banc, étudia le bloc de calcaire, puis elle appliqua son burin contre la pierre et frappa sur le manche avec le maillet en bois qu'elle tenait dans la main droite.

— C'est une belle pièce, commenta Lorne en posant la petite croix sur la table. Plus belle encore que celle que tu as donnée au roi. Je ne l'avais jamais vue.

— Je l'ai sculptée cette semaine, dit Alainna en soufflant pour ôter la poussière. J'en ai promis une à Esa.

— Quand tu la lui apporteras, essaie de la convaincre de venir s'installer à Kinlochan. Cette année, l'hiver risque d'être sévère.

Alainna perçut une note de lassitude dans cette voix profonde, dont elle aimait la magie depuis l'enfance. Elle leva les yeux de son travail et vit Lorne s'arrêter près du grand tréteau sur lequel étaient posés plusieurs blocs de pierre. Il se pencha pour les examiner, ses longs cheveux blancs cachant son beau profil d'aigle.

— Il fait un froid de canard, ici ! s'exclama Una en refermant le volet de bois. Tu vas tomber malade, à force de laisser la fenêtre ouverte toute la journée.

— J'ai besoin de lumière, dit Alainna en frappant de nouveau.

Elle s'interrompit pour souffler sur le bout du burin, où s'était accumulée la poussière.

— On n'y voit rien, ici, gémit Una.

— Tu viens de fermer la fenêtre, lui rappela Lorne. Personne ne voit plus rien.

— Il y a des chandelles sur l'étagère, intervint Alainna. Le brasero donne aussi un peu de lumière.

— Pas beaucoup, fit Una. Et guère de chaleur. Arrête donc de travailler... Oh, pousse-toi de là, sale chien. Alainna, je sais que tu aimes cet animal, mais ce n'est pas un bon gardien, et il ne te tient guère compagnie, puisqu'il dort toute la journée.

Alainna jeta un coup d'œil au grand lévrier, qui s'était assoupi près du brasero.

— Quand il le faut, Finan est un bon gardien. Et j'aime sa compagnie. Il me laisse tranquille.

Lorne réprima un sourire et alluma la chandelle avec une brindille sèche qu'il avait enflammée aux braises du brasero.

— Alainna, nous venons t'inviter à partager notre souper, dit Una.

— Et voir l'avancement de ton travail, ajouta Lorne. C'est très réussi.

— Merci. Je n'ai pas faim, Una.

Elle posa son burin, choisit un outil pointu et prit le maillet pour l'enfoncer dans le bloc de calcaire et faire sauter un petit morceau de pierre.

— Morag m'a apporté à manger, ajouta-t-elle.

— Voilà deux jours que Morag t'apporte tes repas ici. Elle m'a dit que tu t'étais encore couchée tard et levée tôt. Tu vas t'épuiser et tomber malade.

— J'ai beaucoup à faire, répondit Alainna. Ce n'est que la septième pierre. J'ai besoin d'une vingtaine de pierres pour sculpter toutes les scènes que j'ai imaginées.

— Quel travail ! s'exclama Lorne. Mais tu dois te reposer. Personne ne peut effectuer en quelques mois l'œuvre d'une vie.

— Pourtant, il le faut, dit Alainna en donnant un nouveau coup dans la pierre.

— Viens souper avec nous et te réchauffer, insista Una. Les anciens seront contents de te voir.

— Je n'ai pas le temps.

— Il est tard, dit Una. Et une chandelle ne suffit pas à t'éclairer. En plus, tu n'as pas mis les pieds dans la grande salle depuis deux jours. Il y a du ragoût de chevreuil, et après le souper, Lorne racontera une belle histoire. Morag a fait balayer, nettoyer les tapis, aérer les couvertures et préparer les lits et les paillasses pour la nuit. Tout va bien à Kinlochan, sauf que le chef du clan s'enferme dans un atelier minuscule et sale sans rien dans l'estomac.

— Cousine Morag tient bien notre maison, dit Alainna. Elle aime son travail et n'est contente que quand tout est parfait. Moi aussi, j'aime mon travail, même s'il n'est pas parfait. Et je veux persévérer jusqu'à ce que j'en sois satisfaite.

— Ma fille, ce que tu réalises ici ne peut pas se faire en un jour, contrairement aux tâches ménagères, riposta Una. Il faut que tu manges et que tu te reposes ! Et les tiens réclament la présence de leur chef. Lorne, parle-lui.

— Niall m'a demandé de commencer le cycle de Fionn, ce soir, dit Lorne. Mais Una et Morag aimeraient de nouveau entendre le conte de Deirdre et des fils d'Uisneach. Qu'en dis-tu ? Niall en a assez des histoires d'amour et veut que je raconte un récit de guerre et d'hommes.

— J'aime le conte de Deirdre des Douleurs, répondit Alainna. Je ne m'en fatigue jamais. Quand Deirdre voit Naoise et ses frères pour la première fois... Ah, c'est beau, soupira-t-elle.

— Alors, si tu te joins à nous, ce sera Deirdre. Abandonne ton travail un moment.

Tandis que son oncle parlait, Alainna pencha la tête pour évaluer son œuvre. Sur la surface de la pierre, elle avait représenté trois hommes dans un bateau, tenant des lances dressées.

Elle soupira et croisa le regard affectueux de Lorne. Una, qui lui arrivait à peine à l'épaule, se tenait près de lui et l'observait d'un air préoccupé.

— Vous avez raison. Je suis fatiguée, dit-elle en posant son maillet avec un nouveau soupir.

— À la bonne heure ! s'exclama Una.

Alainna essuya délicatement ses outils avec un linge et les rangea, puis elle plaça une autre pièce de tissu sur la pierre et s'étira.

— Je vais balayer, annonça-t-elle en regardant le sol couvert de poussière et d'éclats de pierre.

— Nous balaierons demain, dit Una. Ce soir, nous nous reposons. Viens, ma fille. Tu travailles trop. Et tu te tracasses trop.

Alainna retira le fichu qui protégeait ses cheveux et secoua ses nattes.

— Je ne me tracasse pas, rétorqua-t-elle. Je ne me tracasse jamais.

— Bien sûr que non, fit Lorne. Ce soir, tu vas bien manger, écouter une histoire et ne penser qu'à des choses agréables.

— Et surtout pas à ces chevaliers bretons que le roi veut envoyer ici, ajouta Una.

— Una, ne devrais-tu pas aller remuer ton ragoût ? suggéra Lorne.

— Morag s'en occupe.

Le lévrier se leva et bâilla en étirant ses longues pattes, puis il s'approcha d'Una et la renifla. Comme elle lui caressait le museau, il la récompensa d'un coup de langue.

— Viens, Finan, vieux paresseux, dit-elle en se dirigeant vers la porte. Je vais te donner un morceau de viande.

Lorne attendit qu'Alainna ait soufflé la chandelle et enlevé la vieille tunique qui lui tenait lieu de tablier pour reprendre la parole.

— Tu t'inquiètes de ce que va décider le roi, dit-il. Je le vois dans tes yeux depuis ton retour, il y a deux semaines. C'est pour ça que tu t'acharnes sur tes pierres.

— Sculpter m'empêche de penser. J'ai du mal à supporter cette attente.

— C'est difficile pour nous tous. Viens te changer les idées avec nous. Le conte de Deirdre n'est peut-être pas l'histoire idéale pour ce soir. Il faut quelque chose qui te fasse rire, comme le conte du nigaud qui, pour son mariage, voulait mettre l'étang à l'intérieur de la maison pour servir du poisson frais aux invités.

— Niall devra attendre pour entendre le cycle de Fionn.

— Il ne sera pas malheureux, si notre chef rit avec nous et oublie un peu ses soucis.

— Je ne les oublie jamais, oncle, répondit-elle avec un soupir

— Et son soupir était comme le murmure de l'herbe à l'automne... ou comme les feuilles mortes s'envolant vers leur sommeil hivernal.

— Comment résister à un tel poète ? dit-elle avec un sourire triste. Dépêchons-nous. Una doit taper du pied, parce que nous ne sommes pas encore à table et que le repas est prêt.

— À mon avis, elle est trop occupée à empêcher Finan de mettre le nez dans son ragoût.

— Sire, je ne suis pas l'homme de la situation, déclara Sébastien en fixant les flammes du foyer. La dame veut un guerrier celte avec nattes et tartan.

— Elle n'a pas le choix. Ce sera toi.

Les dents serrées, Sébastien souleva un pichet de vin chaud et épicé, remplit deux gobelets de bois cerclés d'argent et en tendit un au roi. Puis il posa une coupe de pommes à côté de William, retourna près de l'âtre, prit son gobelet et but.

— Dame Alainna veut un guerrier exemplaire, et je vais lui en envoyer un, dit le roi en pelant une pomme avec un petit couteau. Tu as assisté à son audience. Tu sais que son clan a besoin d'un protecteur.

— Oui, sire, je me rappelle.

La grâce et la dignité d'Alainna MacLaren ne s'oubliaient pas facilement. La jeune fille était même apparue dans ses rêves, le laissant brûlant de désir. Et Sébastien devait admettre qu'il avait envie de l'aider à sauver son clan.

Après un silence, il reprit :

— Sire, je suis honoré par une telle faveur, mais je compte m'établir en Bretagne et m'y marier.

— Un veuf avec enfant a besoin d'une femme. Je

te donne une héritière écossaise avec de vastes terres. En devenant mon champion dans les Highlands, tu amélioreras considérablement ta position en Écosse, en Angleterre et en France. Une fois la paix installée à Kinlochan, toi et ta famille pourrez vivre où vous le voudrez.

— La dame refusera. Et son clan aussi.

— Toi aussi, à ce que je vois. Mais pourquoi hésites-tu, au juste ?

— Je préfère mon pays et les femmes dociles, sire.

William éclata de rire.

En réalité, Sébastien aurait bien volontiers accepté des terres, mais il ne voulait pas se marier pour les obtenir. Il espérait trouver une épouse française ou bretonne pour remplacer celle qu'il avait perdue. Son fils avait besoin d'une mère, mais Conan, à cause de son héritage, devait être élevé en France ou en Bretagne, pas dans cette lointaine Écosse.

Pourtant, l'idée d'épouser Alainna MacLaren ne le laissait pas indifférent – loin de là. Il fronça les sourcils et plongea le regard dans les flammes.

Vivre dans des montagnes habitées par des barbares – même en compagnie d'une ravissante damoiselle – ne lui permettrait pas de protéger et de défendre l'héritage de son fils. Il poussa un profond soupir.

— Dame Alainna te plaît, j'en suis sûr, dit le roi.

— Elle est très... jolie. Mais l'Écosse est loin de la Bretagne, sire. Et cette jeune fille tient à ce que son mari adopte le nom de sa famille. Je ne peux pas accepter.

— Eh bien, refuse de prendre le nom. Si tu veux cette terre, avec le titre et les privilèges qui vont avec, tu devras épouser la damoiselle. Elle a payé un tribut de vassalité. Kinlochan ne peut être concédé à personne pendant un an, sauf si dame Alainna se marie. Dès que tu auras envoyé à mon chambellan une copie de l'acte nuptial entre toi et la damoiselle, les terres de Kinlochan t'appartiendront.

— Et pas avant, commenta Sébastien, qui se sentait pris au piège.

— Et pas avant, répéta le roi en coupant un quartier de pomme. Dis-moi, Sébastien, que possèdes-tu ?

— Un petit château et un manoir en Bretagne, de vingt-cinq et cinquante hectares, concédés par le duc Conan. Une maison fortifiée et un terrain de cinq cents hectares dans le val de York, que le roi Henry m'a offerts il y a plusieurs années, pour services rendus. Il m'avait promis un titre, mais apparemment, il a oublié. Je n'ai jamais vécu dans mes propriétés et les loue à des métayers.

— Possèdes-tu des terres ayant appartenu à ta défunte femme ?

— Pas personnellement, sire. Plus tard, mon fils héritera d'un château et de terres en France, mais la famille de sa mère y réside toujours.

— Bien sûr, tu dois allégeance au duc Conan. Mais il vous a détachés auprès de moi, toi et tes camarades, et m'a permis de vous garder ici aussi longtemps que j'aurai besoin de vos services. L'engagement que tu as signé n'a pas encore expiré. Et il peut être renouvelé.

— Je suis honoré, sire. Mais, comme vous le savez, une affaire urgente requiert ma présence en Bretagne.

Quelques jours plus tôt, après avoir expliqué au roi la situation de son fils et des moines de Saint-Sébastien, il s'était vu accorder le privilège d'un messager royal. Il avait donc écrit à l'abbé qu'il lui prêtait ses propriétés bretonnes et lui avait promis de revenir le plus tôt possible.

— Certes, tu pourras rentrer en Bretagne, mais pas tout de suite. Pour te rassurer, je vais envoyer un messager avec une lettre pour le duc Conan et la duchesse, ma sœur, afin de leur recommander de veiller au bien-être de ces moines.

— Je suis votre obligé, sire.

Sébastien s'inclina en serrant les poings. Il n'était pas idiot et comprenait combien sa dette envers William venait de s'alourdir.

— Je ne fais que mon devoir de charité. Et tu sauras t'acquitter de ta dette, j'en suis sûr. Ton engagement ne s'achève que dans plusieurs mois. Pour l'instant, Kinlochan a besoin de tes compétences.

Sébastien réprima un mouvement de colère. Repousser la demande du roi compromettrait à la fois ses chances d'obtenir une terre en Écosse et l'aide que William avait promis d'apporter à Conan et aux moines.

— Sa Majesté est généreuse, répondit-il. Mais je rappelle au roi que je ne suis plus le guerrier que j'étais.

Par réflexe, il rattrapa la pomme que William lançait dans sa direction. Il ne l'avait vue arriver qu'au dernier moment, à cause de sa mauvaise vue, mais avait réussi à la récupérer dans sa main gauche.

— Je crois, Sébastien, que ton habileté est intacte, dit le roi. Va à Kinlochan et occupe-toi de cette affaire pour moi.

— Bien, sire.

— Et fais-y élever un château de pierre.

— Un château ? répéta-t-il.

— Kinlochan se trouve à la frontière des Highlands occidentales. Une présence militaire normande y est indispensable pour asseoir notre autorité et décourager toute rébellion celte.

— Un tel projet peut prendre des années.

— En tant que baron du lieu, tu auras tout le

temps. Tu as quelque expérience en la matière, n'est-ce pas ?

— Le baron anglais dont j'étais l'écuyer, puis le chevalier, a bâti trois châteaux de pierre en Angleterre pendant que j'étais à son service. Il m'avait chargé d'engager des tailleurs de pierres et de surveiller les travaux.

— Cette expérience te sera utile. Outre les revenus de Kinlochan, tu pourras compter sur des fonds royaux.

— Espérons que Kinlochan dispose de quelques revenus, sire. À en croire dame Alainna, Kinlochan est pauvre.

— Tu le sauras bientôt. Prends vingt hommes pour le moment et pars. Laisse-moi seulement assez de Bretons pour assurer ma garde d'honneur. Et fais-toi envoyer du renfort quand tu auras estimé la situation.

Une fois ses ordres donnés, le roi William but son vin et se détendit.

— Et qu'en est-il de ce MacNechtan, l'ennemi de dame Alainna ? demanda Sébastien.

— Il m'a juré fidélité et loyauté, mais s'il est une menace pour le clan de la dame ou pour la couronne, il devra être écrasé.

— Et s'il n'est pas une menace ?

— Je ne suis pas assez fou pour lui donner ces terres, dit le roi en reposant son gobelet. Défendre Kinlochan ne sera pas ta seule mission. Les MacWilliam, des descendants du roi Duncan, revendiquent toujours le trône d'Écosse, et il se peut qu'ils aient trouvé des appuis dans cette région des Highlands.

— Il y a un an, nous avons mis en déroute une troupe de rebelles celtes. Ceux qui ne sont pas morts sur le champ de bataille et qui n'ont pas été capturés se sont enfuis en Irlande. Ils seraient fous de revenir.

— L'un d'entre eux au moins, Ruari MacWilliam, aurait quitté l'Irlande pour les Highlands, afin de rallier d'autres Celtes à sa cause.

— Je me rappelle ce nom. Un Celte redoutable. Mais je le croyais mort.

— En effet, c'est ce que nous croyions tous. Mais mon informateur, qui revient d'Irlande, prétend que l'homme a quitté le pays récemment. En ce moment, il se trouverait non loin de Kinlochan.

— Quel soutien les MacLaren pourraient-ils lui apporter ?

— Les MacNechtan peuvent lui donner ce soutien. Je veux savoir s'ils sont du côté des rebelles. Peut-être cachent-ils ce Ruari MacWilliam. Dans ce cas, il faudra s'occuper d'eux, et sans ménagement.

— Loyal ou non, MacNechtan risque de se rebeller en apprenant que Kinlochan a été accordé à un étranger. Le sang des Highlanders s'enflamme facilement.

— C'est précisément pour cela que Kinlochan ne doit pas rester entre des mains exclusivement celtes. Il y faut un chevalier de sang-froid et d'expérience. Je compte sur toi.

Sébastien s'inclina avec raideur et sortit sans ajouter un mot.

5

Croyant entendre un bruit de sabots, Alainna abaissa son arc et pivota sur elle-même. Mais elle ne vit que les collines et les arbres dénudés qui se détachaient sur le ciel du soir. Ce n'était que le vent dans les branches, se dit-elle en se retournant.

En contrebas, dans le vallon étroit, les hommes de son clan et leurs chiens poursuivaient une harde de cerfs. Alainna s'était postée en surplomb, afin de surveiller les alentours, pendant qu'ils poussaient les cerfs dans le fond de la gorge. Les chiens aboyaient derrière les bêtes, qui couraient le long du torrent, s'enfonçant tout droit dans le piège. Giric, Lorne et Lulach avaient déployé un filet à l'entrée de la gorge.

Le clan Laren ne mourrait pas de faim. La harde était assez nombreuse pour y prélever quelques cerfs et biches, en prenant soin d'épargner les faons et leurs mères. Salée et conservée, leur viande remplacerait celle des troupeaux, dont le nombre avait considérablement diminué à cause des attaques du clan Nechtan.

Son arc tendu, Alainna guettait un éventuel cerf égaré ou l'apparition d'un ennemi. Il restait peu d'hommes dans son clan, aussi était-elle obligée de monter la garde pendant que les autres chassaient.

Une mince couche de neige craquait sous ses bottes, et le vent balayait la colline. Elle se félicita de s'être habillée en homme : le tartan ceinturé et les pantalons de laine étaient chauds et confortables. Elle défit l'épingle qui retenait le tartan sur son épaule gauche et le remonta sur sa tête pour se protéger du vent.

Derrière elle, le bruit s'intensifiait. Elle leva la main pour abriter ses yeux du soleil, scruta le sommet de la colline et faillit s'étrangler de surprise.

Un groupe de cavaliers venait d'apparaître sur la crête, tel un escadron d'anges, leurs manteaux s'agitant comme des ailes et leurs boucliers étincelant dans les rayons du couchant. Quand ils eurent tous atteint le sommet, leur chef leur fit signe de s'arrêter.

Même à cette distance, Alainna vit qu'ils montaient des chevaux de race, portaient de bonnes armes, des armures de prix et des capes doublées de fourrure. Rares étaient les chevaliers des Highlands qui pouvaient s'offrir un tel équipement.

Des Normands ou des Bretons. Son cœur se mit à battre plus vite. Depuis des semaines, elle redoutait leur arrivée. Les Bretons venaient rarement dans les Highlands, sauf pour affaires, et si quelques étrangers possédaient des terres dans les Lowlands, aucun n'en avait dans ces lointaines contrées du nord.

Alainna entreprit de gravir la colline. Ces cavaliers devaient être envoyés par le roi à Kinlochan. Si William avait pris sa décision, son avenir et celui de son clan ne tenaient plus qu'à un fil.

Deux chevaliers, leur capuche sur leur camail, se détachèrent du groupe et se dirigèrent vers elle. L'un d'eux montait un cheval gris pommelé, l'autre un magnifique destrier à la robe crème. Alainna se demanda si le Breton, messire Sébastien, se trouvait parmi les intrus, mais elle ne pouvait discerner les visages des cavaliers.

Les aboiements furieux des chiens ramenèrent son attention vers la gorge. Affolés par le bruit des chevaux, les cerfs s'étaient éparpillés, certains sautant par-dessus le filet tendu par les hommes du clan. En constatant que leur chasse était bien compromise, Alainna ne put retenir une exclamation de rage. Ces bêtes étaient indispensables à la survie de son clan.

Poussée par la colère, elle accéléra le pas et se planta devant les cavaliers, un poing sur la hanche, l'autre tenant son arc.

— Partez d'ici ! cria-t-elle. Vous avez gâché notre chasse !

Oubliant que les chevaliers devaient parler anglais ou français, elle s'était exprimée en gaélique. Mais si Sébastien Le Bret était parmi eux, il n'avait qu'à traduire, songea-t-elle.

— Hé, mon garçon ! Bonjour ! fit le chevalier au cheval pommelé, en rejetant sa capuche en arrière.

C'était un grand gaillard aux traits carrés mais plaisants, dont le visage rougi par le froid était encadré par des cheveux blond cendré.

— Indique-nous le chemin de Kinlochan, s'il te plaît.

Comme elle s'y attendait, il parlait anglais. Son cœur se mit à battre encore plus fort. Elle avait vu ce chevalier près du roi, en train de monter la garde aux côtés de messire Sébastien.

— Partez ! répéta-t-elle en gaélique.

Elle regarda l'autre chevalier. Malgré la capuche, elle reconnut sa large carrure et ses longues jambes. Au souvenir de son regard intense et de ses bras puissants qui l'avaient soulevée dans l'abbatiale, un frisson lui parcourut l'échine.

Sébastien Le Bret rejeta la capuche de sa cape bleue doublée de fourrure, qu'il portait par-dessus le surcot vert sombre qu'elle lui avait vu à la cour. Le camail encadrait un visage dont les méplats et les yeux gris acier ne lui étaient que trop familiers. Il l'observa en fronçant les sourcils.

— Nous ne nous connaissons pas ? demanda-t-il en gaélique.

— Partez, dit-elle en montrant la direction d'où ils étaient venus.

— Il ne parle que sa langue, Bastien, intervint l'autre chevalier. Et il n'a pas l'air content de nous voir.

— Nous avons dérangé leur chasse. Là, en bas, dans le vallon.

— Ah... Ils poursuivaient les cerfs pour les prendre au piège. J'ai entendu dire que les Highlanders avaient une manière barbare de chasser.

— Quand on a faim, on est pragmatique, répliqua Sébastien, sans quitter Alainna des yeux.

L'avait-il reconnue ou non ? songeait la jeune fille.

— Demande-lui où est le château, suggéra l'autre.

— Nous devons pousser vers le nord-ouest, Hugo. On m'a dit qu'il était situé au pied d'une montagne, au bord d'un loch étroit. À mon avis, nous ne tarderons pas à y arriver. Il n'était pas nécessaire de déranger leur chasse. Excuse-nous, mon garçon, dit le chevalier en levant ses rênes.

— Ce maudit vent me glace jusqu'aux os, se plaignit Hugo. Les collines sont plus vastes que je ne le pensais. Il faut qu'on trouve un endroit où passer la nuit, au moins une étable. Comment dit-on château en gaélique ? Kinlochan... *Dun*, bafouilla-t-il à l'adresse d'Alainna.

— Il n'y a pas de château dans les environs, dit-elle à Sébastien. La forteresse de Kinlochan est à trois lieues au nord-ouest. Qu'avez-vous l'intention d'y faire ?

— Affaires du roi, répondit-il. Et peux-tu me dire où est Turroch, qui appartient au clan Nechtan ?

— Turroch ! Pourquoi voulez-vous le savoir ?

— Affaires du roi. C'est dans quelle direction ?

— La forteresse de Cormac MacNechtan se trouve à cinq lieues à l'ouest, répondit-elle dans un anglais parfait. Si vous y êtes les bienvenus, vous ne l'êtes pas à Kinlochan. Allez-vous-en.

— Votre anglais est étonnant, pour un sauvage des Highlands.

À l'éclat de ses yeux gris, Alainna comprit qu'il l'avait reconnue. Elle baissa le pan du tartan qui recouvrait ses cheveux et le regarda droit dans les yeux.

— C'est bien ce que je pensais. Bonjour, damoiselle Alainna.

— La dame des Highlands, sacrebleu ! s'exclama Hugo.

— Je me demandais si elle avait un frère, mais c'est la damoiselle en personne, fit Sébastien en inclinant la tête.

— Elle-même, répondit Alainna.

Alertée par des cris, elle se tourna vers le vallon. Les hommes de son clan gravissaient la colline, leurs lances brandies.

— Ces sauvages vont nous attaquer, dit Hugo. Ces barbares aux jambes nues n'ont tout de même pas la prétention de se mesurer à des cavaliers armés, si ? J'appelle les autres, Bastien ?

— Quelques lances barbares peuvent triompher des chevaliers les mieux armés, fit Sébastien. Va dire aux autres de se tenir tranquilles. Je ne veux pas de problèmes.

— Allez avec lui, dit Alainna à Sébastien.

Ce dernier la regardait sans bouger, les mains posées sur le pommeau de sa selle. Elle leva le bras pour ordonner à ses hommes d'attendre. Ils s'arrêtèrent, leurs lances dressées.

— Je ne partirai pas, déclara Sébastien. J'ai fait une longue route pour vous parler.

— Aux dernières nouvelles, vous deviez quitter l'Écosse.

— Cela ne saurait tarder. Pour l'instant, je suis ici au nom du roi.

— Quelle est votre mission ?

— Le roi vous envoie un champion et un mari.

— Lequel de vous est ce champion ? Et pourquoi

devez-vous vous rendre à Turroch ? demanda-t-elle, en espérant que le roi ne lui avait pas choisi Cormac MacNechtan pour époux.

— Mes camarades et moi serions heureux d'en discuter au chaud. Je suppose que, même dans les Highlands, on n'ignore pas les lois de l'hospitalité.

— Adressez-vous à Turroch, rétorqua-t-elle. Nous avons une autre loi dans les Highlands : les amis de nos ennemis sont nos ennemis.

— Alors, les amis de vos amis sont vos amis.

— Nous n'avons pas d'amis communs.

— Le roi est votre ami, damoiselle, et le mien. Il m'a envoyé pour vous proposer une solution, comme vous le lui avez demandé.

— Je n'ai pas réclamé une invasion des Bretons !

Il la fixait, mais elle ne détourna pas les yeux. Des mèches de cheveux balayées par le vent lui brouillaient la vue.

— Calmez-vous, damoiselle, nous ne vous voulons pas de mal. Ce vent ne vous dérange peut-être pas, mais moi, je suis transi, et mes hommes aussi. Nous chevauchons depuis l'aube. Acceptez-vous ou non de nous offrir l'hospitalité ?

— Oui, soupira-t-elle.

La tradition voulait qu'on ne refuse l'hospitalité à personne, même pas à un ennemi. Encore moins à un messager du roi.

— Attendez ici avec vos compagnons, ajouta-t-elle. Je vais parler aux hommes de mon clan, et nous vous conduirons à Kinlochan. Maintenant que les cerfs se sont enfuis, nous n'avons plus de raison de nous attarder ici.

Mais, sans venaison, comment nourrir la ving-taine de chevaliers qui se trouvaient derrière lui ? Les Bretons ne devaient pas plus apprécier la bouillie d'avoine que le froid.

— Allez-y, dit Sébastien en saisissant ses rênes.

Comme il faisait faire demi-tour à son cheval, elle aperçut le bouclier bleu accroché à sa selle. Il portait une flèche blanche sur un fond azur et était identique à celui qu'elle avait vu en rêve, celui du mystérieux chevalier aux cheveux d'or. Et, comme dans son rêve, seule sur une colline couverte de neige, elle croisait des guerriers, tandis que ses hommes chassaient dans le vallon. Le guerrier à la cape bleu nuit était là aussi. Il ne lui manquait que la magie du royaume féerique.

Elle retint son souffle.

— Attendez ! cria-t-elle.

Il immobilisa sa monture et se retourna.

— Qu'y a-t-il ? demanda-t-il.

— Votre... votre bouclier porte une flèche. Qu'est-ce que ça veut dire ?

— C'est à cause de saint Sébastien, expliqua-t-il. La flèche est son symbole, ce qui me convient tout à fait.

Pourquoi diable avait-elle rêvé de Sébastien Le Bret avant de le rencontrer, et pourquoi avait-elle trouvé une flèche dans l'herbe ? Était-ce un présage ? En tout cas, il n'était pas le guerrier dont son clan avait besoin.

— Sébastien, répéta-t-elle. Pourquoi votre bouclier se réfère-t-il à votre nom de baptême ? En temps normal, les armoiries que les chevaliers normands portent sur leurs boucliers et leurs bannières ont un lien avec leurs noms de famille, pas avec leurs prénoms.

— En Bretagne, la coutume est différente, répondit-il, avant de s'éloigner au galop.

Alainna ne pouvait détacher ses yeux de lui. Le soleil couchant faisait scintiller la neige et étinceler l'armure des guerriers. Son rêve était devenu réalité.

Son cœur battait à tout rompre. Le guerrier doré

existait bel et bien. Mais il était venu apporter la destruction, et non le salut.

En contrebas, dans le vallon, les chasseurs avaient vu un cerf traverser la gorge et le poursuivaient en encourageant les chiens. Plantée sur la colline, Alainna les regardait, perdue dans ses pensées.

Lorsque ses hommes revinrent, bredouilles, le soleil jetait des ombres bleues sur les collines. Alainna descendit à leur rencontre. Un lièvre blanc fila devant elle et disparut sous un ajonc.

Elle poussa un soupir. Le clan Laren n'avait même pas un lièvre à mettre dans la marmite. La journée avait bien commencé, mais elle finissait mal.

Un deuxième lièvre suivit le premier. Pourquoi quittaient-ils leur gîte ? se demanda Alainna, perplexe. Elle se retourna et resta pétrifiée.

À quelques mètres d'elle, un sanglier sortait d'un boqueteau. Ses petits yeux luisaient et son long groin se soulevait, révélant des défenses jaunes. Énorme et hideux, l'animal secouait la tête de haut en bas, comme s'il s'apprêtait à charger.

Le bruit des chevaux sur la colline et des chiens dans le vallon avait dû le déranger pendant qu'il fouillait parmi les arbres. Alainna s'éloigna prudemment.

Le sanglier grogna, remua la tête et la suivit au petit trot. La jeune fille s'élança. Aux craquements qu'elle entendait derrière elle, elle comprit que l'animal continuait à la suivre

Elle savait ces animaux rapides, dangereux et capricieux, mais myopes. Si elle parvenait à sortir de son champ de vision et à grimper dans un arbre, elle serait sauvée. Mais si l'animal la rattrapait, il s'attaquerait à ses chevilles, lui ôtant tout espoir de fuir.

Cette pensée lui redonna de l'énergie. Changeant brusquement de direction, elle contourna un bouquet d'ajoncs, sans se soucier des épines qui transperçaient son pantalon de laine, et se mit à courir en zigzag pour désorienter le sanglier.

Elle jeta un regard en arrière, trébucha et lâcha son arc. Le sanglier la suivait obstinément. Après avoir traversé un champ de fougères desséchées, elle finit par atteindre un groupe d'arbres.

Derrière elle, elle entendait des cris, des aboiements et un fracas de sabots, mais elle ne pouvait se permettre de regarder en arrière. Les grognements du sanglier se faisaient de plus en plus proches.

Enfin, elle aperçut un gros aulne devant elle. Elle accéléra, s'accrocha à la première branche et se hissa dans l'arbre.

Quelques secondes plus tard, l'animal s'attaquait au tronc, secouant son perchoir. Sous le choc, le pied d'Alainna glissa, et elle sentit le sanglier effleurer sa botte. Terrorisée, elle grimpa plus haut. L'animal heurta de nouveau l'arbre en grognant avec fureur.

Un mouvement attira alors son regard. Levant les yeux, elle vit approcher un cheval à la robe claire, monté par un cavalier vêtu d'acier et d'indigo. Un bouclier bleu orné d'une flèche luisait sur sa selle. Sébastien Le Bret, sa lance allongée sous le bras, guidait sa monture vers l'aulne où elle s'était réfugiée.

Se tournant sur sa selle, il leva sa lance et l'enfonça dans l'animal, qui poussa un grognement et s'effondra au pied de l'arbre, la hampe tremblant dans sa chair.

Alainna fixa Sébastien, stupéfaite. Elle était incapable de bouger, de penser, de détourner les yeux.

Il mit son cheval au pas. Les hommes, Highlanders et Bretons confondus, se pressèrent derrière lui, mais Alainna ne voyait que le chevalier qui avançait vers l'arbre. Sans cesser de la regarder, il fit pivoter sa monture et tendit la main vers elle.

Alors, tout s'évanouit autour d'elle. Plus rien n'existait, hormis ces yeux gris et cette main tendue.

— Alainna, dit-il d'une voix douce, l'animal est mort. Descendez de l'arbre.

Elle sentit la panique disparaître en elle. Elle hocha la tête, mais refusa sa main et se glissa le long de la branche. À la vue du sanglier mort, elle s'arrêta.

— Alainna, venez avec moi, insista Sébastien.

Venez avec moi... Dans son rêve, le guerrier doré lui avait tendu la main et avait prononcé les mêmes mots. À ce moment-là, elle avait compris que, si elle prenait sa main, sa vie changerait – s'achèverait, peut-être.

Comme elle hésitait, Sébastien l'attrapa par le bras et l'attira vers lui. Elle se retrouva en croupe derrière lui et entoura sa taille de ses bras pour ne pas tomber. Tandis qu'il éperonnait son cheval, les hommes de son clan accoururent.

— Alainna, tu es blessée ? demanda Lorne.

Qu'il avait l'air vieux, avec son long visage assombri par l'inquiétude, ses cheveux blancs en désordre et ses épaules voûtées ! songea-t-elle.

— Je n'ai rien, dit-elle.

Lorne lui prit la main et adressa un signe de remerciement à Sébastien, puis il alla s'agenouiller à côté du sanglier mort.

Giric s'approcha à son tour et murmura des remerciements en gaélique, tout en tenant la main d'Alainna dans la sienne. Celle-ci lui sourit et remarqua que Sébastien leur jetait un regard contrarié. Peu après, Lorne revint, avec la lance qu'il avait retirée de l'animal. Il l'essuya sur son tartan et la tendit à Sébastien.

— Le clan Laren vous remercie, chevalier, dit Lorne en anglais. Vous avez tué un sanglier aussi furieux que celui qui a jadis eu raison du puissant Diarmuid. Vous avez sauvé notre fille bien-aimée. Nous vous en serons éternellement reconnaissants.

Alainna était surprise d'entendre Lorne s'exprimer en anglais. Il utilisait rarement cette langue, qu'il jugeait inférieure au gaélique. Il devait juger l'étranger digne de respect et d'admiration.

— C'est un honneur pour moi d'avoir porté secours à la damoiselle, répondit Sébastien

— Je vous remercie moi aussi, messire, dit-elle simplement, avant de se laisser glisser à bas du cheval.

· Sébastien l'aida à descendre. Quand elle fut à terre, il la retint par le poignet. Même à travers le cuir épais de son gant, elle sentait sa force, et cela la rassurait. Elle s'écarta.

— J'espère que la viande de sanglier fraîche compensera la perte du cerf, déclara-t-il.

— Certainement, répondit-elle.

— De la bonne viande et un valeureux champion, dit Lorne en souriant. Bien entendu, vous et vos hommes êtes invités à partager notre repas à Kinlochan. Après tout, c'est vous qui l'avez tué.

— Nous vous remercions de votre générosité, répondit Sébastien. Quelques-uns de mes hommes vont vous aider à transporter le sanglier. Damoiselle, je suis heureux que vous soyez saine et sauve.

Il lui adressa un signe de tête et dirigea son cheval vers ses hommes.

Saine et sauve... Les mots résonnèrent dans son esprit. Elle soupira. Aucun champion, même s'il tuait un monstre à ses pieds, ne réussirait à vaincre la peur qui la hantait, la peur que son clan ne disparaisse à jamais.

Elle poussa un nouveau soupir et se passa la main sur le front. Lorne l'entoura de son bras, et elle s'appuya contre lui. Quel genre de sécurité pourraient bien leur apporter ces Bretons envoyés par le roi ? se demanda-t-elle en s'éloignant, soutenue par le vieillard.

6

— Maintenant que nous avons fini de souper, l'un de nos invités pourrait nous raconter une histoire, dit Lorne. Sébastien Le Bret, connaissez-vous un conte de votre pays ?

Pour cacher sa surprise, Sébastien but une gorgée de bière. Tous les regards se tournèrent vers lui, ceux de ses hommes assis à la table et ceux des membres du clan Laren, regroupés autour de l'âtre. La lumière rougeoyante du feu se reflétait sur leurs visages.

Il regarda autour de lui. La grande salle de Kinlochan était une longue pièce en solides madriers, coupée de piliers de bois qui formaient des travées latérales. Une épaisse couche d'herbes sèches et de pétales de fleurs recouvrait le sol et répandait un parfum agréable. Les murs de planches étaient tendus de tissus aux coloris vifs, sur lesquels étaient accrochés des armes et des boucliers.

Assis sur des bancs et des tabourets, les Highlanders, les chevaliers bretons et leurs écuyers attendaient que Sébastien prît la parole. Il s'éclaircit la voix et but une autre gorgée de bière. Il lui était arrivé de raconter une histoire à son petit garçon pour l'endormir, mais il n'était pas poète et n'avait aucune envie de se ridiculiser.

— Les Écossais sont connus pour leurs dons de conteurs, déclara-t-il enfin. Je préférerais entendre un conte écossais dit par un vrai barde.

— Dans les Highlands, la coutume veut qu'on laisse la parole à l'invité le soir de son arrivée, dit Alainna en anglais. Nous aimerions entendre ce qu'on raconte chez vous au coin du feu.

Elle se tenait à côté du siège de son grand-oncle. Sébastien la regarda. La lueur du feu mettait en valeur ses courbes et donnait à ses nattes l'éclat du bronze. Il savait qu'elle deviendrait sa femme : le roi l'avait ordonné. Et, quelles que fussent ses réticences à propos de ce mariage, l'idée de la posséder ne pouvait que le séduire. Son corps et sa voix sensuelle ne le laissaient pas indifférent.

Il lui faudrait bientôt lui avouer la raison de sa présence à Kinlochan, et cette perspective ne l'enchantait guère. Aucun des Highlanders présents dans cette salle n'approuverait une telle union.

Il redoutait aussi d'avoir à expliquer qu'il devrait quitter Kinlochan dès que possible, bien qu'il sût que, souvent, les chevaliers au service de plusieurs seigneurs et à la tête de nombreuses tenures abandonnaient leurs femmes et leurs familles pendant des mois, voire des années d'affilée.

Autour de lui, tous souriaient. Des sourires larges, faibles, indécis, édentés, éclatants. Ses propres hommes semblaient le mettre au défi d'accepter la demande de Lorne. De toute évidence, il n'avait pas le choix.

— Venez près de l'âtre, suggéra Alainna.

Comme elle s'approchait de lui, l'ourlet de sa

tunique grise balaya ses chevilles. Au-dessus de sa tunique, elle portait une mante en tartan brun et bleu ceinturée à la taille. Ses nattes avaient l'apparence de la soie, et il aurait voulu les toucher pour en savourer la douceur.

— Racontez-nous donc une des histoires que vous avez entendues pendant votre enfance, en Bretagne, proposa-t-elle.

— Je n'ai pas entendu beaucoup de contes pendant mon enfance. En dehors des textes sacrés, bien sûr. Mais je peux réciter un des contes narrés par les troubadours à la cour du duc de Bretagne.

— Cela fera l'affaire.

D'un geste naturel, elle lui prit la main et le tira vers la cheminée. À ce contact, il se sentit envahi par une douce chaleur et se leva, gêné d'être le centre de l'attention générale.

Alainna lui adressa un sourire éclatant, et son cœur bondit dans sa poitrine. Les bavardages, les visages, les flammes même s'estompèrent, et seul ce sourire demeura.

Lorne lui indiqua un tabouret vide à côté du foyer.

— Je vous en prie, dit-il. Asseyez-vous près de notre feu.

Sébastien lâcha la main d'Alainna. Le feu dégageait beaucoup de chaleur, et il se réjouit de ne porter que sa tunique de serge brune, son pantalon et ses bottes. Ses camarades et lui avaient laissé dans un coin de la salle armures, surcots et capes.

On lui tendit une coupe pleine à ras bord d'une bière mousseuse et parfumée. Il en but une gorgée et fixa le feu. Le silence se fit. Alainna s'assit à ses pieds.

— Il y a longtemps, commença-t-il en anglais, un chevalier breton nommé messire Lanval se présenta à la cour du grand roi Arthur. Dans la forêt, messire Lanval rencontra de ravissantes dames qui dansaient, vêtues de vert et parées de fleurs. Elles étaient les servantes de la reine des fées, la plus belle femme que le chevalier ait jamais vue. Celle-ci s'avança et lui demanda de le suivre dans l'autre monde...

L'épaule contre le genou du conteur, Alainna traduisait en gaélique.

— Après avoir épousé la reine des fées et être retourné dans son monde, messire Lanval s'attira les foudres de la reine Guenièvre en disant qu'il aimait une femme plus belle qu'aucune reine de la terre. Profondément offensée, elle exigea qu'il fût jugé. La cour se réunit donc devant le roi Arthur.

Il poursuivit son récit, tandis que résonnaient les intonations mélodieuses d'Alainna. Il voulait continuer, ne fût-ce que pour entendre sa voix.

— Il attendait le jugement du roi, quand la fée qu'il aimait et qu'il croyait ne jamais revoir apparut au milieu de la cour, vêtue d'une éblouissante tunique verte. Elle prit sa défense, car elle l'aimait autant qu'il l'aimait...

Après avoir traduit la fin de l'histoire, Alainna le regarda. Ignorant les visages ravis qui l'entouraient, il ne vit que son sourire.

— Vous êtes un conteur autant qu'un champion, commenta Lorne. Et vous êtes le bienvenu à Kinlochan.

— Si vous avez d'autres contes comme celui-là, il faudra que vous restiez assez longtemps pour nous les raconter tous ! lança un vieillard manchot.

— Le chevalier et ses hommes ne resteront pas longtemps, dit Alainna en se redressant. Il apporte un message, qu'il ne nous a d'ailleurs pas encore délivré.

— Vous ne me l'avez pas demandé, murmura-t-il, assez bas pour qu'elle seule l'entende.

— Je ne l'ai pas demandé, parce que je n'avais pas envie que de mauvaises nouvelles rompent le charme de cette soirée.

— Le message du roi doit, selon sa volonté, vous être révélé en privé. Ce n'est pas à moi, mais à vous, de le faire connaître à votre clan. Quand vous voudrez que je vous lise ce message, dites-le-moi.

— Plus tard, répondit-elle en détournant les yeux.

— Merci pour cette histoire, Sébastien Le Bret, dit la vieille femme assise à côté de Lorne.

C'était Una, la femme de Lorne, se rappela Sébastien. Elle avait aidé à servir le repas, mais s'était elle-même contentée de peu, pour que les autres aient assez à manger.

Une belle femme d'âge mûr, à la chevelure noire mêlée de fils d'argent, s'approcha de lui et lui tendit une petite coupe.

— Je suis Morag MacLaren, dit-elle avec un sourire. C'était une belle histoire. Voici de l'*uisge beatha*, de l'eau-de-vie. La boisson des bardes et des guerriers.

Sébastien murmura des remerciements et but une gorgée. Cet alcool était redoutable et lui rappelait l'*aqua vitae* danoise. Il but de nouveau, lentement, laissant le liquide s'écouler en lui.

Il se leva et s'inclina devant Lorne.

— Je vous remercie de m'avoir invité à m'asseoir autour de votre feu. Je souhaiterais maintenant entendre un vrai barde.

Il regagna la table, mais comme il n'y avait plus de place sur le banc occupé par Hugo et Robert, il se glissa dans une travée latérale et s'assit dans l'ombre, sur un banc vide.

Una tendit une petite harpe à Lorne, et le barde

joua une mélodie qui emplit la salle d'une musique exquise. Dans son coin sombre, Sébastien sirotait son *uisge beatha*. Il appréciait de plus en plus cette étrange boisson.

Alainna traversa la salle et vint s'installer à côté de lui.

— C'était une belle histoire, dit-elle, et ce que vous avez fait est bien.

— Qu'est-ce que j'ai fait ?

— Une fois votre récit fini, vous avez laissé votre siège et rendu la place près de l'âtre à Lorne. C'était courtois de votre part, et je vous en remercie.

— Je suis courtois.

— Et vertueux.

— Trêve de plaisanteries. À notre arrivée, votre grand-oncle Lorne m'a présenté vos parents, mais j'avoue n'avoir pas tout retenu. Je sais que Giric est votre frère de lait et que Lorne et sa femme, Una, sont votre grand-oncle et votre grand-tante. Mais qui sont les autres ? La femme qui m'a apporté cette coupe, Morag MacLaren, c'est votre mère ?

— Ma mère est morte quand j'étais enfant. Morag est la belle-fille de Lorne et d'Una. Depuis que son mari est mort au cours d'une bataille contre le clan Nechtan, elle vit avec nous et aide Una à tenir notre maison. Elles n'ont pas leur pareil pour les tâches ménagères. Comme je ne suis pas aussi compétente qu'elles, je les laisse faire. J'ai d'autres occupations.

Ensuite, d'un geste gracieux, elle montra Lorne, le barde.

— Lorne MacLaren est l'oncle de mon père. Il a appris l'art de conter. Una, sa femme, est née dans le clan Donald.

— Et les autres ?

— Le vieillard assis à côté de Lorne est Niall le Manchot, un cousin. Il a perdu la main gauche dans une bataille contre le clan Nechtan. L'homme aux cheveux gris est Lulach, le frère de Lorne. Leur père était mon arrière-grand-père, le chef du clan avant mon grand-père, mon père et moi-même. Nous descendons du premier Laren de Kinlochan, un prince irlandais venu ici il y a longtemps.

Sébastien hocha la tête. Les MacLaren se ressemblaient. Tous étaient grands, avec la même carrure, les mêmes traits réguliers et le même menton volontaire. Mais il voyait entre eux une ressemblance plus subtile et commune à tous les Highlanders : cette fierté que trahissaient leur attitude, leur regard, leur façon de parler.

— Cette grosse femme là-bas est Beitris, la femme de Lulach, poursuivit Alainna. Ils sont venus passer l'hiver avec nous. Les autres femmes sont Mairi, l'épouse de Niall – qui ne parle plus depuis qu'elle a perdu ses fils, l'année dernière –, puis il y a Isabel, Margaret et Giorsal, toutes trois veuves.

— Et Giric MacGregor ? demanda-t-il, en regardant le beau Highlander qui riait avec Niall.

— Nous n'avons aucun lien de parenté. Son père et le mien étaient amis, et il a été élevé avec nous, dit-elle en posant un regard attendri sur son frère de lait.

Sébastien éprouva un pincement de jalousie. Comparés aux autres membres du clan Laren, Alainna et Giric affichaient une outrageuse jeunesse.

— Et ceux-là ? fit-il en montrant plusieurs hommes et femmes, tous aussi vieux que les parents de la jeune fille. Ils font partie du clan Laren ?

— Ce sont de lointains cousins. Ils sont venus parce que Giric et Niall leur ont annoncé qu'on allait rôtir un gros sanglier et que tous étaient les bienvenus.

— Même les Normands et les Bretons ?

Elle s'esclaffa, à la grande joie de Sébastien, qui se délectait du son cristallin de son rire.

— En ce moment, oui, grâce au sanglier que vous avez tué et à l'histoire que vous avez racontée, répondit-elle.

— Qui sont les deux hommes appuyés au mur ?

L'un d'eux était petit et trapu, l'autre grand et fort. Comme tous les Highlanders, ils portaient des tartans drapés sur de vastes chemises.

— Des cousins, répondit Alainna. Donal, celui qui a les cheveux blancs, est censé surveiller les murailles, mais il est venu partager notre repas. L'autre est Aenghus *Manndach*, Aenghus le Bègue. Il ne parle guère. Il garde nos troupeaux – enfin, il les gardait, quand nous en avions.

— Vous n'avez plus de bétail ?

— Le clan Nechtan ne nous a laissé que deux vaches laitières et trois bêtes que nous avons tuées à la Saint-Martin pour avoir de la viande pour l'hiver. Nous avons une autre parente, Esa, qui n'est pas ici. Elle vit dans les collines et refuse de venir passer l'hiver à Kinlochan. Nous allons souvent vérifier si elle va bien. Chaque fois, nous l'invitons à nous rejoindre, mais elle est têtue. Elle dit qu'elle préfère rester seule avec sa peine. Son mari et son fils sont morts. Son époux s'appelait Ruari *Mor*.

— Ruari ?

— Ruari MacWilliam. C'était un brave, un magnifique guerrier. Il était grand et fort, c'est pourquoi on le surnommait *Mor*.

— Quand est-il mort ?

— Il y a plus d'un an. Vous avez entendu parler

de lui ? Il était célèbre, mais je ne pense pas que sa réputation soit parvenue jusqu'à la cour du roi.

— Eh bien... Le roi m'a chargé, entre autres, de capturer un certain Ruari MacWilliam, rebelle et hors la loi.

— Hors la loi !

— Il se serait exilé en Irlande après la défaite de son clan, mais d'après la rumeur il serait revenu dans les Highlands pour rassembler des partisans à la cause des MacWilliam. Ils revendiquent la couronne.

— Je sais. Leur lignée remonte aux rois pictes. Mais Ruari *Mor* était un homme bon, pas un hors la loi !

— Pour les siens, peut-être. Mais c'est un criminel. S'il met les pieds en Écosse et qu'il est capturé, il sera jugé, emprisonné et peut-être pendu comme traître.

— Ruari est mort. Voilà une mission de moins à accomplir.

— Sa mort est-elle certaine ?

— Le cœur brisé d'une femme n'est-il pas une preuve suffisante ? Le tartan ensanglanté de Ruari *Mor* et son épée brisée ont été rapportés à sa veuve. Son fils est mort le même jour. Depuis, Esa les pleure tous les deux. Voilà pourquoi elle ne veut pas quitter les collines. *Ach Dhia*, on n'a jamais vu un tel chagrin ! Sans doute espère-t-elle les rejoindre bientôt dans la mort.

— J'en ferai part au roi.

Comment William avait-il pu être aussi mal renseigné ? se demandait Sébastien. En tout cas, cette nouvelle l'arrangeait. Sans rebelle à traquer, il quitterait Kinlochan et l'Écosse plus tôt que prévu.

— Vous rappelez-vous les noms de mes parents, à présent ? demanda Alainna.

— Giric MacGregor, votre frère de lait. Lorne

MacLaren, le barde, et sa femme, Una. Lulach, son frère, et sa femme, Beitris. Morag, Isabel, Giorsal et Margaret, les veuves. Niall le Manchot, Donal, Aenghus le Bègue et Esa des collines, veuve d'un champion appelé Ruari *Mor*. Et sept autres cousins que vous ne m'avez pas nommés.

— Vous apprenez vite. Vous avez une mémoire de barde.

— Je n'ai pas terminé. Il manque la *toiseach*, la chef, aux cheveux cuivrés et aux yeux de la couleur de la mer le long des côtes bretonnes.

— Votre séjour près de l'âtre vous a transformé en poète, Sébastien Le Bret.

— À moins que ce ne soit votre *uisge beatha*, dit-il, avant de boire une nouvelle gorgée d'eau-de-vie.

— C'est possible.

— Qui d'autre fait partie du clan Laren ?

— Personne.

— Il n'y a ni enfant ni jeune homme ?

— Pas un. Nous avons connu des années de guerre, de maladie et de disette. Beaucoup sont morts, d'autres sont partis vivre ailleurs. Les vieux et moi, voilà tout ce qui reste du clan Laren.

— Maintenant, vous avez des hommes à votre disposition, si vous en avez besoin.

Elle se détourna, lui présentant son gracieux profil, et déclara :

— À votre tour de me nommer vos hommes. Robert de Kerec et Hugo de Valognes, je les connais. Ce sont vos amis.

— Presque des frères.

— Qui sont les autres ? Des Bretons, comme vous ?

— Des Anglo-Normands, des Normands et des Écossais des Lowlands. Étienne de Barre, Richard de Wicke, Walter de Coldstream, William Fitzhugh...

Certains de ces chevaliers étaient des camarades, beaucoup encore des inconnus. Tout en parlant, Sébastien remarqua que ses hommes étaient plongés dans une conversation animée avec des Highlanders. Giric et Lorne leur servaient d'interprètes.

— À ce que je vois, cette querelle ancestrale avec le clan Nechtan a décimé votre clan.

— Des fils, des frères et des pères tués au combat, des filles mortes de maladie ou en couches, ou parties se remarier ailleurs. Des enfants morts en bas âge ou emmenés par des mères en quête d'une vie meilleure. J'ai perdu mes deux frères il y a deux ans et mon père en mai dernier.

— Je suis désolé, murmura-t-il en lui touchant l'épaule.

— Je suis la dernière du sang des chefs, dit-elle, les larmes aux yeux. Je suis la plus jeune de la lignée du fondateur du clan Laren, le père de la Vierge de pierre.

— La Vierge de pierre ?

— Vous la verrez demain. Assez d'histoires tristes pour ce soir. Maintenant, j'aimerais que vous me lisiez la lettre du roi.

— Certainement, mais pas ici. Il nous faut plus d'intimité.

— Lorne va commencer une histoire. Si nous partons, personne ne s'en apercevra, dit-elle en se levant. J'ai failli vous demander de lire la lettre demain. Je voulais une dernière nuit de paix, une dernière nuit comme chef de mon clan, avant que tout espoir nous soit enlevé.

— Qu'est-ce qui vous a fait changer d'avis ? demanda-t-il en se levant à son tour.

— Vos yeux, dit-elle. La bonté que j'y lis. J'ai le sentiment que je pourrai supporter d'entendre le message du roi ce soir. De toute façon, je devrai le faire tôt ou tard. Allons dehors.

Elle se dirigea vers la porte, ramassant une paire de chaussures au passage.

Un grand lévrier bleu-gris la rejoignit et trottina derrière elle. Sur le seuil de la porte, elle lui caressa la tête. Sébastien la regarda sortir avec la grâce et la dignité d'une reine de légende. Prenant sa cape, il la suivit dans la nuit.

7

Finan à ses côtés, Alainna traversa la cour en se couvrant la tête et les épaules de son tartan pour se protéger de l'air glacé.

Elle jeta un regard rapide à Sébastien Le Bret, qui marchait derrière elle. En quittant la salle, il avait pris sa cape, dont les plis lui battaient les jambes à chaque pas. Avec ses cheveux de la couleur des étoiles et sa cape bleu nuit, il ressemblait à un prince de l'ombre et lui rappelait le guerrier de son rêve. À ce souvenir, un frisson la parcourut, et elle pressa le pas.

Elle se dirigea vers la palissade, devant laquelle un plan incliné menait à une petite butte. Elle gravit la pente herbue pour regarder par-dessus les pointes de la palissade.

Finan se planta à côté d'elle. Elle posa la main sur sa tête frisée et scruta l'horizon. Le loch scintillait au pied de la masse sombre des montagnes. Au-dessus, un mince croissant de lune brillait dans le ciel lavande.

— Il ne fait pas encore nuit noire, malgré l'heure tardive, observa Sébastien en la rejoignant.

Contrairement à lui, elle devait se dresser sur la pointe des pieds pour voir le paysage.

— Il est rare qu'il fasse totalement nuit, surtout au printemps et en été.

— Quel spectacle paisible !

— Pourtant, le pays ne l'est pas. Êtes-vous venu pour nous aider à retrouver la paix ou pour raviver nos querelles ? demanda-t-elle en se tournant vers lui.

— Je suis venu en champion de votre cause, pas en conquérant.

— Vous n'êtes pas le champion que je voulais.

— Je sais.

Sur ces mots, il plongea la main dans la bourse de cuir accrochée à sa ceinture, en retira un parchemin plié et le lui tendit.

— La lettre du roi, annonça-t-il.

— Soyez sa voix, comme vous êtes son bras armé. Je ne sais pas lire.

— Alors, brisez le sceau vous-même, car le roi a ordonné qu'elle vous soit remise en main propre.

Alainna prit le parchemin et glissa un doigt entre les deux fils retenus par le sceau. Après avoir déplié la feuille, elle la lui rendit.

— Comprenez-vous le latin ? demanda-t-il.

— Oui. Lisez.

Elle s'efforça de conserver son calme, bien qu'elle redoutât d'entendre ce qu'il allait dire.

— « William, roi d'Écosse par la grâce de Dieu, à dame Alainna de Kinlochan, salut. »

Il s'exprimait dans un latin de moine, coulant et précis, songea-t-elle, un art en soi. Elle ferma les yeux et écouta. Sébastien avait une voix de barde, aux intonations claires, riches et apaisantes, qui contrastaient avec la sécheresse des termes juridiques employés par le roi.

— « En ce qui concerne le fief de Kinlochan et

les biens de son chef, poursuivit-il, nous déclarons, comme il est de notre droit, que la dite terre de Kinlochan, avec sa forteresse et ses abords, sera confiée à messire Sébastien Le Bret, comme baron et... »

— C'est donc vous !

— Écoutez le reste.

— Alors, laissez tomber ce latin savant et dites les choses clairement.

— Très bien, répondit-il en lui tendant le parchemin. Vous voudrez peut-être l'étudier plus tard ou demander à quelqu'un de le faire pour vous.

— Aucun d'entre nous ne sait lire, sauf le prêtre. Continuez.

Il prit une profonde inspiration.

— Alainna de Kinlochan sera donnée en mariage à Sébastien Le Bret. Conformément aux vœux du roi formulés dans cette lettre, un contrat de mariage devra être établi.

Il s'interrompit et la regarda.

— Mariage, répéta-t-elle à mi-voix.

— Oui.

Elle perçut de la bonté dans sa voix. Mais qu'importait qu'il fût bon ou cruel ? Il n'était pas celui dont son clan avait besoin. C'était un Breton. Le roi n'avait pas pris sa demande en considération.

La tête haute, le cœur battant, les mains tremblantes, elle fixa le loch, bouleversée. Le roi avait refusé qu'elle épouse un guerrier celte pour défendre son clan et continuer sa lignée.

— Je croyais que vous ne vouliez pas venir dans les Highlands, dit-elle d'une voix atone. Que ce pays ne vous intéressait pas. Et encore moins une épouse écossaise.

— Nous n'avons pas le choix.

— Vous, si.

— Je me suis engagé à servir le roi. Et j'ai une dette envers William d'Écosse. Pour m'en acquitter, j'ai accepté le fief de Kinlochan.

— Et la femme.

— Et vous, admit-il.

— Continuez. Que dit encore la lettre ?

— J'ai ordre de bâtir ici un château de pierre.

— Un château !

Elle serra ses mains pour les empêcher de trembler trop violemment.

— Nous en reparlerons quand vous serez plus calme.

— Je suis parfaitement calme. Que dit le roi ?

— Il est question de surface, de tenants, de mon tribut de vassalité, etc. Et je suis chargé de voir Cormac MacNechtan pour juger de sa loyauté à la couronne.

— Cormac est un voleur, un menteur et un assassin. Voilà ce que vous pouvez dire au roi.

— Je dois aussi découvrir s'il a des sympathies pour la rébellion. La querelle qui oppose vos deux clans inquiète le roi. MacNechtan a adressé une requête au roi pour demander votre main et vos biens en échange de sa loyauté. Mais le roi William est méfiant, comme je le suis.

— Nous avons au moins un point commun, alors.

— S'il se montre déloyal, on le châtiera sans pitié. Cela devrait vous plaire.

— En effet.

Campé entre le chevalier et Alainna, Finan reniflait la main de sa maîtresse.

— Comment le roi peut-il vous donner ces terres, alors que j'ai payé le tribut de vassalité ? demanda-t-elle. La croix de pierre ne suffisait-elle donc pas ? Il a accepté ce cadeau. C'était tout ce que j'avais à offrir.

— Il aurait pu m'accorder la terre sans le mariage. Mais il honore le paiement de votre tribut en vous procurant un mari et un protecteur, comme vous l'avez demandé.

— Ce n'est pas ce que j'ai demandé.

— Votre clan a besoin de protection, et vous ne pouvez pas la lui donner, dit-il d'un ton sec. C'est exact, non ?

— C'est exact.

— Et, comme vous êtes une héritière célibataire, le roi est votre tuteur.

Il marqua une pause, et elle acquiesça.

— Le roi n'est pas propriétaire des Écossais, mais de leur terre. Il la distribue comme il l'entend. Le plus souvent, les tenures se transmettent par héritage, mais en ce qui concerne celle-ci, c'est au roi de décider qui pourra le mieux en prendre soin.

— Dans l'intérêt de la couronne.

— Peut-être. Mais tout cela est défini par la loi et la coutume. Vous n'y pouvez rien – et moi non plus.

Alainna ferma les yeux, découragée, et inspira profondément pour tenter de se calmer.

— J'imagine que vous allez installer ici des chevaliers bretons et envoyer le clan Laren aux oubliettes. Votre réputation n'est pas des meilleures.

— Ma réputation est irréprochable. Et je n'ai pas l'intention d'envoyer qui que ce soit aux oubliettes.

Il parlait sans colère, d'un ton serein. Si au moins il s'était montré dur avec elle, ou cupide, elle aurait eu une excuse pour s'emporter contre lui. Elle étouffa un sanglot. Appuyé contre la palissade, le chevalier l'observait.

— Je croyais que le roi aiderait un clan celte, dit-elle.

— Avant tout, il a le devoir d'agir pour le bien de

l'Écosse. Vous n'y avez pas pensé quand vous avez sollicité son aide ?

— Je ne pensais qu'aux miens. J'ai été stupide de ne pas voir plus loin. Je ne suis pas digne d'être leur chef.

Alainna avait l'impression de ne plus pouvoir respirer. Le visage et les mains gelés, elle se tenait immobile dans le vent. Des mèches de cheveux échappées de son tartan virevoltaient, balayées par la brise.

De l'autre côté du loch, sous le ciel violet, la Vierge de pierre se dressait, pâle et éternelle. Pendant longtemps, elle avait apporté espoir et bienfaits à son clan, mais cette période-là semblait à présent révolue.

Finan lui lécha la main, mais elle la retira, refusant tout réconfort.

— Dame Alainna, ces nouvelles ne vous sont pas agréables, je le sais, dit le chevalier en la prenant par l'épaule. Nous avons d'autres problèmes à régler, mais...

— J'en ai assez entendu pour le moment, dit-elle en s'écartant.

S'il continuait à parler de cette voix douce, s'il la touchait – oui, s'il la touchait –, elle s'effondrerait. Elle passa en courant devant lui et dévala la pente, son chien derrière elle. Elle avait besoin d'être seule. Arrivée à la porte de la forteresse, elle assura à Donal qu'elle voulait simplement rendre visite à la Vierge et lui promit de revenir vite.

Dès que Donal eut fait glisser le lourd madrier, elle sortit avec Finan et prit le sentier qui contournait le loch et menait à la Vierge de pierre.

Sébastien soupira. Cette fille n'aurait pas dû sortir seule dans la nuit. Surpris que le garde l'ait laissée passer, il se dirigea vers la porte, la main sur le manche de son poignard.

En chemin, il observa les lieux. La cour était vaste. Une tour de bois se dressait au centre, tandis que de petites constructions – remises, écuries, cuisine, brasserie, et quelques autres bâtiments – se serraient contre l'enceinte. Seule la cuisine, construite en pierre, alors que les autres étaient en bois ou en torchis, était éclairée par un feu de cheminée. Une silhouette de femme passa devant la porte ouverte. Une vache meugla, des chevaux s'ébrouèrent.

Soutenue par de solides piliers de bois, la tour dominait l'ensemble de la forteresse de ses trois étages. Quelques fenêtres étroites découpées dans les murs brillaient dans la nuit. De la musique et des éclats de rire provenaient du deuxième étage, où était située la longue salle. Presque tout le monde devait être à l'intérieur, soit dans la salle commune, soit dans les chambres à coucher, au dernier étage.

— Où allez-vous, Breton ? demanda le garde.

— À la recherche de votre chef. Voulez-vous la suivre vous-même ou préférez-vous que je le fasse ?

— Vos jambes sont plus jeunes que les miennes. Allez-y. Si quelque démon survient, je donnerai l'alarme. Mais la Vierge de pierre protège notre vierge de Kinlochan.

Sébastien le regarda, intrigué par sa remarque, et franchit la porte. Plissant les yeux, il scruta la campagne. Sur l'autre rive du loch, il aperçut la jeune fille et son chien, qui couraient dans les hautes herbes.

Il descendit prudemment la pente rocheuse. Quand il fut arrivé en bas de la colline, il marcha d'un bon pas.

Alainna courait vers la haute pierre qui se détachait sur le ciel. Soudain, elle disparut dans son ombre.

Sébastien ralentit le pas. Si elle recherchait la solitude, il ne voulait pas la déranger. Mais Finan aboya et se précipita vers lui. Il remua la queue et le renifla amicalement.

— Alors, redoutable animal, on est prêt à protéger sa maîtresse, hein ? murmura Sébastien. Quoi qu'elle en pense, je ne suis pas une menace pour elle.

Il avança, le chien gambadant à ses côtés.

La pierre géante se dressait devant lui, dominant le loch. Même dans l'obscurité, il discernait les symboles gravés sur ses faces.

Alainna sortit de l'ombre, tel un spectre. Le chien courut vers elle, fit demi-tour et retourna près de Sébastien, puis il recommença le même manège.

— Ici, Finan ! ordonna-t-elle. Finan !

Au passage, Sébastien ébouriffa la tête du chien, qui lui lécha la main, avant de retourner vers sa maîtresse. Elle le caressa, mais il repartit en remuant la queue de plus belle.

— Je ne comprends pas, dit-elle. Il vous traite comme si vous étiez un de mes parents, alors qu'il vous connaît à peine. Finan, ici !

Le chien pivota vers elle, la langue pendante, puis il se tourna vers Sébastien.

— Quand je suis arrivé avec mes hommes, il a grogné, mais il semble désormais habitué à ma présence.

— Il a souvent vu Cormac MacNechtan, mais il le traite comme s'il était le diable en personne.

— Votre Finan a un jugement sûr.

— Pas toujours. Il me défendrait jusqu'à la mort s'il le fallait, mais la plupart du temps, l'intelligence semble lui faire défaut. Finan *Mor* ! Ici !

— Il ne comprend pas. Il se demande pourquoi nous nous promenons la nuit, alors que nous pourrions être à l'intérieur. Tu aimerais bien être couché à côté d'un bon feu pendant que les humains écoutent des histoires, hein, mon gars ? fit-il en lui tapotant la tête. Allez, retourne près de ta maîtresse.

Finan obéit, et Alainna le caressa. Sébastien s'approcha.

— Ce chien vous est très attaché, dit-il. Voyez comme il vous regarde. Il ferait n'importe quoi pour vous. C'est merveilleux d'inspirer une telle dévotion.

— C'est facile. Une caresse sur la tête, et il est comblé. Maintenant, vous connaissez le secret de Finan.

— Son secret ?

— Finan *Mor* n'est pas qu'un féroce chien de chasse. Il est aussi fou de caresses.

Sébastien rit. Alainna sourit.

— Le lion le plus féroce deviendrait doux comme un agneau sous la main d'une telle dame, murmura-t-il.

Gênée, Alainna se détourna et s'approcha de la colonne. Finan bondit à côté d'elle, puis il revint vers Sébastien.

Le chevalier examina la pierre. Elle était presque deux fois plus haute que lui, au moins deux fois plus large et couverte d'étranges inscriptions.

— Nous avons aussi des pierres dressées en Bretagne, dans des champs ou à côté des cours d'eau, dit-il. Il y en a des milliers, aussi vieilles que les collines. Certaines sont immenses, d'autres portent des inscriptions. Ce sont les Bretons qui les ont érigées. C'était un peuple celte. Notre langue n'est pas très différente de la vôtre.

— Vos ancêtres étaient celtes ?

— C'est possible. Parlez-moi de cette pierre.

— C'est notre Vierge de pierre, répondit-elle en posant la paume contre le granit. Elle veille depuis des générations sur le clan Laren. La vierge était une fille du clan. Mais, à ce que disent certains, sa magie n'opère plus. Peut-être est-elle fatiguée. Elle est enfermée depuis si longtemps dans cette pierre !

Tout en l'écoutant, Sébastien grattait la tête du chien.

— J'aimerais entendre son histoire, dit-il.

— Je vous la raconterai peut-être un jour. Si vous êtes toujours ici.

— Je resterai un certain temps.

Soudain, un cri sinistre s'éleva dans les collines.

— Qu'est-ce que c'était ? demanda-t-il.

— Un chat sauvage. Ils errent dans les parages, la nuit. Il y a aussi des loups et des sangliers, comme vous le savez.

— En hiver, ces animaux sont d'autant plus féroces qu'ils sont affamés. Vous feriez mieux de ne pas sortir seule, damoiselle.

— Près de la Vierge, je suis protégée. Je viens souvent déposer des offrandes ici. Je n'ai jamais eu d'ennuis.

— J'admire votre confiance en vous, mais un peu de prudence de votre part me rassurerait.

— Pourquoi voudrais-je vous rassurer ?

— Vous allez devenir ma femme... Dame Alainna, les nouvelles que j'apporte sont fâcheuses, ajouta-t-il après un bref silence. Les ordres du roi ne m'ont pas réjoui non plus, vous savez.

Elle resta muette.

— À Dunfermline, je vous ai dit que j'avais d'autres projets, poursuivit-il. Ils n'ont pas changé. Je dois retourner en Bretagne pour m'occuper de... d'affaires importantes. Des affaires personnelles.

Elle opina du chef, mais ne répondit rien. Le chien lui donna un coup de tête affectueux et s'assit sur son arrière-train en la regardant avec adoration. Elle se pencha pour le caresser, ses cheveux tombant devant elle en un flot ondoyant.

— Quels sont ces projets ? demanda-t-elle.

— Une fois mon service à la cour du roi d'Écosse terminé, je voulais m'installer en Bretagne. J'y ai... de fortes attaches. Que je risque de perdre en restant en Écosse.

— Alors, partez.

— Je me suis engagé auprès du roi. En outre, vous avez besoin de ma protection et de celle de mes hommes.

— Je n'ai besoin de la protection de personne.

— Votre clan en a besoin. Et vous feriez n'importe quoi pour votre clan, n'est-ce pas ?

— C'est vrai, dit-elle en relevant la tête.

— Même épouser un Breton.

— Je n'épouserai pas de Breton si cela doit nuire aux miens ou nous faire perdre nos terres.

— Je ne suis pas le champion celte que vous vouliez, mais le roi ne vous a attribué personne d'autre.

Alainna caressa le chien sans rien dire.

— Damoiselle, nous sommes dans le même pétrin. Si nous contestons cet ordre ou si nous le refusons, le roi donnera la terre à un autre homme, qui cherchera peut-être à se débarrasser des anciens ou à vous maltraiter, ce qui n'est pas mon cas. Nous n'avons pas le choix.

— Vous demandez la paix ?

— La paix ou une trêve.

— Dites-moi, prendrez-vous le nom de mon clan, Sébastien Le Bret ?

Son nom sur ses lèvres était comme le murmure du vent sur le loch...

94

Il ne répondit pas tout de suite. Comment aurait-elle pu comprendre ce que ce nom signifiait pour lui, ce nom qu'il s'était fait ?

— Je ne peux pas, dit-il seulement.

— Autoriserez-vous nos enfants à porter le nom de MacLaren ?

— Je ne peux pas non plus accepter cela, damoiselle.

— Alors, il n'y aura pas de paix entre nous. Et je ne vois pas comment il pourrait y avoir de mariage.

Sur ces mots, elle disparut dans l'ombre de la pierre, Finan sur ses talons.

8

Sébastien contourna la colonne à la recherche d'Alainna. Elle était plaquée contre la pierre, et il faillit la bousculer.

— Écoutez-moi, je ne suis pas votre ennemi, dit-il d'un ton ferme. Je ne viens pas en envahisseur et je n'ai pas l'intention de nuire à votre clan. Mais, par ordonnance royale, ces terres sont désormais à moi, et j'ai l'habitude d'honorer mes obligations.

— Et j'en fais partie, à présent.

— En effet.

Comme elle tournait la tête, il vit des larmes briller dans ses yeux et éprouva un pincement de culpabilité.

— Je préférerais entrer dans un couvent et offrir mes terres à l'Église plutôt qu'à un Breton, dit-elle au bout d'un moment.

Elle était aussi raide que sa sœur de pierre.

— Si c'est ce que vous voulez vraiment, ça peut s'arranger, répondit-il, sentant la colère monter en lui.

— Ou bien je peux refuser de vous donner Kinlochan et de me marier avec vous.

— Contrevenir aux ordres du roi est une trahison, vous savez.

— Il y a dans les Highlands des rebelles celtes qui se moquent des ordres du roi. Ils ne reconnaissent même pas la légitimité de William comme roi d'Écosse, car ils prétendent qu'il ne descend pas de l'ancienne lignée royale. Je peux aller leur demander de l'aide.

— Vous savez où vivent ces Celtes ?

— Je connais des gens qui le savent sûrement.

— Faites attention à ce que vous me dites. J'ai également pour mission de traquer ces rebelles.

— Si je les trouvais, ils se battraient pour nous contre la couronne, mais pas contre les Mac-Nechtan.

— Alainna, ne dites pas n'importe quoi.

— Je ne dis jamais n'importe quoi ! Vous ne me connaissez pas.

— J'en ai pourtant le sentiment.

— Que voulez-vous dire ?

— Je sais que vous êtes fière et têtue. Je sais que vous feriez n'importe quoi pour sauver votre clan et votre fief.

— Personne ne l'ignore. Je ne le cache pas.

— Et je sais que vous n'abandonnerez pas les vôtres en vous enfuyant dans un couvent. Et que vous ne vous allierez pas avec les rebelles, pour ne pas nuire à votre clan. Je sais, poursuivit-il dans un murmure, que vous n'êtes pas seulement fière, mais aussi passionnée et loyale.

Elle releva la tête et garda le silence. Troublé par le doux sifflement de sa respiration, il laissa son regard errer le long de sa gorge, jusqu'à ses seins qui se soulevaient et retombaient sous sa robe.

— Au fond, vous avez peur, murmura-t-il. Lorsque vous vous teniez devant le roi, j'ai vu de la fierté et de la peur dans vos yeux. Je les vois encore maintenant.

— Vous ne voyez rien.

— Si. C'est là, dans votre port de tête, dit-il en lui effleurant la joue.

Sa peau était soyeuse sous ses doigts. Il fit glisser sa main sur son épaule et le long de sa colonne vertébrale. Elle retint son souffle.

— Ces épaules et ce dos raides me disent que vous êtes une fille capable, fière et bonne, qui travaille dur et ne se plaint jamais.

Bien qu'elle fût très mince, elle avait un corps ferme et vigoureux, et ses courbes étaient si marquées sous ses vêtements qu'une bouffée de désir l'envahit.

Elle ferma brièvement les yeux, sans s'écarter. Il descendit un peu plus la main, et elle lui lança un regard à la dérobée. Le chien les observait avec curiosité.

Son profil était pur, son silence éloquent. Elle ne l'insulterait pas, comprit-il, mais continuerait à lui refuser la trêve qu'il avait réclamée.

— Je ne compte pas vous faciliter la tâche, déclara-t-elle.

— Vous ressemblez à votre Vierge de pierre. Forte et fière, mais seule et sans défense.

— Et alors ? Vous avez obtenu ce que vous recherchiez. Une terre, un titre, une épouse...

— La dame a demandé un champion. Me voici.

— Vous n'êtes donc venu ici que par esprit chevaleresque.

— Vous ne me connaissez pas. Vous ne savez pas quelles sont mes motivations.

— Je vous connais au moins aussi bien que vous me connaissez.

Il haussa un sourcil interrogateur.

— De l'orgueil, dit-elle en l'étudiant. De la force. Et des secrets – beaucoup de secrets.

— Rien que de très banal.

— Je sais aussi que votre rôle est de protéger les autres. C'est votre métier. Mais vous vous protégez aussi vous-même. Ici, fit-elle en posant la main sur son bras croisé, vous cachez votre cœur.

Elle lui toucha la mâchoire et poursuivit :

— Ici résident la fierté et la volonté de garder les secrets. Et ici, les secrets eux-mêmes, ajouta-t-elle, en effleurant la cicatrice qui lui barrait l'arcade sourcilière.

À ce frôlement léger, le cœur de Sébastien bondit dans sa poitrine. Mais Alainna retira sa main, et le lien se rompit.

— Vous êtes aussi un homme orgueilleux et solitaire, reprit-elle. Et une âme solitaire, de celles qui cherchent un lieu où se reposer.

Il plissa les yeux, mais ne répondit rien.

— « Je suis las et je suis étranger, murmura-t-elle en gaélique. Conduis-moi au pays des anges... »

— Qu'est-ce que c'est ?

— Une invocation. Une vieille prière gaélique.

Je suis las et je suis étranger,
Conduis-moi au pays des anges,
Sois mes yeux dans les ténèbres,
Sois mon bouclier contre les armées de fées,
Sois mes ailes jusqu'à ce que je trouve un lieu où me
*   [reposer.*

— C'est beau, dit-il.

— Nous avons beaucoup d'incantations et de prières de ce genre. Je viens souvent ici les dire à cette pierre et demander protection à l'âme de la Vierge. Nous la vénérons comme une sainte.

— En Bretagne, près du monastère où j'ai été élevé, il y a sept pierres censées abriter l'esprit de sept frères, tous devenus saints.

— Vous avez été élevé dans un monastère ?

— Jusqu'à onze ans. J'ai alors été emmené en Angleterre pour y devenir page, écuyer, puis chevalier... Vous paraissez surprise.

— Je vous croyais fils de quelque seigneur français. Vous devez donc être un cadet. Si vos parents vous ont donné à l'Église, pourquoi n'êtes-vous pas religieux ?

— Je suis un enfant trouvé, répondit-il, avec plus de brusquerie qu'il ne l'aurait voulu. Les moines m'ont recueilli.

— Vous ne connaissez pas vos parents ?

— Je sais qui ils sont. Mais j'ai fait mon chemin seul dans la vie.

— C'est donc bien ce que j'ai vu dans vos yeux.

— Quoi ?

— Vous avez le regard d'une âme errante. Une âme qui cherche un lieu où se reposer.

Sébastien était trop fier pour détourner les yeux ou pour protester. Réagir ainsi aurait prouvé à Alainna qu'elle avait raison, que son âme était insatisfaite. Mais c'était là son jardin secret, sa faiblesse, sa blessure. Personne n'avait jamais vu si profondément en lui.

— Je crois que je suis puni d'avoir si hardiment prétendu connaître la damoiselle, dit-il en baissant la tête.

— Vous vous êtes montré honnête avec moi, je le suis avec vous. Nous avons peut-être quelques points communs.

— Nous sommes tous deux orgueilleux, en effet.

Mais si nous le reconnaissons, peut-être pouvons-nous conclure une trêve.

— Sans doute nous comprenons-nous mieux que beaucoup d'étrangers. Mais nous n'en sommes pas moins des étrangers l'un pour l'autre.

— Pas pour longtemps, si nous obéissons à l'ordre du roi.

Elle ouvrit la bouche pour répondre, mais elle se ravisa, tourna les talons et partit vers le chemin qui longeait le loch et menait à Kinlochan. Le chien gambadait devant elle.

Dans la nuit qui se faisait plus dense autour de lui, Sébastien les regarda s'éloigner. Puis il leva les yeux vers la silhouette de pierre et suivit des doigts les lignes gravées dans la surface lisse et froide.

— « Je suis las et je suis étranger, récita-t-il en regagnant la forteresse. Conduis-moi au pays des anges. »

Au moment où il franchissait la porte de Kinlochan, Alainna traversait la cour d'un pas décidé.

Devait-il la suivre ? Elle se dirigeait vers une des petites constructions de bois. Après qu'elle y fut rentrée et eut refermé la porte, il vit une lumière briller à travers les volets de la fenêtre.

— Laissez-la, dit une voix.

Surpris, il se retourna et reconnut Una, la grand-tante d'Alainna. Il ne l'avait pas entendue approcher.

— Elle a besoin de se retrouver seule.

— C'est une chapelle ? demanda-t-il en gaélique, avec un signe de tête en direction du bâtiment où Alainna s'était réfugiée.

— Son atelier.

Sébastien fronça les sourcils, intrigué.

— Elle va apaiser son angoisse en travaillant, ajouta Una. Sébastien *Bàn* – je vous appelle ainsi à cause de vos cheveux blonds – nous vous considérons tous comme un héros, car vous avez sauvé notre fille du sanglier, mais vous avez un côté sombre. Vous apportez un message qui lui cause de la peine.

— Un message du roi.

— On dirait qu'une bougie s'est éteinte dans son cœur. Et c'est vous qui l'avez soufflée.

— Si elle est bouleversée, ce n'est pas ma faute. Le message du roi ne lui a pas plu.

— Le roi vous donne-t-il ces terres et Alainna comme épouse ?

— Oui.

— Ah...

Elle secoua longuement la tête, puis elle leva les yeux vers lui.

— J'espérais que vous étiez envoyé ici pour nous protéger, et je crois que vous répondrez à nos prières. Mais faites-moi une promesse.

— Tout ce que vous voudrez, dame Una.

— Ne brisez pas le cœur de notre fille.

— Sur mon honneur, je vous le promets.

— L'honneur est fragile, Sébastien *Bàn*, répliqua-t-elle, avant de tourner les talons.

9

Lorsque Sébastien traversa la cour dans l'aube argentée, tout était calme. En tournant la tête, il aperçut Alainna sur le seuil d'un long bâtiment au toit couvert de chaume, celui où elle était entrée la veille. Finan était à côté d'elle.

Avec sa peau pâle, ses nattes rousses et sa tunique d'un gris tourterelle, elle était ravissante. Mais pourquoi était-elle levée avant le jour ? se demanda-t-il.

— Que Dieu vous soit favorable, murmura-t-elle en gaélique.

— Et qu'Il vous bénisse, répondit-il.

Comme Sébastien approchait, Finan remua la queue et leva la tête, invitant le chevalier à le caresser.

— Il est tôt, reprit Alainna. Les autres dorment encore.

— J'aime cette heure de la journée. Je pensais aller revoir votre Vierge de pierre. Il règne une grande paix autour d'elle.

— Sauf quand les MacNechtan sont dans les parages.

— Je peux me défendre.

— Vous n'avez tout de même pas l'intention de partir en reconnaissance seul et de si bon matin ?

— J'irai plus tard. Chaque matin, aux premières lueurs du jour, je m'exerce à l'épée. Quand j'aurai fini, votre frère de lait nous emmènera, moi et quelques-uns de mes hommes, faire le tour des terres. Vous êtes matinale, vous aussi, dit-il en ébouriffant la fourrure du chien.

— Je commence souvent à travailler avant que les autres ne s'activent.

— Travailler ?

— La pierre.

— La pierre ?

Il avait cru qu'elle préparait du pain, car ses mains et ses vêtements étaient couverts d'une poussière blanche qu'il avait prise pour de la farine.

— La sculpture. C'était l'atelier de mon cousin Malcolm. C'est le mien maintenant.

— Je peux voir ? demanda-t-il, en jetant un coup d'œil par-dessus l'épaule de la jeune fille.

Elle s'écarta, et il baissa la tête pour entrer. La pièce était longue, basse de plafond et encombrée de bancs et de pierres. La lumière pénétrait par une fenêtre carrée. Au centre de la pièce, un brasero procurait un peu de chaleur.

Le sol était jonché d'éclats de pierre qui craquaient sous ses bottes. Les bancs supportaient des blocs de différentes tailles et couleurs, et les étagères étaient chargées d'outils et de bougies. Sur un long établi poussé contre un mur étaient posées plusieurs pierres plates et sculptées.

Les murs chaulés étaient couverts de croquis, certains sur des morceaux de tissu, d'autres dessinés à même les murs. Dans un coin, un gros bloc de pierre rosée reposait sur des tréteaux.

Finan alla se coucher près du brasero. Il posa sa longue tête sur ses pattes croisées, regarda les humains d'un air alangui et ne tarda pas à s'endormir.

— C'est votre travail, tout ça ? demanda Sébastien.

— Oui.

— Vous ne m'aviez pas dit que vous étiez sculpteur.

— Vous ne me l'avez pas demandé.

— Je savais que vous étiez une imagière, mais je n'aurais jamais pensé que vous étiez sculpteur. Ce n'est pas courant pour une femme.

— Mon cousin a visité de nombreuses villes pour son travail. Il a souvent vu des femmes seconder leurs maris et leurs frères dans leur travail. Elles ne font pas uniquement de la broderie, messire, comme certains chevaliers errants pourraient le penser.

— Je ne l'ai jamais pensé. J'ai connu des femmes

artisans et marchandes. C'est votre cousin qui vous a appris le métier ?

— Oui. Les sculpteurs n'ayant guère de travail en hiver, Malcolm passait plusieurs mois par an à Kinlochan avec sa famille. Il voyageait beaucoup, mais quand il était ici, il travaillait pour les églises de la région, fabriquant croix, corbeaux, tympans, tombes. C'est lui qui a installé cet atelier. Il y travaillait le plus possible, sauf lorsqu'il était obligé de sculpter *in situ*. Comme il avait besoin d'un assistant, il m'a appris les bases du métier, mais je suis loin d'avoir atteint sa maîtrise.

— Ces pierres sont dignes d'un sculpteur confirmé. Elles révèlent une technique sûre.

— Merci.

Sébastien fit le tour de la pièce, examinant pierres sculptées ou ébauchées, burins, maillets, appareils de mesure et autres instruments.

— Je dois avouer que je suis stupéfait de voir une femme accomplir une telle besogne.

— Ce n'est pas difficile. Les outils exigent plus de délicatesse que de force, et certaines pierres tendres ne sont pas plus dures à sculpter que le bois.

— Mais comment faites-vous pour les déplacer ? Certaines sont énormes.

— Je ne suis pas impotente.

— Je n'en doute pas.

— N'importe quelle pierre peut être déplacée avec des leviers et des rouleaux. Si elle n'est pas trop grosse, je le fais moi-même, sinon quelqu'un m'aide. Je suis plus forte qu'il n'y paraît.

Il se tourna vers elle et détailla ses épaules carrées, l'équilibre gracieux de son corps mince, ses mains longues et agiles, ses bras fermes sous sa robe, puis il reporta son attention sur ses sculptures. Alainna le regardait sans rien dire. Il s'arrêta devant l'établi. De tailles différentes, les pierres témoignaient toutes d'une main ferme et habile.

— Quel talent ! dit-il.

Il prit une des plus petites pierres. Elle était sculptée en forme de croix et ornée de motifs compliqués à la manière celte.

— Vous avez donné une pièce semblable au roi William, si mes souvenirs sont bons. C'était donc votre œuvre, bien que vous ne l'ayez pas dit.

— En effet. Celles-ci, je les sculpte pour notre église. Le père Padruig attend un chemin de croix.

Cloué sur le mur devant lui, il reconnut le morceau de tissu sur lequel il avait reproduit la marque du cousin Malcolm, ainsi que quelques autres dessins. Il remarqua aussi un petit dessin représentant un chevalier vêtu d'une cotte de mailles et portant une épée qui ressemblait étrangement à la sienne. Il ne fit aucun commentaire, elle non plus, mais il crut la voir rougir.

Alignées sur l'établi, les pierres rectangulaires avaient toutes la même couleur gris argenté. Elles mesuraient environ un bras de long, la moitié de large et une main d'épaisseur.

— De quel genre de pierre s'agit-il ? demanda-t-il.

— De la pierre à chaux grise. Elle est extraite un peu au sud d'ici. Mon père les a fait apporter et tailler voici un an, après que j'ai manifesté l'intention de sculpter une série de scènes. Il y en a vingt de même taille. J'en ai terminé sept. Mais je pense que cela ne me suffira pas.

— Que voulez-vous faire ?

— Je compte raconter l'histoire du clan Laren.

Il la regarda, abasourdi par une telle ambition, puis il entreprit d'étudier les pierres. Sur chacune des pièces terminées, des feuilles de vigne encadraient diverses scènes : des hommes dans des bateaux, des chasseurs, une femme luttant avec un loup, des cavaliers, une sirène sur un rocher...

— C'est magnifique, commenta-t-il.

— Chaque scène représente un épisode de l'histoire de mon clan. Celle-ci montre le premier Labhrainn qui quitta l'Irlande avec ses frères pour s'installer en Écosse. Il est tombé amoureux d'une sirène qui vivait dans un loch.

Elle pointa le doigt vers la sirène assise sur un rocher. Celle-ci tenait un miroir dans une main et un peigne dans l'autre.

— Et là, de qui s'agit-il ? demanda Sébastien en désignant la femme qui affrontait le loup, un couteau dans une main et un enfant emmailloté dans l'autre bras.

— C'est Mairead la Brave, femme de Niall, fils de Conall. Elle a tué le loup pour protéger son enfant.

— Je vois que toutes les femmes de votre clan sont courageuses.

— Nous faisons ce qu'il faut pour protéger les nôtres.

Il la regarda. Ses joues à la peau laiteuse avaient légèrement rosi. Elle était si près de lui que son épaule lui effleurait le bras.

— Je crois qu'Alainna, fille de Laren, a hérité du courage de Mairead la Brave, femme de Niall, murmura-t-il en se tournant vers elle. Vous défendez votre clan avec l'ardeur d'un guerrier... ou d'une mère.

D'un geste impulsif, il écarta les mèches qui barraient le front d'Alainna.

— Que Dieu vienne en aide à ceux qui menacent votre clan.

— Alors, qu'Il vous vienne en aide, répondit-elle en soutenant son regard.

— Parlez-moi des autres pierres, soupira-t-il,

voyant qu'elle repoussait toute tentative de conciliation.

Elle lui décrivit les scènes suivantes, et il tomba sous le charme de ses récits et du murmure de sa voix. Comme ils caressaient une pierre, leurs mains se frôlèrent. Elle replia vivement ses longs doigts effilés, mais il eut le temps d'y remarquer des cals et des coupures.

— Ces pierres raconteront l'histoire de mon clan, déclara-t-elle.

— Vous avez de la chance d'avoir un héritage si riche.

— Tout le monde a un héritage.

— Non, pas tout le monde.

— Je tenais à sauver le nôtre, en sculptant notre histoire dans ces pierres, dit-elle, ignorant sa remarque.

— Vous êtes une conteuse, comme Lorne.

— Je suis... une gardienne. Une conservatrice. Lorne connaît des centaines de contes qui viennent de la nuit des temps. Il est un maillon dans la longue chaîne des conteurs qui ont pour mission de rattacher notre peuple, génération après génération, à sa culture celte. Moi, je ne sauve que les histoires de notre clan. Une fois qu'elles seront fixées dans la pierre, ma tâche sera terminée.

— Certains immortalisent leur histoire dans des chroniques ou sur un arbre généalogique.

— Le parchemin peut facilement être perdu ou détérioré. Et je ne sais ni lire ni écrire.

Il s'appuya contre l'établi et croisa les bras.

— C'est le travail d'une vie entière, dit-il.

— Peut-être. Mais même si cela devait me prendre toute la vie, je sculpterais ces histoires dans la pierre. Je ne veux pas que notre héritage sombre dans l'oubli. Quand il n'y aura plus personne de notre sang pour évoquer le clan Laren, ces pierres demeureront.

— Alainna, votre clan ne mourra pas.

— Vous êtes ici pour détruire ce qui existe depuis des générations. Je suis la dernière des MacLaren, aussi mes enfants doivent-ils porter mon nom.

— Je ne suis pas ici pour détruire quoi que ce soit, protesta-t-il en l'empoignant par le bras.

— Quelles que soient vos intentions, votre venue marquera probablement la fin de notre clan.

Elle tenta de se libérer, mais il resserra son étreinte.

— Attendez, fit-il. Je vous ai écoutée. À votre tour de m'écouter.

— Alors, parlez.

— Je suis ici parce que vous avez demandé un champion...

— J'ai demandé un...

— Je sais, un guerrier celte. Mais je suis ici pour sauver votre clan.

— Vous, un chevalier breton qui ne se soucie que d'acquérir terres, richesse et gloire, vous allez sauver mon clan ? Vous ne ferez que satisfaire votre convoitise !

Les yeux plissés, il l'attira contre lui.

— Si je ne songeais qu'à satisfaire ma convoitise, vous seriez la première à le savoir, grommela-t-il.

Elle le regarda sans ciller. Son corps était souple et tiède, son souffle rapide contre son torse.

Tout en s'efforçant de contrôler le feu qui couvait en lui, il attendit qu'elle comprenne qu'il ne voulait que son bien et celui de son clan.

Elle leva la tête, le cœur battant. Il s'inclina vers elle, s'approchant si près de son visage qu'il pouvait sentir la chaleur de sa peau, et elle ferma les yeux. Alors, le feu qui s'était allumé en lui redoubla de violence, et il dut faire appel à toute sa volonté pour ne pas céder à l'attrait de ses lèvres tendres.

— Vous voyez, murmura-t-il enfin, je peux résister à votre charme. Je brûle pourtant de satisfaire ma convoitise... et la vôtre. Mettez-vous dans la tête que je suis un homme d'honneur et que je compte préserver votre famille et vos terres.

— Lâchez-moi, chuchota-t-elle.

Il s'exécuta. Sans le quitter des yeux, Alainna recula d'un pas. Il tendit le bras et lui souleva le menton.

— Je suis le champion que vous réclamiez, et vous devez me faire confiance.

— Je ne peux pas, souffla-t-elle.

— Nous avons l'un et l'autre du caractère et de la fierté, dit-il en lui caressant la joue, ce qui rend la paix difficile. Mais je dois obéir au roi. Dès que possible, je vous laisserai tranquille.

— Vous comptez partir ?

— Il faut que je retourne en Bretagne. J'ai des affaires à régler là-bas, d'autres terres, d'autres... d'autres liens. Il est courant que les chevaliers voyagent beaucoup, s'éloignant de leurs maisons et de leurs épouses pour de longues périodes.

— Je vois.

Elle ferma les yeux – pour cacher ses larmes, cette fois. Sébastien ressentit un étrange pincement dans la poitrine, une sensation d'un tout autre ordre que le simple désir.

Une larme glissa de ses paupières closes, et elle se détourna.

— Si je constate que vous êtes utile à mon clan, dit-elle d'une voix rauque, je ferai la paix avec vous. Pas avant. C'est tout ce que je peux vous proposer.

Sur ces mots, elle s'approcha du long établi, sur lequel reposait un bloc de pierre à chaux à moitié sculpté. D'un geste vif, elle repoussa ses longues nattes derrière ses épaules, choisit un ciseau et un maillet et se mit au travail.

C'était une façon de le congédier, mais Sébastien fit mine de ne pas comprendre. Il avait encore beaucoup à apprendre sur cette étrange jeune fille. Il la rejoignit et regarda par-dessus son épaule.

— Et quelle est cette histoire ? demanda-t-il.

La surface de la pierre était encore plate et lisse, couverte seulement de vagues croquis.

— Ceci est l'histoire de la Vierge de pierre, morte près du loch, expliqua Alainna au bout d'un moment.

— Je suis curieux de la connaître.

— Je vous la raconterai, un jour.

Elle frappa avec son maillet, et le ciseau tinta faiblement contre la pierre.

Sébastien la regarda glisser la lame autour d'une bordure de feuilles de vigne semblables à celles qu'il avait vues sur les autres pierres. La scène centrale représentait deux silhouettes à côté d'un ruban qui devait être le loch.

Alainna gardait le silence, concentrée sur son travail. Après quelques minutes, il se redressa.

— Je vous remercie de m'avoir montré votre travail, damoiselle. C'est remarquable. Maintenant, je vais vous laisser, pour faire le tour des terres de Kinlochan avec mes hommes et quelques-uns de vos parents.

— Dites-leur que je viendrai bientôt dans la salle, dit-elle, sans cesser de travailler. Je veux parler aux miens du contenu de la lettre du roi et les informer de... du mariage que nous avons ordre de contracter.

— Désirez-vous que je sois présent ?

Avant de répondre, elle donna un coup de maillet, puis souffla sur la poussière.

— Je préfère leur parler seule, fit-elle enfin.

Il murmura un au revoir, mais elle ne répondit pas et ne leva même pas les yeux.

Il sortit de l'atelier. Le martèlement régulier de son maillet le suivit tandis qu'il traversait la cour, résonnant comme les battements d'un cœur.

10

— Nous devons parler au plus vite au père Padruig, dit Una.

Morag et Beitris acquiescèrent avec véhémence.

— Nous irons tous le voir dimanche prochain, annonça Lorne, qui était assis à côté d'Alainna. Les chevaliers voudront sûrement visiter notre église Sainte-Brighid, où se trouvent plusieurs des sculptures d'Alainna et de Malcolm.

Niall et les autres opinèrent du chef.

— Nous demanderons au père Padruig d'arranger le mariage, poursuivit Lorne.

Alainna soupira. À sa consternation, aucun des siens n'avait protesté lorsqu'elle leur avait appris la décision du roi. Ils avaient écouté et posé des questions, mais personne n'avait manifesté de colère. Même Niall et Lulach avaient approuvé, bien qu'à contrecœur.

— Mais le chevalier n'est pas le Highlander que vous vouliez pour moi, dit-elle. Il est breton.

— Nous avons besoin de guerriers, répondit Lulach. Les Normands et les Bretons sont jeunes et forts, et ils ont de bonnes armes.

— Ce chevalier et ses hommes ont l'intention de combattre les MacNechtan. Nous serions fous de refuser, ajouta Donal.

— Personne n'a dit qu'ils allaient triompher des MacNechtan... commença Alainna.

— Quand les Normands auront écrasé les MacNechtan, avec notre aide, bien sûr – ils ne réussiront pas à défaire seuls des Highlanders – nous vivrons en paix, insista Niall.

— Leurs armes, leurs armures et leurs chevaux les gêneront, dit Lulach. Nous devrons les aider. Avec ces Normands et ces Bretons derrière nous, nous serons de nouveau forts. Je me demande combien de soldats le chevalier breton obtiendra du roi.

— Il a amené vingt hommes. Nous en demanderons deux cents de plus, proposa Donal.

— Deux cents ! s'exclama Alainna. Et comment nourrirons-nous deux cents hommes et leurs montures ?

— Tu as dit qu'il allait construire un château et établir une garnison, dit Lulach. Le clan Laren va retrouver sa puissance.

— Je pensais que certains d'entre vous s'opposeraient à leur venue. Mais je vois que vous êtes de leur côté.

— Nous n'avions pas besoin de connaître le contenu de la lettre du roi pour savoir ce que signifiait la venue de ces chevaliers, avoua Lorne. Et nous la tenions pour nécessaire.

— Nous ne pouvons pas ignorer un ordre du roi, insista Niall. Il a le droit de disposer du sol. Mais, par ton mariage et tes enfants, le clan Laren gardera ses droits sur la terre.

— Nous ne réussirons jamais à conserver Kinlochan seuls, avec une fille têtue à notre tête, dit Lulach. Nous n'avons pas le choix.

— C'est évident, fit Niall. Réfléchis, ma fille.

— Où est passée la fierté de ce clan, qui laisse des

étrangers s'emparer de Kinlochan ? demanda-t-elle, indignée.

— Nous sommes fiers, mais également pragmatiques, rétorqua Donal. Nous sommes vieux, nous, et moins fougueux que dans notre jeunesse.

— Nous avons vu notre clan fondre, déclara Lorne. Nous sommes assez vieux et assez sages pour savoir quand résister et quand céder.

— Il faut s'opposer aux MacNechtan, ajouta Donal. Et accepter la volonté du roi. Surtout si elle nous est favorable.

— Avec ce mariage, notre nom s'éteindra à jamais ! s'exclama Alainna. Kinlochan appartiendra aux Le Bret, et non plus aux MacLaren !

— *Ach !* Si ce n'est que ça ! fit Una. Tu n'as qu'à le convaincre d'adopter notre nom. C'est tout simple.

— Impossible ! Il est décidé à garder le sien.

— Tu le feras changer d'avis, assura Lorne.

— Demande-lui de laisser vos enfants porter notre nom, suggéra Morag. Il peut conserver le sien, s'il y attache tant d'importance. De toute façon, les femmes écossaises ne prennent pas le nom de leurs maris. Le problème ne concerne que les enfants.

— Il n'acceptera pas.

— Il y a sûrement un moyen, insista Lorne. Je le sens dans mes os. Ne te tourmente pas.

— Ses os voient toujours juste, renchérit Una. Quand il sent que quelque chose va se produire, cela arrive.

Alainna soupira. Ses parents n'avaient pas parlé avec le chevalier. Ils ne savaient pas combien il était obstiné.

— Je ne devrais pas épouser cet homme, reprit-elle. Ce n'est pas une bonne chose pour le clan.

— Tu vas l'épouser, décréta Una. C'est ce qui est le plus sage pour le clan. Et pour toi.

— C'est un vaillant guerrier, dit Niall. Il a abattu un sanglier aussi gros que celui qui a tué Diarmuid le héros !

— Il s-sait c-conter, bégaya Aenghus. Un ho-homme qui sait c-conter a b-bon cœur.

— Il a derrière lui des guerriers prêts à se battre, ajouta Lulach. Que demander de plus ?

— Et c'est un homme doré, comme Aenghus MacOg, celui de la légende, intervint Beitris. Un homme qui fait battre les cœurs.

Niall et Donal grommelèrent, et Lulach fronça les sourcils à l'adresse de sa femme. Una et Morag regardèrent Alainna d'un air entendu. Celle-ci se rembrunit.

— Allons chercher le prêtre, qu'on en finisse, proposa Una.

— Mais on doit afficher les bans pendant trois dimanches de suite, protesta Alainna.

— Les bans ! fit Lulach d'un ton dédaigneux. Qu'importent les bans, puisqu'aucun de nous ne sait lire ?

— Pas de bans ! décida Niall. Il ne faut pas que Cormac apprenne qu'Alainna se marie avant la cérémonie.

— Cormac ne sait pas lire non plus, imbécile ! glapit Lulach.

— Mieux vaut célébrer le mariage avant qu'il n'ait vent de la nouvelle, insista Niall. Nous devons nous tenir sur nos gardes tant que tous les hommes du roi ne sont pas arrivés.

— Tu as raison, dit Lorne. S'il apprend que notre chef va se marier, Cormac est capable de nous attaquer.

— Sébastien Le Bret a l'intention de parler à Cormac, annonça Alainna.

— Parler est une perte de temps ! s'écria Lulach. Il faut combattre, c'est tout !

— Que Giric aille chercher le père Padruig, dit Una. Où est-il ?

— Dans l'écurie, avec les chevaliers, répondit Alainna. Il leur a proposé de leur montrer nos terres.

— Nous devons faire une fête, souffla Beitris à l'adresse d'Una et de Morag.

— Le père Padruig adore les fêtes, approuva Niall.

— Il n'y a rien à célébrer, répliqua Alainna.

— Tu vas te marier, lui rappela Una. Nous en sommes tous heureux. Tu devrais l'être aussi. Nous aurons bientôt de la jeunesse dans notre clan. Tu vas mettre au monde des enfants qui perpétueront notre nom et égaieront notre cœur. Avec de tels parents, ils seront forcément beaux et courageux, ajouta-t-elle en se penchant vers Morag, qui l'approuva.

— Nous allons faire une vraie fête, déclara Lorne. Nous commencerons par emmener les chevaliers à la chasse, de façon à avoir assez de viande pour tout le monde. Ensuite, nous irons voir le prêtre, puis nous festoierons. Le clan Laren a retrouvé l'espoir.

Alainna passa la main sur son front, comme pour chasser son désarroi. Ses parents se mirent à jacasser, tout excités par la perspective du mariage.

— J'ai hâte d'annoncer ces bonnes nouvelles au père Padruig, dit Una.

— Des bonnes nouvelles ? gémit Alainna. Nous avons perdu Kinlochan.

Lorne lui prit la main.

— Ma petite fille, nous n'avons pas perdu Kinlochan. Ton mari et toi garderez Kinlochan, et vos enfants après vous. La seule chose que tu aies à faire, c'est de convaincre cet homme d'adopter notre nom.

— Nous n'avons rien perdu, Alainna, insista Una. Au contraire. Nous avons de nouveau un avenir.

Alainna retira sa main et baissa la tête, accablée par les espoirs que les siens faisaient reposer sur ses épaules. Comment ne pas les décevoir ? Comment obliger le chevalier breton à accepter le nom de son clan ? Si elle n'y parvenait pas, elle chercherait un mari ailleurs. Il lui restait une chance d'éviter ce mariage breton, et elle n'avait pas l'intention de la laisser échapper.

Giric traversait la cour, tenant un cheval sellé par la bride.

— Giric ! appela Alainna. Il faut que je te parle.

Son frère de lait lui fit un signe de la main. Derrière lui, dans la longue écurie, s'activaient plusieurs chevaliers normands et des Highlanders. Près de la porte, Sébastien discutait avec l'un des trois jeunes écuyers. Il se tenait dans l'ombre, mais elle voyait briller l'or de ses cheveux.

Giric confia son cheval à Aenghus et la rejoignit d'une démarche souple.

— Qu'y a-t-il ? demanda-t-il. Nous sommes sur le point de partir.

— Je sais. Juste quelques mots, s'il te plaît.

— Alainna, je comprends que tu sois contrariée par la venue de ces étrangers, mais nous en parlerons plus tard, si tu veux bien.

— Je ne t'ai pas appelé pour me plaindre. Viens, dit-elle en le tirant par le bras. Nous pouvons attendre les chevaliers dehors.

Giric alla reprendre son cheval, et ils se dirigèrent vers la porte de la forteresse. Ils descendirent vers le loch, qui ondoyait doucement sous la brise. Tandis que Giric attachait sa monture, Alainna s'approcha de l'eau et souleva sa jupe grise pour ne pas la mouiller.

— Alainna, que se passe-t-il ?

— Que ferais-je sans toi, Giric MacGregor ? Depuis ton arrivée dans ma famille, tu m'as tenu lieu d'ami et de frère.

— À sept ans, quand je suis arrivé, je ne sais pas si j'étais vraiment un bon ami pour toi. Bien que tu sois mon aînée de trois ans, je ne me suis pas privé de te taquiner et de te faire des niches.

— Mes frères et toi, vous ne m'avez pas toujours bien traitée, c'est vrai. Mais, à présent, je t'en remercie. Cela m'a appris à me défendre et m'a rendue plus forte.

— Tu pleurais rarement et tu te battais comme une lionne.

— Ah, Giric, ils me manquent tellement ! dit-elle en promenant autour d'elle un regard éperdu. Que diraient-ils, s'ils savaient que nous avons abandonné Kinlochan à un Breton ?

Elle étouffa un sanglot et écouta le vent gémir sur le loch.

— Tu entends leur plainte dans le vent ? demanda-t-elle.

Giric passa un bras autour des épaules de la jeune fille et l'attira contre lui.

— Tes frères et ton père sont partis, comme la plupart des hommes de ton clan, dit-il. Mais je suis ici, et les anciens aussi. Tu n'es pas seule.

— J'apprécie ton soutien, mais je sais que tu dois rejoindre le clan Gregor... J'espérais pourtant que tu resterais avec nous.

— Maintenant que le roi a envoyé du secours à Kinlochan, je peux rentrer chez moi, comme je le souhaite. De quoi as-tu besoin ? Demande et tu seras exaucée.

Alainna leva les yeux vers les montagnes qui dominaient la forteresse et frissonna.

— Giric, dis-moi ce que tu penses de l'ordre du roi.

— C'est une décision sage. Tu ne peux pas continuer à assumer seule la responsabilité de ce clan. Il te faut l'aide d'un mari, d'un guerrier appuyé par des hommes dans la force de l'âge. Je crois que ce Breton te conviendra.

— Il ne me convient pas et je ne lui conviens pas.

— Avec cet homme pour mari, ton clan sera de nouveau prospère.

— Il refuse de porter notre nom. Et ce n'est pas un Gaël. Mon père n'en aurait pas voulu.

— Ton père aurait approuvé cette union. J'en suis sûr, insista-t-il, comme elle le regardait avec stupéfaction. S'il était là aujourd'hui, il estimerait que le clan a besoin de la protection des Normands.

— Nous avons besoin d'hommes capables de défaire notre ennemi. Et les Normands ne nous ont rien promis.

— Il est vrai que les anciens souhaitent se venger du clan Nechtan. C'est ce que tu veux aussi ?

— Vengeance est un mot d'homme. Ce que je veux, c'est la fin de cette querelle. Mais épouser Sébastien Le Bret n'apportera pas la paix à mon clan ! Au contraire, ce mariage créera encore des problèmes. Cormac sera furieux, tu le sais, ajouta-t-elle en s'écartant de lui. Et cela entraînera de nouvelles batailles, peut-être même la destruction de mon clan. Les Normands ne savent pas se battre contre des Highlanders. Comment peux-tu dire que mon père aurait approuvé cette idée ? Et toi, comment peux-tu l'approuver ? Je ne comprends pas. Personne n'est de mon côté. Pas même toi !

— Cesse de dramatiser, voyons. Tes parents sont heureux de savoir que tu seras bien mariée.

— Bien mariée...

— Je crois que le chevalier breton est l'homme qu'il te faut.

Elle se tenait aussi droite que la colonne qui dominait le loch, tandis que le vent soulevait sa robe et agitait ses nattes.

— Giric, il y a peut-être une solution, dit-elle après un silence.

— Laquelle ?

— Épouse-moi. Prends notre nom.

— Alainna, je ferais n'importe quoi pour toi. Mais ça, je ne peux pas.

— Pourquoi pas ? Nous pourrions nous marier selon les rites de l'Église romaine. Nous ne sommes pas du même sang.

— Mais notre prêtre suit l'Église celte. D'après la loi celte, nous sommes aussi proches qu'un frère et une sœur. Plus même, disent certains. Le père Padruig refuserait de nous marier. Alainna...

— Il existe sûrement un moyen. Si nous nous mariions maintenant, sans la bénédiction du prêtre, dit-elle en arpentant la rive du loch, je n'aurais pas à épouser le chevalier étranger...

— Pourquoi t'obstines-tu ?

— Il ne veut pas adopter notre nom. Ma famille ne s'en remettrait pas.

— Alainna, même si nous pouvions nous marier, je ne prendrais pas non plus votre nom. Mon père est un des chefs de la *Gregorah*, et j'obéis au *toiseach* du clan Gregor. Ni lui ni mon clan ne me le pardonneraient. J'aurais souhaité que la *Gregorah* envoie de l'aide au clan Laren, mais notre chef a refusé de se mettre les MacNechtan à dos.

— Alors, que faire, Giric ? Tu es le seul à comprendre pourquoi mon mari doit prendre mon nom.

— Je comprends. Mais je ne peux pas t'épouser.

Alainna baissa les yeux et regarda les cailloux autour de ses pieds.

— Je ne pensais pas que tu accepterais, mais il fallait que je te le demande.

— Tu ne veux pas de moi pour mari, dit-il en lui posant une main sur l'épaule. Nous sommes amis, mais nous ne sommes pas faits l'un pour l'autre. Imagine un peu : toi avec ton tempérament et ton maillet, et moi avec la crainte que tu m'as toujours inspirée, depuis que j'étais gamin et que je t'arrivais à l'épaule !

— Maintenant, c'est moi qui t'arrive à peine à l'épaule, et j'ai besoin de ton aide, répondit-elle, refoulant ses larmes.

— Tu sais combien je t'aime, murmura-t-il en passant un bras autour d'elle. Je ne souhaite que ton bonheur. Et quand je me marierai, je veux que ma femme soit comme toi.

— Têtue et sérieuse ?

— Fine comme la pluie d'Écosse et brillante comme les étoiles. Je te remercie de l'honneur que tu me fais, mais écoute ton cœur, et non tes peurs. Tu as besoin d'un homme de feu.

— Tu en as suffisamment pour moi.

— Tu en as trop pour moi. Ces cheveux, ce tempérament... Tu me brûlerais. Je suis un homme tranquille.

— J'aime les hommes tranquilles.

— Le chevalier breton n'est pas un homme agité, ni un vantard.

— Vous êtes tous d'accord pour que je l'épouse, gémit-elle. Aucun de vous ne discute les ordres du roi.

— Parce que ce Breton est un vrai guerrier, capable de défendre ton clan, et qu'il a assez de force et d'esprit pour être ton mari. Épouse-le.

— C'est ce que me dit toute ma famille. Ils veulent que le père Padruig nous marie le plus vite possible. Le chevalier le souhaite aussi. Le roi ne lui donnera Kinlochan qu'à la vue du contrat de mariage. Suis-je la seule à voir le danger qu'il y a dans cette union ?

— Épouse-le, insista Giric. En sa présence, tu rayonnes.

— Ce n'est pas une bonne chose.

— Pas toujours, en effet. Mais ce genre d'étincelle peut allumer un feu vivace et chaleureux.

— Tu parles comme une vieille femme sentimentale.

Il eut un petit rire et la fit pivoter vers le pré.

— Voici les cavaliers, annonça-t-il. Avec leur harnachement, ils ont mis un sacré moment à se préparer. Je préfère la simplicité des Highlanders.

— Moi aussi.

Elle regarda les chevaliers descendre la pente et prendre de la vitesse, une fois arrivés en bas de la colline. Le martèlement des sabots et le cliquetis des cottes de mailles et des armes couvraient le clapotis du loch.

— Brillants comme des sous neufs et montés sur de beaux chevaux espagnols ou arabes, observa Giric. Ces animaux aux jambes fines risquent de se blesser sur nos pentes rocailleuses. Nous devrions le leur dire.

— En effet. Mais c'est vrai qu'ils sont beaux. Ils étincellent comme une armée de légende.

— Conquise par le clinquant de la chevalerie ? Tu vas bientôt me dire que tu préfères épouser un chevalier plutôt qu'un Celte.

Elle ne répondit pas. Elle regardait l'homme qui

chevauchait en tête, et son cœur bondissait dans sa poitrine comme un saumon remontant une rivière.

Giric l'étreignit, et elle se laissa aller contre lui. Son frère de lait avait raison : seul pouvait la satisfaire un homme habité par un feu aussi dévorant que le sien.

Une force presque tangible émanait du chevalier breton. En sa présence, elle se sentait envahie par des bouffées de désir qui la troublaient.

— Vas-y, maintenant, dit-elle en s'écartant. Je te remercie d'avoir bien voulu m'écouter.

Il lui sourit tristement, puis rejoignit son cheval qui broutait paisiblement.

Alainna resta au bord de l'eau, tandis que Giric montait en selle et se dirigeait vers les chevaliers. Sébastien Le Bret retint son étalon et lui lança un regard intense.

Le ciel s'assombrit, le vent devint plus vif et quelques gouttes glacées se mirent à tomber. Elle regarda le Breton passer devant elle et sentit le froid la transpercer.

L'orage qui menaçait de s'abattre sur sa vie allait tout détruire, songea-t-elle. À moins qu'il n'annonce des jours meilleurs...

11

L'air froid du matin était vivifiant. Sébastien longea le loch, dans lequel se reflétait un ciel d'étain. L'herbe était couverte de givre, et la gelée blanche dessinait de délicats motifs sur les rochers et les galets de l'étroite plage.

Devant lui, la Vierge de pierre se dressait sur le ciel maussade. À côté de la colonne, le sol était plat. Laissant tomber sa cape sur l'herbe, il dégaina son épée pour faire ses exercices matinaux et contourna la pierre d'un pas assuré.

Il ne chercha pas, comme à son habitude, à améliorer sa technique. Il songeait à la beauté de ce lieu, à ses habitants et à la jolie fille qui en était le trésor.

Il n'apportait pas de bonnes nouvelles au clan Laren, mais tous – à l'exception de leur chef – l'avaient accueilli avec générosité, voire avec enthousiasme, admirant ses prouesses et ne lui tenant pas grief des bouleversements que sa venue allait produire dans leurs vies.

La nuit précédente, il avait écouté les contes de Lorne et avait veillé tard. Alainna étant restée dans son atelier, lui et Giric avaient servi d'interprètes pour les chevaliers. À mesure qu'il traduisait, il avait senti son âme s'élever, comme si le courage et la beauté qu'évoquait le barde se communiquaient à lui.

Mais peut-être avait-il ressenti les effets de l'*uisge beatha*, plutôt qu'une quelconque élévation de l'âme, se dit-il, tandis que son épée fendait l'air avec un sifflement.

Son âme errait, cherchant un lieu où se reposer, avait dit Alainna. Et il devait admettre qu'elle avait vu juste. Cette fille qui le connaissait à peine avait discerné la vérité qu'il cachait au fond de lui. Cette fille dont les yeux étaient aussi bleus que la mer et dont les cheveux avaient la couleur du soleil couchant...

Tiens donc, pensa-t-il en s'arrêtant, le souffle court et l'épée baissée, voilà que leur poésie avait pénétré son âme.

Il fronça les sourcils et frappa à gauche.

Avec son regard direct et ses joues roses, Alainna l'avait désarçonné.

La lame fendit l'air, et il l'enfonça dans le sol. La garde oscilla, puis s'immobilisa.

Haletant, il contempla le loch, la crête blanche des montagnes et le ciel où apparaissait timidement le soleil. La terre, l'air même étaient emplis de poésie et de sauvagerie. Rien d'étonnant à ce que l'Écosse produisît des bardes aussi bien que des guerriers.

Il s'essuya le front du revers de la main et descendit s'asseoir sur un gros rocher au bord de l'eau. Tandis qu'il scrutait les montagnes et le loch étroit, il remarqua, pour la première fois, la longue île qui émergeait de l'eau, non loin de là.

Il ouvrit la bourse accrochée à sa ceinture et en sortit un style en os et une tablette de cire. Sur celle-ci était esquissé un château. D'un trait sûr, il dessina une île sous l'édifice, puis il refit la base du bâtiment, la remplaçant par un promontoire rocheux qui jaillissait d'une haute montagne. Ensuite, il ajouta une tour carrée et suréleva le mur d'enceinte.

S'il avait grandi dans ce lieu, dans une famille aimante dont il aurait été l'héritier, jamais il ne l'aurait abandonné pour satisfaire un caprice du roi. Il se serait battu jusqu'à son dernier souffle pour le conserver. Et si les MacLaren avaient eu la force de s'opposer à la cession de leurs terres à un chevalier breton, ils n'auraient pas manqué de le faire.

De l'autre côté de l'eau, la forteresse de bois se dressait, robuste et paisible, sur sa butte. Elle abritait les membres d'un clan qui possédaient tous le même nom, le même héritage. Et lui, qui n'avait ni l'un ni l'autre, s'apprêtait à bouleverser leurs vies et leur avenir.

Une fois sa mission accomplie, il s'en irait. Mais quand reverrait-il Kinlochan et sa belle châtelaine ?

Il ne souhaitait pas abandonner celle qui allait devenir sa femme. Mais il était écartelé entre l'épouse qu'on lui avait imposée et l'enfant qu'il aimait tendrement. Alainna MacLaren ne prendrait pas son nom et ne quitterait pas Kinlochan pour le suivre en Bretagne, et lui ne pouvait pas adopter son nom et rester à Kinlochan.

Il secoua la tête. Il ne comprenait pas pourquoi le roi leur demandait l'impossible. Son cœur et son honneur s'opposaient à ce mariage. Mais il était tenu d'obéir au roi.

Comme Una l'avait dit, l'honneur était chose fragile.

Il rangea la tablette et le style dans sa bourse et se leva, puis il rengaina son épée et ramassa sa cape.

Je suis las et je suis étranger... Prononcés par une voix douce et mélodieuse, ces mots le hantaient.

— Vous n'avez pas rentré de foin pour nourrir les bêtes, cet hiver ?

Des pas lourds ébranlaient le plancher de la grande salle, et la voix du chevalier breton résonnait dans la pièce presque déserte.

Comme il s'approchait de l'âtre où elle se tenait avec Una et Morag, Alainna leva la tête.

— Rentré du foin ? répéta-t-elle, le cœur battant. Que voulez-vous dire ?

Il se débarrassa de son camail et retira ses gants de cuir. Il avait l'air fatigué et furieux, constata Alainna.

— Je viens d'apprendre qu'il n'y avait pas de réserve de fourrage pour les chevaux et le bétail, uniquement des sacs d'avoine. Vous n'avez donc pas coupé d'herbe pour nourrir les bêtes pendant les mois d'hiver ?

Alainna regarda Una et Morag, qui baissèrent les yeux et se remirent à filer la laine.

— Nous ne l'avons jamais fait, répondit-elle.

— Et pourquoi ? demanda-t-il en lançant ses gants sur la table. Que comptez-vous donner aux bêtes, durant les mois où elles ne trouvent rien à manger dehors ?

— Dans les Highlands, ce n'est pas la coutume de couper du foin.

— Pas la coutume ? Ce devrait l'être.

Il poussa un soupir exaspéré et passa les doigts dans ses cheveux.

— Qu'allons-nous donner à nos vingt chevaux ? demanda-t-il.

— De l'avoine et de l'orge, comme nous le faisons pour les nôtres.

Elle traduisit pour les autres femmes l'échange qui avait eu lieu en anglais et ajouta :

— Y a-t-il assez d'avoine pour les chevaux normands ?

Una haussa les épaules, et Morag secoua la tête.

— J'en doute, répondit cette dernière, en étirant entre ses doigts une touffe de laine bleue.

— Si nous avions su que vous veniez, nous aurions semé davantage d'avoine, dit Alainna d'un ton cassant.

— Épargnez-moi votre mauvaise humeur.

— Et vous, épargnez-moi la vôtre ! Je n'y suis pour rien. Désolée si les coutumes des Highlands ne correspondent pas aux critères bretons.

Il jeta sa cape sur un banc et s'assit.

— Si nous devons rester, il faut faire quelque chose.

— Eh bien, ne restez pas.

Elle vit sa bouche se crisper et ses yeux se plisser. S'attendant à une réplique cinglante, elle se concentra sur sa quenouille et son fuseau.

— Niall prétend qu'il n'y a ni foin ni fourrage dans les fermes alentour. Comment nourrit-on le bétail dans les Highlands, pendant l'hiver ?

— Nous n'avons que quelques chevaux, à qui nous donnons de l'avoine et de l'orge. L'hiver, nous ne gardons qu'une ou deux vaches laitières, un taureau et quelques moutons. Nous tuons les autres bêtes en novembre pour fumer la viande ou nous les lâchons dans la nature.

— Vous les lâchez dans la nature ? Et vous les laissez se débrouiller ?

— Bien sûr ! Avec quoi les nourririons-nous ?

— Avec du foin, bien sûr. Le printemps venu, vous n'avez plus de troupeau.

— Nous regroupons les bêtes qui ont survécu à l'hiver et les mettons dans des pâturages pour qu'elles reprennent des forces. Certaines sont si faibles qu'il faut les porter.

— Les porter ? répéta Sébastien, ahuri. Des vaches ?

— C'est la coutume.

— Eh bien, à l'avenir, ça changera.

— Ça ne changera pas. Rien ne doit changer, sauf une chose : vous pouvez retourner dans le sud avec vos vingt chevaux.

— Nous trouverons un moyen de nourrir les chevaux, même s'il faut que j'aille moi-même couper de l'herbe.

— À votre guise.

Sébastien poussa un nouveau soupir énervé et tapa du poing dans la paume de sa main, comme pour maîtriser sa colère.

— Et les autres bêtes ? demanda-t-il. Aenghus

dit qu'il ne reste que trois vaches et quatre moutons dans l'enclos.

— C'est vrai. Les MacNechtan ont pris les autres. Nous n'avons pas assez d'hommes et de femmes pour garder nos troupeaux, et les bêtes sont la proie des brigands et des loups.

— Et vous ne voulez pas que les choses changent ?

— Certaines choses devraient rester en l'état, répondit-elle en dévidant la laine.

— Et les provisions pour vos parents et mes hommes ?

— Nous avons des sacs d'avoine et d'orge, ainsi que des paniers de pommes, de carottes et d'oignons.

Elle se tourna vers Una et Morag et traduisit en gaélique la question du chevalier.

— Nous avons de quoi manger pour l'hiver, confirma Una. Mais pas assez pour tous ses hommes, si c'est ce qu'il veut savoir. Le roi n'a pas envoyé de fourrage pour ses chevaliers et leurs chevaux, ajouta-t-elle avec un petit rire, ravie de sa plaisanterie. Mais ils peuvent toujours chasser et pêcher pendant qu'ils pourchassent les Mac-Nechtan.

— Elle a raison, soupira Sébastien. Tant que nous sommes là, nous apporterons notre contribution.

— Et combien de temps comptez-vous rester ? demanda Alainna.

— Jusqu'à ce que j'aie accompli ma tâche.

— C'est trop long, murmura-t-elle.

Elle eut un geste maladroit et laissa tomber le fuseau, qui roula par terre, déployant derrière lui une traînée de fil rouge. Sébastien l'arrêta avec sa botte.

128

Comme il se baissait en même temps qu'elle pour le ramasser, ils se cognèrent la tête. Grimaçant de douleur, elle tendit la main vers lui, persuadée qu'il souffrait plus qu'elle.

Au même instant, il lui posa la main sur le front.

— Je vous ai fait mal ? demanda-t-il.

La chaleur de sa main dissipa aussitôt la douleur. Elle lui caressa la tempe, surprise par la douceur de ses cheveux.

— Non, dit-elle. Mais je craignais, moi, de vous avoir fait mal.

— Pas du tout, fit-il en retirant sa main. Mais j'avoue que vous avez la tête dure.

— Et vous aussi.

— C'est le signe d'une fille têtue, susurra-t-il.

— Vous aviez besoin d'un signe ?

— Non, gloussa-t-il.

Il se mit à enrouler la laine, tandis qu'elle tenait la quenouille droite, et murmura :

— D'une façon ou d'une autre, vous devrez vous montrer moins entêtée et accepter que votre vie change, dame Alainna.

Elle ne répondit rien, fascinée par ses longs doigts agiles qui maniaient la laine. Brusquement, elle eut le sentiment que c'était le fil de sa vie qu'il tenait dans ses mains.

Elle lui arracha le fuseau et retourna près de l'âtre.

— Tous les chiens et tous les guerriers de la Fianna virent ce sanglier terrifiant, racontait Lorne aux Highlanders et aux chevaliers réunis autour de l'âtre, ce soir-là.

La salle était tiède et légèrement enfumée, et les flammes du foyer éclairaient d'une lueur dorée les visages des auditeurs. Les murs de la tour étaient battus par la neige, et un courant d'air glacé s'immisçait à travers la porte.

Assis près de l'entrée sur un banc isolé, Sébastien sentait le froid le pénétrer. Il s'appuya contre le mur et écouta la voix profonde de Lorne.

— Un seul de ses grognements pouvait faire trembler le plus brave des guerriers. Une robe bleu-noir comme l'orage, des soies dures comme le fer, des yeux rouges comme les flammes de l'enfer, des dents longues et jaunes entre d'horribles lèvres noires...

« Hommes et chiens se dirigèrent vers lui, et la bête chargea, prête à massacrer quiconque s'approcherait. Certains reculèrent, les chiens glapirent. Tous hésitaient.

« Mais un des hommes, Diarmuid, l'ami bien-aimé et le neveu de Fionn MacCumhaill, Diarmuid, qui avait trahi son ami par amour, n'avait pas peur. Et il s'avança seul.

Assise entre Robert et Hugo, Alainna traduisait au fur et à mesure en anglais l'histoire de Lorne. Sébastien la regardait en faisant tourner sa coupe de bois entre ses mains.

— Devant son ami Diarmuid blessé à mort, Fionn avait le choix : le sauver ou se venger de l'homme qui lui avait pris sa femme, au mépris de l'honneur et de l'amitié...

Sébastien écoutait la mélodieuse alliance de ces deux voix, l'une masculine, l'autre féminine, qui s'exprimaient dans deux langues différentes. Il étudia le profil d'Alainna et remarqua que la lueur de l'âtre intensifiait le bleu de ses yeux et faisait ressortir l'or de ses nattes. Puis il promena le regard sur les riches courbes de son corps, imaginant sans effort sa peau tiède et voluptueuse sous ses vêtements de laine.

Il but une gorgée de *uisge beatha*. Le liquide brûlant pénétra en lui, et il but de nouveau. La vue d'Alainna, le son de sa voix et le charme de son corps harmonieux allumèrent une étincelle ardente au fond de lui.

Plus tard, lorsque ceux qui l'entouraient applaudirent et réclamèrent à Lorne un autre conte, Sébastien comprit qu'il avait raté la fin de l'histoire, tant il était subjugué par ce qu'il voyait.

12

Telle une apparition, Alainna surgit de la brume. Surpris, Sébastien bondit en arrière pour ne pas lui donner un coup d'épée malencontreux. Son coude gauche heurta la colonne avec un craquement.

— Vous m'avez fait peur ! s'exclama-t-il en se frottant le coude, après avoir jeté son épée par terre.

— Je vous demande pardon. Je croyais que vous me verriez. Que faites-vous près de la Vierge ? Ce n'est pas la première fois que vous venez ici à l'aube.

— J'aime m'entraîner tôt et seul. Vous vous rendez compte que j'aurais pu vous tuer ? Vous êtes arrivée sur ma gauche, et ma vision est moins bonne de ce côté-là.

Elle posa son baluchon sur le sol et se mit à lui masser le coude. La douleur s'estompa rapidement.

— C'est à cause de votre cicatrice que votre vision est moins bonne du côté gauche ? demanda-t-elle. Comment est-ce arrivé ?

— Il y a quelques années, alors que j'escortais la duchesse de Bretagne, nous avons été attaqués par des brigands en pleine forêt. Je me suis battu contre plusieurs hommes qui tentaient de monter dans la charrette où voyageaient les dames. Je les ai repoussés, mais...

Il haussa les épaules. Il n'avait pas envie de lui décrire la mêlée sanglante qui avait suivi.

— J'ai eu de la chance de m'en sortir avec cette seule blessure, ajouta-t-il. Il y a eu beaucoup de morts.

— *Ach Dhia !* murmura-t-elle.

Elle tendit la main pour lui toucher le visage. Par réflexe, Sébastien s'écarta, mais les doigts caressants d'Alainna trouvèrent la cicatrice.

— Vous avez eu de la chance de ne pas perdre votre œil.

— Pendant un certain temps, je ne voyais rien de cet œil.

Ses doigts étaient frais et agréables, et le subtil parfum de fleurs qui se dégageait de ses cheveux était délicieux.

— Le médecin du duc pensait que je resterais borgne, poursuivit-il. Mon œil a guéri, mais ma vision n'est plus aussi bonne à gauche qu'à droite. C'est ainsi que vous avez pu me surprendre, telle une sylphide sortant du brouillard.

— Je suis heureuse que vous ne soyez pas aveugle, dit-elle en retirant sa main.

— Et moi donc ! Le duc et la duchesse m'ont offert une terre en Bretagne pour me récompenser. Lorsque j'ai été guéri, le duc Conan m'a donné un poste convoité en Écosse : garde d'honneur du roi William, le frère de la duchesse de Bretagne. Et voilà toute l'histoire, gente dame.

Il inclina la tête et se tourna pour ramasser son épée.

— Pas toute votre histoire, rectifia-t-elle.

— Pas tout à fait, admit-il en rangeant son arme dans son fourreau.

— En Écosse, vous n'avez pas dû trouver beaucoup d'adversaires à votre mesure.

— Seulement des chefs de clan au caractère et à la chevelure de feu, plaisanta-t-il en prenant sa cape doublée de fourrure. C'est vrai, c'est un peu morne. Nous avons tout de même mis en déroute une bande de rebelles.

— Je sais. Ils se sont réfugiés en Irlande. Mais un guerrier de votre trempe doit s'impatienter, à force de rester à ne rien faire aux côtés du roi. C'est pour ça que vous voulez retourner en Bretagne ?

— Les raisons sont multiples. Pourquoi me cherchiez-vous ?

— Je venais vous dire que Giric et les chevaliers préparaient les chevaux pour partir avec vous. Aujourd'hui, si vous n'y voyez pas d'inconvénient, je vais vous accompagner.

— Je n'y vois aucun inconvénient, au contraire. C'est un honneur de visiter les terres avec le chef du clan.

Elle lui lança un regard à la dérobée.

— Je venais aussi apporter une offrande à la Vierge de pierre, dit-elle en montrant son baluchon.

— Où est votre lévrier ? Il ne vous quitte jamais, d'habitude.

— Il s'est enfoncé une épine dans la patte, hier. Morag la lui a enlevée, mais il boite et préfère rester près de l'âtre.

— Par un temps pareil, tout être sensé préférerait rester près du feu.

— Ne vous gênez pas, dit-elle gaiement.

Il rit. Ramassant son baluchon, Alainna se dirigea vers la colonne et le posa à son pied. Sébastien la vit disposer sur l'herbe un sac d'avoine, un fromage et un bol de crème.

— Une offrande porte-bonheur ? demanda-t-il.

— Non. Un geste de gratitude, pour remercier la Vierge de nous protéger.

Elle fit trois fois le tour de la pierre puis, tout en effleurant les inscriptions, elle murmura en gaélique :

> *Femme du royaume des fées,*
> *Gardienne de nos foyers,*
> *Protégez-nous, sauvez-nous,*
> *Aujourd'hui, cette nuit et à jamais.*

— Belle incantation, commenta-t-il. Pourquoi faites-vous le tour de la pierre ?

— Tourner dans la direction du soleil porte bonheur.

— Vous venez souvent parler à la Vierge de pierre ?

— Il est recommandé de lui adresser une prière avant d'entreprendre un voyage, dans des occasions exceptionnelles et dans les moments difficiles.

— Je me demande si elle vous protégera contre les envahisseurs normands.

— Elle fera de son mieux.

À son tour, il s'approcha de la pierre et toucha une des inscriptions.

— Cette colonne est là depuis très longtemps, dit-il.

— Sept cents ans, paraît-il. Je me souviens d'être venue là, petite fille. Je serrais la main de mon père, car cette grande pierre me faisait peur. Mon père ne l'a jamais su. Il aimait dire que sa petite fille avait hérité de son courage, de ses cheveux roux et de son obstination. Il me manque.

— Il serait fier de vous aujourd'hui.

Elle enlaça la pierre comme une amie.

— Vous avez promis de me raconter l'histoire de la Vierge de pierre, lui rappela-t-il.

— C'est vrai. C'était la petite-fille du premier Labhrainn. Un jour, elle alla ramasser des noisettes et des baies pour le souper de son père. En passant près du loch pour rentrer à la forteresse, elle pensa à ses amies les fées, qui vivaient dans les collines, et leur laissa un peu de nourriture.

« Un dénommé Nechtan, d'un clan voisin, l'interpella et lui proposa de porter son panier. Elle l'attendit donc, mais il se jeta sur elle. Elle se débattit avec la force du désespoir, mais il avait un couteau tranchant et la blessa.

Alainna se tourna vers le loch, imitée par Sébastien. Des herbes brunes et des roseaux bordaient la plage, des vagues lapaient le rivage, et des voiles de brouillard dérivaient sur l'eau comme des écharpes de soie.

— Comme elle gisait au bord du loch, à l'agonie, poursuivit Alainna, les fées, alertées par ses cris, descendirent de la colline. Elles chassèrent Nechtan et le firent trébucher sur son couteau. Les fées sont très bonnes pour ce qui est de la magie, mais elles ne sont pas très efficaces quand il s'agit de guérir les gens.

« Elles ne purent pas lui sauver la vie, mais elles la transformèrent en pierre pour que son âme demeure près de sa maison bien-aimée. Puis elles jetèrent un double sort sur notre clan et celui des Nechtan – l'un bénéfique, l'autre maléfique.

— Un charme protecteur ? demanda Sébastien.

Alainna frissonna et serra son tartan autour de son cou.

— Oui. La jeune fille devait rester une vierge de pierre pendant sept cents ans. Un autre sort fut jeté sur le clan de son assassin. Si un homme du clan Nechtan touche une femme du clan Laren, la lignée des MacNechtan s'éteindra en une génération.

— D'où la querelle.

— Depuis, ils essaient de faire disparaître notre clan. Ils ne touchent pas aux femmes, mais ils s'en prennent à nos hommes.

— Cormac semble vouloir mettre un terme à cette querelle.

— Il parle de paix, mais il attend son heure. Les sept cents ans s'achèveront le premier jour du printemps.

— Qu'arrivera-t-il alors ?

— Je vais vous montrer quelque chose, dit-elle en se tournant de nouveau vers la pierre.

Elle s'agenouilla et écarta les hautes herbes qui masquaient le pied de la colonne.

— Que signifient ces marques ? demanda Sébastien, en effleurant les traits verticaux gravés dans la pierre.

— Il y a six cent quatre-vingt-dix-neuf entailles. Chaque année, le premier jour du printemps, le chef du clan Laren en ajoute une nouvelle. À la prochaine Sainte-Brighid, que nous considérons comme le premier jour du printemps, je creuserai la sept-centième entaille.

— Et le charme se dissipera.

— Nous ne savons pas ce qui se passera alors. La malédiction sur le clan Nechtan sera levée et l'âme de la Vierge de pierre sera libérée. Certains disent qu'elle reprendra vie. D'autres prétendent qu'elle est déjà partie et qu'elle ne nous protège plus.

— Et la querelle ?

— Elle peut s'achever ou s'envenimer. Mais il n'y aura plus de sort pour nous préserver de nos ennemis.

— Je serai là avec mes hommes. Tout ira bien, vous verrez.

— Vous croyez ?

Il fronça les sourcils. L'histoire de la Vierge de pierre le fascinait. Mais peut-être était-il autant subjugué par la conteuse que par l'histoire.

— Comment s'appelait la Vierge de Kinlochan ?

— Alainna. Ça veut dire « la belle ».

— Vous portez bien votre nom, murmura-t-il en la regardant droit dans les yeux.

— La Vierge m'est très chère, dit-elle en rougissant. Je la considère un peu comme une sœur.

Elle passa de l'autre côté de la pierre, et il la suivit.

— Parlez-moi de ces inscriptions, dit-il en caressant les lignes courbes. Certaines sont évidentes... Ici un poisson, là un sanglier. Et les autres ?

— Elles sont très vieilles. Il y a un saumon, signe de sagesse. Cette forme ronde est un miroir, celle-ci un peigne. Cette triple spirale a un rapport avec sainte Brighid, mais je ne peux pas vous en dire plus. Même Lorne est incapable de toutes les interpréter. Certains pensent que ces inscriptions signifient que la Vierge est à l'intérieur de la pierre.

— C'est un magnifique travail. Vous vous en êtes inspirée pour vos propres sculptures, non ?

— J'ai beaucoup appris en étudiant cette pierre et d'autres sculptures celtes. J'ai vu des décorations semblables dans des églises écossaises, ainsi que dans des manuscrits. Ces dessins ont un sens. Prenez cette série de nœuds, par exemple. Ils évoquent les liens mystiques de l'âme et du monde. Ils ne peuvent être défaits.

— Ah... Et ces spirales, là ?

— Elles représentent le cours infini de la vie. Et cette longue tresse, ici, représente le tissage d'événements dont toute vie est faite. Dans les

Highlands, nous avons une énigme : qu'est-ce qui existe sans être né et sans jamais devoir naître ?

— L'âme. Ces dessins représentent le cheminement de l'âme.

— En effet. Chaque âme est à la fois liée à Dieu et au monde. Les âmes peuvent s'épanouir et s'élever durant leurs vies terrestres, ou bien se perdre, se briser, ou encore être volées. Nous croyons que les âmes blessées et errantes sont sauvées par les fils qui les lient.

— Ramenées dans la vie ?

— Ramenées dans la toile de la vie par l'amour. C'est un thème récurrent dans nos histoires.

Il hocha la tête d'un air entendu.

— Ces dessins évoquent la beauté des âmes et leur cheminement, poursuivit-elle, en suivant de ses doigts agiles les courbes et les volutes. Ils célèbrent le miracle de l'âme et de la vie.

Sébastien ne regardait plus les inscriptions. Il observait Alainna, et il comprit à cet instant que les fils de sa propre âme, qu'il avait crus perdus à jamais, ne s'étaient pas rompus. Ils étaient simplement tombés de la toile de sa vie. Alors, il reprit espoir.

Elle leva vers lui ses yeux d'un bleu limpide. Il caressa une de ses nattes soyeuses.

— Tressée, murmura-t-il, comme un ancien dessin.

Elle sourit, et il tira doucement sur sa natte, de sorte qu'elle dut s'approcher de lui.

Une main posée sur la pierre au-dessus de la tête d'Alainna, l'autre tenant la tresse, il se pencha vers elle, attiré par une force irrésistible. Émanait-elle de ses yeux obsédants ou de la mystérieuse pierre qu'ils touchaient tous les deux ? Il n'aurait su le dire.

Seuls quelques centimètres les séparaient à présent. Il vit les paupières d'Alainna s'abaisser et son visage se renverser timidement. Le cœur battant, il effleura ses lèvres.

Sa bouche était tiède et docile, plus suave et douce qu'il ne l'aurait imaginé. Lâchant sa natte, il glissa les doigts le long de son cou et intensifia son baiser.

Elle posa une main sur son épaule, l'autre sur sa joue, et cette caresse l'enflamma.

Alors, il l'embrassa sans retenue et crut être emporté dans un tourbillon.

Soudain, un vent glacé se glissa entre eux. Alainna s'écarta. Il recula, les bras toujours autour d'elle.

Elle le regarda, les yeux écarquillés, et se couvrit les lèvres de ses doigts tremblants.

Desserrant son étreinte, il fit un pas en arrière.

— Mon Dieu, dit-il, haletant. Mon Dieu...

— La Vierge, dit-elle en caressant le granit de la colonne. C'est peut-être la Vierge... Certains disent qu'elle est entourée d'une force puissante. Une force bénéfique, ajouta-t-elle.

Il hocha la tête et passa les doigts dans ses cheveux.

— C'est une pulsion naturelle, dit-il, car il ignorait ce qu'elle savait du désir charnel.

Il ne manquait pas d'expérience, mais jamais il n'avait ressenti une telle puissance dans un baiser. Lorsque Alainna et lui s'étaient embrassés, désir et prière s'étaient mêlés avec une intensité qu'il n'avait jamais connue.

— Une pulsion naturelle, répéta-t-il, le cœur battant. Nous devons nous marier, après tout.

— Je sais, dit-elle en se retournant. Je sais.

Elle partit en courant et contourna le loch pour

rejoindre la forteresse, ses nattes tressautant dans son dos.

Il la regarda s'éloigner, puis il leva les yeux vers la Vierge de pierre et ses inscriptions entrelacées. Il lui semblait soudain que quelques fils précieux avaient retrouvé leur place dans la toile de sa vie.

— Oui, c'était bien la vierge, marmonna-t-il en s'en allant. Mais pas celle de pierre.

— À l'extrémité sud du loch, dit Alainna en pointant le doigt dans la direction indiquée, Kinlochan possède des collines couvertes de pâturages et de terres arables. Au nord, ajouta-t-elle en pivotant sur sa selle, la région est plus sauvage, plus rude, avec des pentes escarpées et rocheuses. Il y a des pâturages, mais peu de cultures.

Monté sur son cheval arabe, dont la crinière chatoyait dans la lumière de cette fin d'après-midi, Sébastien hocha la tête.

— Kinlochan est situé à la lisière des Highlands, comme une porte, observa-t-il. Le loch en marque la frontière. La montagne qui domine le loch semble avoir été modelée dans la roche par la main de Dieu.

— C'est d'une beauté stupéfiante ! s'exclama Robert. Je comprends que l'endroit soit convoité.

— Le clan Laren s'est battu pendant des générations pour défendre cette terre, dit Giric en arrêtant son cheval à côté d'Alainna.

— Et elle leur est enlevée, conclut Robert.

À l'expression de son ami, Sébastien comprit qu'il n'approuvait pas la décision du roi.

— Combien de fermes possédez-vous ? demanda Sébastien. Nous n'en avons pas vu beaucoup.

— Quinze, répondit Alainna. La plupart ne sont plus habitées.

— Soit les fermiers sont morts, soit ils sont partis avec leurs familles dans l'espoir d'une vie meilleure, expliqua Giric. Élever des bêtes pour se les faire voler par les MacNechtan n'est guère lucratif.

— J'imagine, fit Sébastien.

Ils chevauchèrent en direction du nord-est, vers un grand pré bordé d'arbres. Une fine couche de neige recouvrait le champ d'un manteau blanc, et les arbres dénudés dessinaient des motifs compliqués sur le ciel gris.

— Il est plus tard que je ne le croyais, dit Alainna. Il fait presque nuit. Je pense qu'il est temps de rentrer à Kinlochan.

— Le souper doit être prêt, renchérit Giric.

— Et les chevaliers ont pris goût aux récits du barde, ajouta Robert. Les autres sont sûrement déjà rentrés.

Sébastien acquiesça et accéléra l'allure, tout en s'efforçant d'éviter les terrains accidentés. Si Araby avait une foulée plus longue et plus rapide que les montures d'Alainna et de Giric, celles-ci étaient beaucoup plus adaptées au pays. Robert avait emprunté un de ces petits chevaux et semblait ravi de son choix, même si ses pieds balayaient parfois les hautes herbes. La plupart des chevaliers normands auraient eu honte d'une telle monture, mais Robert en faisait un sujet de plaisanterie.

Sébastien ralentit, afin de permettre à Alainna de le rattraper. Après leur étonnant baiser à côté de la Vierge de pierre, elle se montrait plus froide et plus guindée qu'avant. Mais comment aurait-il pu lui en vouloir ? songea-t-il.

— Je devine plusieurs îles, dit-il en désignant le loch. Y trouve-t-on des constructions ?

— Uniquement sur la plus grande, répondit-elle. Il y a une tour en ruine. Giric, mes frères et moi y allions quand nous étions enfants. La pêche y est bonne. Il m'arrive de m'y rendre pour chercher des pierres. Celles qui sont érodées par l'eau sont plus faciles à travailler, et j'y sculpte parfois des croix.

— Comme celle que vous avez donnée au roi. Votre loch a-t-il un nom ?

— Loch Eiteag. Cela veut dire « galet blanc » ou « jolie vierge », mais nous l'appelons simplement le loch.

— Je me demande si cette île ne serait pas un bon site pour un château, dit-il en scrutant le loch, la main en visière.

— Un site magnifique, mais ce ne serait guère pratique. À moins de construire un pont, on devrait s'y rendre en bateau.

— C'est faisable. Le loch est étroit et on y serait en sécurité.

— En effet. Un clan y a bien construit une tour, autrefois. Mais les ruines sont très anciennes et n'abritent plus que des oiseaux.

Comme ils s'éloignaient, Sébastien entendit un hurlement répercuté par l'écho. Il se tourna vers Robert et Giric, qui froncèrent les sourcils.

— On dirait un loup, fit Giric.

— Pas seulement un, ajouta Robert. Ça vient de ces bois, là-bas, au-delà de la prairie.

Un cri perçant résonna alors, puis d'autres hurlements.

Sébastien regarda Alainna. Tournée vers la forêt, elle était blême.

— Restez où vous êtes ! lui ordonna-t-il en éperonnant son cheval.

Il s'élança à travers la prairie et entendit Robert et Giric galoper derrière lui. Un coup d'œil rapide en arrière lui apprit qu'Alainna les suivait. Il jura tout bas, bien qu'il ne se fût pas attendu qu'elle l'écoutât.

Comme il approchait de la lisière de la forêt, il perçut distinctement les grognements et les cris, malgré le martèlement des sabots des chevaux. Retenant sa monture, il baissa la tête pour pénétrer sous la voûte que formaient les branchages dénudés et saisit la garde de son épée, tout en regrettant amèrement de ne pas avoir pris son javelot.

Devant lui, à travers les entrelacs des branches, il aperçut des formes qui se débattaient. Arrachant sa cape, il sauta à terre et se rua vers le lieu du drame. Un nouveau regard en arrière lui apprit que Robert et Giric arrivaient sur ses talons, suivis d'Alainna. Il espéra qu'elle aurait assez de bon sens pour ne pas descendre de cheval.

Comme il approchait, il vit un homme en train de lutter contre un loup. Une deuxième bête l'attaquait. L'homme – un Highlander, à en juger par son tartan ceinturé et ses genoux nus – décocha un coup de pied à son deuxième assaillant, qui s'effondra avec un glapissement.

Debout sur ses pattes arrière, le premier loup restait agrippé à l'homme, qui se battait avec fureur contre son agresseur. À cet instant, Sébastien vit une femme grimper dans un arbre, où se trouvait déjà un jeune enfant sur une grosse branche au-dessus d'elle.

— Votre arc ! cria-t-il en se tournant vers Giric et Robert. Vite !

Giric le lui lança aussitôt. Puis, arrachant des flèches de sa ceinture, il les lui tendit. Sébastien les empoigna et se retourna au moment où le deuxième loup se relevait. La femme poussa un cri.

Sébastien encocha la flèche, banda son arc et tira. Le loup roula au sol. Sébastien se rua en avant, Giric et Robert le suivant de près.

Abattre l'autre loup serait moins facile. L'homme et la bête, enlacés dans une mêlée furieuse, ne faisaient qu'un, et Sébastien craignait de tuer l'un en tirant sur l'autre.

De longues secondes, l'arc tendu, il attendit en vain de pouvoir tirer sans danger. Mais il comprit vite qu'il perdait un temps précieux. Il rendit l'arc à Giric, dégaina son épée et courut vers les combattants.

L'animal, la mâchoire accrochée au bras de son adversaire, tournoya. Lorsqu'il passa devant lui, Sébastien abattit son épée sur son échine, de toutes ses forces. Le loup lâcha prise et s'écroula sur le sol.

Pendant un moment, Sébastien et le Highlander se regardèrent. L'homme haletait et était couvert de sang. Son tartan déchiré était écarlate. D'une beauté rude, les cheveux grisonnants, les yeux bleus sous d'épais sourcils bruns, il fixait Sébastien. Enfin, il jeta un regard aux autres.

Après un bref signe de remerciement à l'adresse du chevalier, il tourna les talons et disparut dans la forêt.

13

La lutte entre l'homme et le loup était finie. Alainna avait vu Sébastien frapper et tuer le premier loup, puis s'approcher, au risque de sa vie, pour abattre le second.

À la vue du Highlander qui faisait face à Sébastien au-dessus du cadavre du loup, son cœur s'arrêta de battre.

Ruari MacWilliam fixait Sébastien. Lorsqu'il croisa le regard d'Alainna, il pivota sur lui-même et s'enfuit.

La jeune fille retint son souffle, tandis que Giric et Robert s'élançaient à la poursuite du fuyard, la neige crissant sous leurs pas. Alainna poussa un cri et accourut en relevant sa jupe, sans prendre garde aux branches qui lui giflaient le visage.

Cet homme était Ruari *Mor*, son parent, elle en était sûre. Mais Ruari était mort, se rappela-t-elle, tué par les hommes du roi dans le sud de l'Écosse, l'année précédente.

Pourtant, c'était bien lui. Elle l'avait reconnu, malgré le sang et la barbe. Et lui aussi l'avait reconnu. Elle l'avait lu dans ses yeux.

Elle vit Sébastien essuyer la lame de son épée dans la neige et la rengainer, puis se porter au secours de la femme et de l'enfant réfugiés dans l'arbre. Elle se précipita pour les aider. Une fois la femme sur la terre ferme, elles se reconnurent et s'étreignirent.

— Lileas ! s'exclama Alainna. Oh, Lileas ! Tu es saine et sauve ! C'est Eoghan qui est avec toi ? Attends, mon garçon ! Le chevalier va te faire descendre !

— Eoghan, répéta Sébastien en levant les bras pour l'attraper, viens avec moi. N'aie pas peur. Voilà, ajouta-t-il en se retournant, l'enfant dans ses bras.

Eoghan, un petit garçon de quatre ans, regardait le chevalier et sa mère avec de grands yeux bruns parfaitement calmes.

— Merci, dit Lileas en gaélique. Alainna ? fit-elle en se tournant vers la jeune fille. Ce chevalier est avec toi ?

— Je te présente messire Sébastien Le Bret. Il est arrivé à Kinlochan avec les hommes du roi. Sébastien, voici Lileas, la fille du père Padruig, notre prêtre, et son fils, Eoghan.

Cachant son étonnement, il sourit en inclinant la tête. Il n'avait pas dû souvent rencontrer la fille et le petit-fils d'un prêtre, pensa Alainna.

— Comment vous remercier ? dit Lileas.

Elle tendit les bras vers son fils, mais celui-ci secoua la tête et s'agrippa au cou du chevalier. Tout à fait à l'aise avec l'enfant, Sébastien discuta tranquillement avec lui, pour détourner son attention des cadavres des loups et de la neige ensanglantée, tout en le portant jusqu'à la lisière de la forêt, où attendaient les chevaux.

Alainna lui emboîta le pas, un bras autour des épaules de Lileas. En la sentant frissonner, elle s'arrêta, retira son tartan *arisaid* et en enveloppa la jeune femme.

— Eoghan et moi rentrions de chez mon père, expliqua celle-ci. Je ne pensais pas qu'il était si tard. Les loups ont surgi de l'ombre et nous ont suivis, silencieux et menaçants...

À ce souvenir, elle frissonna de nouveau.

— Qui était cet homme ? demanda Sébastien, qui s'était retourné pour écouter leur conversation.

— Il n'était pas avec nous. Il est sorti de la forêt pour nous aider. Il est apparu tout à coup, grâce à Dieu. Je ne l'avais jamais vu. Il a mis Eoghan dans l'arbre et m'y a hissée, puis il s'est attaqué aux loups. J'espère que Giric et votre ami le rattraperont. Je ne sais pas pourquoi il s'est enfui. Il est blessé, j'en suis sûre, bien que je lui aie donné mon *arisaid* pour qu'il s'en enveloppe le bras avant d'affronter les loups.

— Ça lui a probablement sauvé le bras, dit Sébastien. Vous le connaissez ? demanda-t-il en se tournant vers Alainna.

— Je... je ne l'ai pas vu d'assez près. On croise rarement des chevaliers en armure, par ici. Il a dû avoir peur, c'est pourquoi il a pris la fuite.

— Un homme qui s'attaque à deux loups à la fois n'est pas facile à effrayer. Tiens, voilà justement Giric et Robert.

— Sans le Highlander, ajouta Alainna.

— Parti, annonça Robert, hors d'haleine. Évanoui. Pour un homme blessé, c'est stupéfiant. Pas même une trace de sang.

— C'est un formidable guerrier, fit Sébastien, pensif.

Il posa sur Alainna un regard pénétrant. Bien que son cœur battît à tout rompre, celle-ci ne détourna pas les yeux.

— Vous le connaissez ? demanda Sébastien à son frère de lait.

— Je ne l'ai pas bien vu, répondit Giric.

Au regard rapide que lui lança ce dernier, Alainna comprit qu'il avait également reconnu Ruari.

— Si c'était un MacNechtan, on peut comprendre qu'il ait pris la fuite, intervint Robert.

— Possible, fit Sébastien, dubitatif.

— Tu es blessée, Lileas ? demanda Giric.

— Non. Et mon fils non plus, grâce au chevalier et à l'homme qui s'est enfui.

— Je vais te ramener chez toi. Robert et moi allons d'abord charger les loups sur un des chevaux, dit-il à l'adresse de Sébastien. Pendant que Robert les rapportera à Kinlochan, je reconduirai Lileas et Eoghan chez eux. Ce n'est pas loin d'ici, mais ce n'est pas sur les terres de Kinlochan. Il vaut mieux qu'Alainna ne vienne pas.

— Je vais la raccompagner à Kinlochan, approuva Sébastien en se dirigeant vers les chevaux, l'enfant dans ses bras.

— C'est ton cheval ? demanda Eoghan, en montrant l'animal qui broutait les rares herbes qui émergeaient de la neige.

— Oui. Il s'appelle Araby. Sa mère vient d'un pays chaud et ensoleillé. Il n'aime pas beaucoup le froid.

— Moi, j'aime le froid, dit Eoghan. Et j'aime les chevaux. Les chevaux blancs.

Sébastien souleva l'enfant pour qu'il puisse toucher la longue crinière crème de l'animal et caresser sa tête, puis il le déposa sur la selle.

— Quand je serai grand, j'aurai un cheval et une épée, annonça Eoghan. Je serai un guerrier comme mon père.

— Je suis sûr que c'est un bon guerrier et que tu le seras aussi.

Il fit tourner le cheval en cercle, tandis qu'Eoghan, accroché aux rênes, rayonnait de bonheur.

— Il faut descendre, maintenant. Ta mère t'attend. Si tu viens me voir à Kinlochan, tu pourras de nouveau monter Araby. Ça te plairait ?

Eoghan acquiesça d'un énergique hochement de tête, et Sébastien le rendit à sa mère. Il la salua et accepta ses remerciements. Après avoir étreint Alainna, Lileas alla rejoindre Giric et Robert, qui sortaient du bois.

— Vous avez froid, dit Sébastien. Prenez ça.

Il attrapa la cape posée sur sa selle et la drapa autour d'Alainna, puis il l'aida à monter sur son cheval. Pendant qu'il se retournait pour se mettre en selle à son tour, elle jeta un regard furtif vers la forêt, comme si elle s'attendait à voir apparaître Ruari MacWilliam.

Sans doute était-il déjà loin. Irait-il se réfugier chez sa femme, dans les collines ? S'y était-il déjà rendu ? Cela expliquait-il le refus d'Esa de s'installer à Kinlochan ?

Sébastien fit pivoter son cheval pour venir à sa hauteur, et elle lui sourit malgré le flot de questions qui se bousculaient dans sa tête.

— Vous avez été courageux, dit-elle.

Il haussa les épaules et murmura qu'il n'avait rien fait d'extraordinaire.

— C'était héroïque, insista-t-elle. Giric le racontera aux miens, et Lorne sera béat d'admiration. Il compose déjà un poème sur votre lutte avec le sanglier. Il va devoir ajouter de nouveaux vers. Je vous suis très reconnaissante d'avoir sauvé la fille et le petit-fils du père Padruig. Vous n'avez pas fini de recevoir des remerciements pour cet exploit.

— Je suis arrivé le premier, c'est tout. Giric aurait fait la même chose, ou Robert, ou n'importe qui d'autre. L'homme courageux est ce mystérieux Gaël qui s'est enfui avant que nous ayons le temps de le remercier.

— J'espère que sa blessure n'est pas grave.

— Et moi, j'espère qu'il a de la famille pour le soigner, murmura-t-il.

Il lui jeta un regard en biais, mais elle se contenta de hocher la tête.

— Eoghan est un gentil garçon, ajouta-t-il au bout d'un moment.

— Il aime les chevaux et les guerriers, comme n'importe quel petit garçon. Vous avez été patient avec lui.

— C'était un plaisir. Le prêtre est son grand-père ?

— Le père Padruig et sa femme ont trois filles. Comme nos prêtres ne font pas partie de l'Église de Rome, mais de l'Église celte, ils peuvent se marier et avoir une famille.

— C'est ce que j'ai entendu dire. Je sais que Rome condamne cette pratique, mais que les Highlanders n'y voient aucun mal. Le père d'Eoghan est mort ?

— Son père est Cormac MacNechtan, répondit-elle, après un instant d'hésitation.

— Cormac ? Je croyais qu'il n'était pas marié. Il a demandé votre main, non ?

— Il y a quelques années, Lileas et lui ont vécu ensemble.

— Ils ont vécu ensemble ? Sans être mariés ?

— Entre les fiançailles et le mariage, les jeunes gens ont le droit de cohabiter. Le couple peut dissoudre l'union après un an et un jour. La plupart finissent par prononcer des vœux devant un prêtre et des témoins.

— Mais pas Lileas et Cormac ?

— Lileas a vécu avec Cormac à Turroch, mais leur cohabitation a duré moins d'un an. Quelques mois après être retournée chez son père, elle a mis Eoghan au monde. Maintenant, elle vit avec son fils dans une maison que lui a donnée Cormac. Il a également reconnu l'enfant.

— Il n'est donc pas totalement dépourvu d'honneur.

Alainna haussa les épaules.

— Vous avez été bon avec l'enfant, dit-elle. J'espère que l'identité de son père ne changera pas vos sentiments.

— Je ne fais pas retomber la faute des pères sur les enfants. Eoghan me rappelle quelqu'un.

— Il ressemble à son père.

— En fait, il me rappelle mon fils.

— Votre fils ?

C'en était trop pour aujourd'hui, se dit-elle, abasourdie. D'abord les loups, puis Ruari, et maintenant cette révélation !

— Votre fils ? répéta-t-elle.

— Il est à peine plus âgé qu'Eoghan. Je suis veuf.

— Vous ne me l'aviez pas dit.

— Vous ne me l'avez pas demandé, rétorqua-t-il. Il y a encore beaucoup de choses que nous ignorons l'un de l'autre. Si vous avez des secrets à me confier, c'est peut-être le moment.

— Je n'ai ni mari ni enfant.

— À la bonne heure !

— Quand vous êtes-vous marié ? demanda-t-elle, le cœur battant à la pensée qu'il avait eu une autre femme – une femme qu'il avait choisie.

— Il y a six ans. Trois ans se sont écoulés depuis la mort de ma femme.

— Et l'enfant ? demanda-t-elle après un lourd silence. Où se trouve-t-il, en ce moment ?

— En Bretagne. Il a tout juste cinq ans. Il s'appelle Conan, comme mon suzerain, le duc de Bretagne.

— Voulez-vous me parler de lui ?

— Il est intelligent et fort. Il a mes cheveux blonds, mais il a hérité des yeux bruns de sa mère. Il est... comme le soleil. Je l'ai confié à des amis, des moines du monastère où j'ai vécu enfant.

— Il y est en sécurité, j'en suis sûre.

— Conan n'y vit plus. Un incendie a détruit la majeure partie du monastère, et tous ses occupants ont dû partir. Je l'ai appris avant de venir ici. J'ignore où est mon fils actuellement.

— Oh, Sébastien, murmura-t-elle en effleurant la maille d'acier de sa manche. C'est pour cela que vous êtes si déterminé à retourner en Bretagne.

— En partie. J'ai écrit aussitôt pour proposer mon domaine breton, mais je ne sais pas si les moines recevront ma lettre.

— Allez chercher votre fils. Et ramenez-le en Écosse.

— Ici ?

151

— À Kinlochan, il aura une maison et une famille.

Il ralentit l'allure de son cheval et la regarda, ébahi. Puis il reprit sa chevauchée en contemplant les collines, comme s'il avait oublié sa présence.

— Sébastien ? fit-elle.

— Je... je ne comptais pas l'amener ici. J'ai toujours souhaité que Conan grandisse en Bretagne. Il doit hériter des terres de sa mère. Pour l'instant, c'est son grand-père qui les détient.

— Ah ! Je comprends. Vous ne voulez pas que votre fils soit élevé comme un barbare dans un pays sauvage.

— Ce n'est pas ça.

— Je ne suis pas idiote.

— Je... j'ai nourri beaucoup de rêves, soupira-t-il, beaucoup d'ambitions. Rien ne me destinait à me retrouver ici, et pourtant...

— Et vous le regrettez.

Le vent souleva sa cape et fit voler ses cheveux.

— Ces contrées sauvages et leurs habitants aux manières rustres ne conviennent pas à un chevalier de votre envergure et de votre éducation, ajouta-t-elle.

— Vous ne savez rien de mon éducation.

— Alors, parlez-m'en, que je sache.

— Je n'en ai parlé à personne.

Elle attendit, en vain.

— Apparemment, vous préférez garder votre passé pour vous, dit-elle.

— Je ne suis pas du genre à me confier. Mon passé... m'appartient.

— Un jour, vous abaisserez le bouclier dont vous protégez votre cœur, Sébastien *Bàn*.

Le nom qu'employait Una lui était venu naturellement sur les lèvres.

— Un jour, peut-être, répondit-il.

À cet instant, Robert les héla. Alainna et Sébastien se retournèrent et s'arrêtèrent pour permettre au chevalier de les rattraper.

Alainna s'enfonça dans l'épais brouillard matinal, munie d'une offrande d'avoine. Arrivée au pied de la Vierge de pierre, elle remarqua que la crème, l'avoine et le fromage qu'elle y avait déposés, quelques jours auparavant, avaient disparu, avec bol et sac. Ses offrandes, elle le savait, étaient mangées par des bêtes – mais les bêtes n'emportaient pas les bols.

— Finan ! appela-t-elle, comme son lévrier reniflait l'herbe autour de la colonne.

Le chien se planta devant l'arc que formait la forêt derrière la Vierge de pierre et aboya.

— Finan, tais-toi. Aujourd'hui, nous ne chassons pas le cerf. Reviens !

Le chien courut vers elle, puis repartit en aboyant. Alainna regarda de tous les côtés, mais elle voyait à peine plus loin que la pierre et la rive du loch, sur laquelle le brouillard laissait des voiles fantomatiques.

Une fine pluie se mit à tomber, et elle serra son *arisaid* autour d'elle. Puis elle murmura une mélopée, fit le tour de la pierre et reprit le chemin de la forteresse.

— Finan ! *Ach*, marmonna-t-elle, irritée.

Il avait disparu. Enfin, elle l'entendit aboyer près des arbres noyés dans le brouillard. Elle se dirigea vers la forêt en regardant avec précaution autour d'elle.

Finan aboyait chaleureusement, comme pour accueillir les siens ou Sébastien Le Bret. Or les hommes étaient dans la forteresse. Ils sortaient chaque jour en patrouille, pour visiter les fermes et arpenter les terres, mais avec ce brouillard on ne pouvait rien faire, et les chevaliers étaient restés à l'intérieur de Kinlochan pour réparer et nettoyer armures, armes et harnachements.

— Finan ! Ici, mon garçon ! Au pied !

Une voix d'homme, étouffée et pressante, sortit alors de la forêt.

— Alainna !

— Niall ? fit-elle. Lorne ?

— Alainna, ici. À l'aide !

Un frisson la parcourut. Elle s'arrêta près du chien et le saisit par le collier.

— Emmène-moi auprès de Ruari, demanda-t-elle.

Finan la conduisit sous le couvert des arbres. Alainna plongea dans le brouillard et entendit son parent l'appeler de nouveau.

— Alainna, dit-il en surgissant devant elle.

Il s'appuya contre un bouleau et lui sourit.

— Ruari ! Oh, Ruari, c'est toi !

— Alainna, *milis*, ma douce.

Finan se précipita vers Ruari, qui lui caressa la tête, sans cesser de sourire à Alainna. Ses cheveux étaient plus blancs que dans son souvenir, mais ses yeux étaient du même bleu intense qu'autrefois. Et son sourire un peu tordu était toujours aussi séduisant.

Il tendit le bras, et elle courut vers lui.

— Es-tu un fantôme ? fit-elle en l'étreignant.

— Je ne suis pas un fantôme. Je suis de chair et de sang, et de retour.

Alainna embrassa sa joue parcheminée puis, se souvenant qu'il était blessé, elle s'écarta en essuyant une larme. Son bras gauche était enveloppé dans un chiffon ensanglanté.

— Comment se fait-il que tu sois ici ? On nous avait dit que tu étais mort ! Et Esa, est-elle au courant ? Oh, Ruari, quand je t'ai vu te battre contre les loups, l'autre jour, je n'en croyais pas mes yeux ! Es-tu gravement blessé ?

— Esa ne sait rien, dit-il, amusé par ce flot de questions. J'allais la rejoindre quand je suis tombé sur ces loups. Mais je ne suis pas encore mort.

— C'est incroyable. Nous étions persuadés que tu avais été tué dans une bataille contre les hommes du roi !

— J'y ai été gravement blessé. Quelques-uns de mes hommes ont fui le champ de bataille et m'ont emmené. J'ai repris conscience en Irlande. Je n'ai pas pu revenir avant.

— Et tu nous as laissés tout ce temps dans l'ignorance ? Comment as-tu osé ? Ruari *Mor*, la nouvelle de ta mort a été un coup terrible ! Et tu étais vivant !

— Je ne pouvais pas communiquer. Mais tu as le droit d'être fâchée.

— Je le suis, pour Esa ! Elle a tellement souffert, elle vous a tant pleurés, toi et ton fils, refusant de quitter sa maison dans les collines.

— Elle va bien ?

— Sa santé, oui, mais pas son moral. Tu vas la rejoindre, maintenant ?

— Non, c'est impossible. Alainna, il faut que tu m'aides.

Lorsqu'il s'écarta de l'arbre contre lequel il s'était appuyé, elle vit combien il était faible et pâle. Outre sa blessure au bras, il avait le mollet gauche couvert d'un pansement ensanglanté.

— J'ai besoin d'un endroit sûr où me reposer. J'ai trouvé une grotte et j'y ai fait un feu pour éloigner les bêtes. Pour la première fois, la nuit dernière, j'ai eu la force de sortir. L'avoine et la crème que tu as laissées pour la Vierge étaient délicieuses.

— Reste ici avec Finan. Je vais chercher du secours...

— Non. Il y a des chevaliers à Kinlochan. L'un d'eux m'a sauvé la vie, en tuant ces loups. Pourquoi sont-ils ici ? Qui sont-ils ?

— C'est le roi qui nous les a envoyés. Il a donné Kinlochan à un chevalier breton, celui qui s'est porté à ton secours. Nous devons... nous marier.

— Toi ? Épouser un Breton ? Kinlochan lui appartient ? C'est récent ?

— Oui. Je n'en suis pas heureuse, mais cela permettra de protéger les miens des MacNechtan.

— *Ach*. Ton père est donc mort.

— Tué par un MacNechtan, il y a quelques mois.

— Que Dieu ait son âme. Laren disparu, je ne suis pas surpris que la couronne récupère Kinlochan.

— Tu as besoin d'aide, dit-elle en voyant du sang frais sur son bras. Reste ici, Ruari, je t'en supplie. Je reviens.

— Alainna, attends. Sans doute n'as-tu rien à craindre des hommes du roi, mais ce n'est pas mon cas. Je suis recherché, je suis un hors-la-loi. S'ils apprennent que je suis vivant et que je me trouve en Écosse, je serai pendu par les pieds.

— Les chevaliers du roi recherchent les rebelles, mais je leur ai dit que tu étais mort. Si tu viens à Kinlochan, nous te présenterons sous un faux nom.

— Je ne peux pas prendre ce risque, ni pour moi ni pour les miens. Si les chevaliers découvrent mon identité, ils me tueront et menaceront mes proches.

— Ruari, que se passe-t-il ? Que fais-tu ici en secret ?

— Je suis un MacWilliam, c'est tout. Descendants en ligne directe du roi Duncan et des rois pictes d'Écosse, nous estimons avoir plus de droits à la couronne que William. Mon cousin Guthred revendique le trône. Il est actuellement en Irlande, mais il ne renoncera jamais. Je suis ici pour l'aider et j'ai besoin de toi. Il me faut de la nourriture et un endroit où me cacher jusqu'à ce que je sois guéri.

Alainna hocha la tête et réfléchit.

— L'île sur le loch ! dit-elle au bout d'un moment. Il y a une vieille ruine qui te servira d'abri, avec des arbres à feuilles persistantes qui te protégeront des regards. Je t'y conduirai en bateau et t'apporterai de la nourriture. Tu pourras y faire du feu. Les miens t'aideront aussi, quand ils apprendront...

— Personne ne doit savoir. Les tiens ne soutiennent pas ma cause.

— C'est vrai. Mais ils soutiennent le valeureux guerrier que tu es. Et Esa est leur parente. Ils ne trahiront jamais son mari, quoi qu'il ait fait.

— Personne ne doit savoir, insista Ruari.

— Giric MacGregor sait. Il t'a vu dans la forêt, lui aussi. Permets-moi de lui parler. Il t'aidera. Il faut aussi que je le dise à Esa. Elle se meurt d'amour.

— D'accord, dis-leur. Mais à personne d'autre.

— Je t'amènerai Esa.

— J'ai tellement envie de la revoir, dit-il, les yeux dans le vague.

Ruari appuyé sur l'épaule d'Alainna, ils sortirent des bois et se dirigèrent lentement vers le loch. En passant à côté de la grande pierre, Ruari s'arrêta.

— Jure-moi sur la Vierge que personne d'autre qu'Esa et Giric n'apprendra que je suis ici.

— Tu ne me fais pas confiance ?

— Si. Mais je sais que ton affection pour moi risque de te pousser à un excès de zèle. Jure sur la Vierge que tu garderas mon secret.

Alainna hésita, se demandant comment elle pourrait cacher une telle chose à ses parents – et au chevalier qui allait bientôt devenir son mari.

— Jure-le, ma fille. Sinon, je retourne dans la forêt, et tu ne me reverras pas.

Elle poussa un soupir et posa la main sur le granit glacé.

— Je garderai ton secret, Ruari *Mor*, et je ferai mon possible pour qu'il ne t'arrive rien. Par la terre et par le ciel, par la pierre et par l'eau, par la Vierge elle-même, je le jure.

— Parfait.

Ils gagnèrent le rivage, où une barque se balançait au milieu des roseaux.

— Nous ferons jurer Esa et Giric, ajouta Ruari. Mais, à mon avis, ça ne plaira pas beaucoup à ma femme.

— À ta place, je m'inquiéterais plutôt de sa réaction quand elle apprendra que tu es vivant et que tu l'as laissée tout ce temps dans l'ignorance.

Une fois Ruari et Finan tapis sous la peau de bête qui se trouvait dans l'embarcation, Alainna saisit la rame et se dirigea vers l'île, dissimulée par le brouillard opportun.

14

— Bastien, te voilà enfin ! s'exclama Hugo. Les Écossais nous invitent à chasser. Mais ils veulent que nous portions des couvertures comme eux, ajouta-t-il, en montrant les tartans qu'Una et Morag tenaient pliés sur leurs bras.

Una sourit en branlant du chef et offrit un des tartans à Hugo, qui refusa d'un signe de tête.

— Je ne vais tout de même pas aller cul et jambes nus comme ces sauvages ! protesta Étienne de Barre, qui se tenait à côté de Hugo dans la grande salle.

Après avoir déposé son baudrier et l'épée avec laquelle il avait fait ses exercices matinaux, Sébastien promena autour de lui un regard réprobateur. Il s'était attendu à trouver ses hommes à peine levés et Una en train de préparer la bouillie d'avoine.

Au lieu de quoi, la plus grande agitation régnait dans la salle. Ses hommes et les Highlanders essayaient de communiquer à grand renfort de gestes. Des tartans jonchaient le sol. Niall et Lulach, ainsi que leurs femmes, Mairi et Beitris, s'efforçaient de convaincre les chevaliers, qui secouaient énergiquement la tête.

— Que se passe-t-il ? demanda Sébastien à Robert.

— Giric a décrété qu'on allait chasser, aujourd'hui. Les anciens ont alors apporté ces vêtements que portent les Écossais.

— Ce sont des couvertures, dit Hugo. Je ne m'habillerai pas comme un barbare. Je suis un chevalier normand.

— Pourquoi troquerions-nous de la bonne serge et du beau lin contre des couvertures de cheval ? grommela Étienne.

— Il ne s'agit pas de couvertures de cheval, protesta une douce voix féminine.

Sébastien se retourna et vit Alainna approcher.

— Nous souhaitons que les chevaliers mettent notre tenue, ajouta-t-elle à son intention. Dans les Highlands, la tradition veut que les invités portent à la chasse le *breacan an fhéilidh*, le tartan ceinturé.

— Ce n'est pas une tradition normande, s'entêta Étienne.

— Le tartan est un vêtement ancien et honorable, rétorqua Alainna. Nos hommes sont fiers de le porter.

— Si c'est la coutume chez nos hôtes, dit Sébastien, nous ne leur ferons pas affront.

— Alors, mets-le, lança Hugo en croisant les bras.

— Oui, renchérit Étienne. Montre-nous comme on porte la couverture. Après tout, tu seras bientôt l'un d'entre eux, ajouta-t-il en donnant un coup de coude à Walter de Coldstream.

— Bastien va la porter ! s'esclaffa Walter.

— Plutôt lui que nous, fit William Fitzhugh.

— Je parie que le garde d'honneur du roi ne se promènera pas nu comme un sauvage, intervint Richard de Wicke.

— Je parie le contraire, rétorqua Étienne.

— Moi aussi, fit Hugo. Notre homme est un brave.

Sébastien regarda ses hommes. De toute évidence, la situation les amusait. Et Alainna avait elle aussi les yeux pétillants.

— Nous serons heureux d'apprendre à messire Sébastien comment on porte le *breacan*, dit-elle. Vous devez ôter votre tunique, messire.

Quelqu'un pouffa. Elle rougit.

Sébastien leur jeta à tous un regard sévère et s'assit sur un banc. Il retira bottes et chausses sous les ricanements de ses hommes, puis se leva.

D'un geste décidé, il enleva sa longue tunique brune et sa chemise et les laissa tomber par terre. Retenues à la taille par un cordon, ses braies ne couvraient qu'une partie de ses longues jambes. En nage après son entraînement matinal, il fut saisi par le froid.

Devant l'aplomb avec lequel il relevait leur défi, certains de ses hommes sifflèrent, d'autres sourirent ou rirent. Sébastien leur adressa un salut moqueur, puis il s'inclina devant Alainna et les siens. Una souriait, tandis que Morag et Beitris gloussaient. Les yeux écarquillés, Alainna ne riait plus.

Sébastien se tourna vers Niall et Lulach.

— Je serais fier de porter votre tartan, dit-il en gaélique. Si vous voulez bien me montrer comment le mettre...

— Le *breacan* est plié plusieurs fois et retenu par une ceinture, expliqua Niall en désignant un tartan étalé sur le sol. Couchez-vous par terre.

— Me coucher par terre ? répéta Sébastien, incrédule.

Lulach acquiesça, et Sébastien s'exécuta. Niall s'accroupit à côté de lui.

— Quand nous dormons dans les collines, le *breacan* nous sert de couverture, expliqua-t-il. Nous l'étalons comme ça, afin de pouvoir nous habiller rapidement si nous sommes surpris par un ennemi ou si nous devons bondir pour suivre une harde de cerfs ou du bétail volé. Tenez, drapez ce côté devant vous. Maintenant, prenez les extrémités de la ceinture et attachez-les autour de votre taille. Bien.

Peu après, Sébastien se retrouva debout, son tartan drapé et ceinturé, les jambes à moitié nues. Après avoir croisé les pans qui retombaient dans le dos, Lulach en passa un sur l'épaule gauche, l'autre sous le bras droit, et les fixa avec une épingle métallique. Il montra ensuite au chevalier la vaste poche formée par le drapé et s'écarta.

Sébastien marcha lentement en cercle. Ses hommes applaudirent.

— C'est confortable, annonça-t-il. Et le lainage est chaud et léger. C'est un bon vêtement.

Il allongea le pas. Habitué à une tunique plus longue, qui gênait les grandes foulées, il appréciait la liberté qu'offrait cette jupe courte aux plis généreux.

— C'est plus pratique que nos tuniques pour escalader les collines, dit-il. Ça peut aussi servir de couverture, et on est habillé en une seconde. Ça me plaît. J'aime le *breacan*, déclara-t-il en gaélique.

Sur ces mots, il salua successivement Niall, Lulach et Alainna.

— Tu vas avoir froid, sans chausses ! dit Hugo.

— Toi aussi, répliqua Sébastien. Par respect pour les coutumes de nos hôtes, nous allons tous porter le *breacan*.

Avec quelques grommellements, les chevaliers commencèrent à enlever leurs tuniques et leurs surcots, mais ils gardèrent leurs chemises, leurs bottes et leurs braies. Les anciens et les femmes les aidèrent à mettre les tartans.

Tandis qu'il traversait la salle, Sébastien vit Alainna venir à sa rencontre, un vêtement sur le bras. Il l'attendit dans l'ombre d'une travée.

— Sébastien *Bàn*, dit-elle, merci de votre courtoisie. Les miens sont heureux.

— Ce n'était rien, damoiselle, murmura-t-il. Et vous ? Êtes-vous contente ?

— Oui, répondit-elle en laissant son regard errer sur son torse nu. Tenez, ajouta-t-elle en lui tendant le vêtement. Je veux vous donner ceci. C'est le *léine*, la chemise de lin que nos hommes portent avec le tartan ceinturé.

Sébastien tâta la longue chemise chamois, au tissu robuste mais doux.

— Merci, dit-il. J'avoue que je redoutais de chasser sans chemise par ce froid.

De ses doigts agiles, elle défit la partie supérieure de son tartan et la rejeta derrière lui, effleurant son épaule dénudée.

Sébastien enfila la chemise. En se penchant pour en rentrer les pans dans la ceinture, Alainna lui caressa le torse avec ses cheveux. Elle avait les mains tièdes, et il ferma brièvement les yeux pour savourer cet instant d'intimité et son léger parfum de lavande.

Elle releva la tête, les joues en feu.

— Vous devez tirer sur la chemise, dit-elle en montrant le bas du tartan.

— Ah, bien ! fit-il en glissant la main sous la jupe.

Elle ajusta ensuite le col de la chemise, puis remit le tartan en place à l'aide de l'épingle.

Sébastien la regardait, subjugué. Son cœur s'emballait, et son corps brûlait de désir à cet innocent contact. Il mourait d'envie de la serrer contre lui, de l'embrasser avec passion, de la faire sienne.

Il se pencha vers elle. Elle leva la tête. Ses yeux indigo étaient limpides, sa bouche entrouverte, ses lèvres pulpeuses.

— Merci, murmura-t-il en écartant une mèche rousse de son visage.

— Vous êtes beau comme un Highlander, messire.

— Mais je ne corresponds pas à votre idéal de guerrier celte.

— Plus que vous ne le pensez. Vous pouvez faire battre n'importe quel cœur. Regardez là-bas. Beitris et Morag vous sourient.

— Et votre cœur ?

— Le mien ne bat pas facilement, dit-elle en détournant les yeux.

« Le mien non plus », faillit-il répliquer. Mais, dans sa poitrine, son cœur battait la chamade.

— Giric ! appela-t-elle, comme son frère de lait se dirigeait vers eux, chargé de bottes et de chemises.

— À ce que je vois, les Normands sont prêts à partir à la chasse, dit Giric.

— En effet, et nous devons en remercier Sébastien *Bàn*.

— C'est ce que j'ai appris. Niall m'a parlé de votre courage.

— Ce n'était pas vraiment difficile.

— Lorne et moi apportons d'autres vêtements pour les chevaliers, reprit Giric en tendant à Alainna une paire de bottes fourrées. Je pense qu'elles iront à Sébastien – si toutefois tu acceptes de lui prêter les affaires de ton père. Je suis sûr que Laren MacLaren n'y verrait pas d'inconvénient.

— Mon père les portait avec fierté, dit-elle en les offrant à Sébastien, car elles ont été faites avec la fourrure d'un loup qu'il avait tué. Vous en avez tué deux l'autre jour, et il aurait été impressionné par votre exploit. Vous avez à peu près la même stature que lui, bien que vous soyez un peu plus mince. La chemise que je vous ai donnée lui appartenait.

— J'en suis honoré.

Elle le regarda sans rien dire, les yeux pleins d'étonnement et de chaleur. Il lui sourit, ému.

— Tu viens avec nous, Alainna ? demanda Giric.

— Non. Je vous laisse entre hommes. Les femmes apprécieront de rester au calme à Kinlochan.

Elle sourit à Giric, et Sébastien se rembrunit. Il avait déjà remarqué entre eux une tendre connivence, et, bien qu'il fût conscient du caractère fraternel de leur affection, il n'en éprouvait pas moins une certaine jalousie.

— Nous partons bientôt, annonça Giric. J'espère que vos hommes ont de bonnes jambes. Ici, la chasse consiste à courir derrière les cerfs avec les chiens, et nos chevaux ne font que transporter le gibier que nous tuons.

— Nous suivrons, assura Sébastien.

Alainna n'avait pas encore eu l'occasion de se confier à Giric, et elle ne pouvait parler de Ruari MacWilliam à personne d'autre qu'à Esa. Après le départ des hommes, elle se rendit dans son atelier pour essayer de se changer les idées.

Assise sur un tabouret, elle s'empara de son maillet et de ses outils pour mettre la dernière main à l'une de ses sculptures. Elle sourit en songeant à la joie d'Esa quand elle apprendrait que son mari était vivant.

À la pensée de Ruari, qui se trouvait si près de la forteresse de Kinlochan et des hommes du roi qui le recherchaient, son cœur s'emballa. La veille, profitant du brouillard, elle avait pris le risque de se rendre deux fois dans l'île pour lui apporter de la nourriture et des tartans, soigner ses blessures et préparer un bon feu.

Après l'avoir bandé et lui avoir fait avaler une infusion d'herbes médicinales, elle s'était sentie plus rassurée.

Ruari avait promis de ne pas bouger de la tour en ruine jusqu'à ce qu'il soit complètement guéri. Pour s'occuper, il avait proposé de sculpter des bols et des cuillères pour les invités de Kinlochan. Alainna lui avait donc apporté du pin et un petit couteau.

Bien qu'elle fût habituée à manier le maillet, ramer lui avait donné des courbatures dans les bras et dans le dos, comme si le secret de Ruari pesait sur ses épaules.

Ses pensées revenaient sans cesse à Sébastien.

Elle avait caché le hors-la-loi que le chevalier breton voulait capturer et avait juré sur la Vierge de pierre de garder le secret de Ruari. Jamais elle ne pourrait le révéler à son futur mari, bien qu'elle sût que les secrets et le mariage ne faisaient pas bon ménage.

À mesure que le temps passait, elle voyait Sébastien d'un autre œil. Il n'était pas un étranger assoiffé de terres, comme elle l'avait cru au début. Derrière l'homme fort et volontaire se cachait un cœur solitaire et bon.

Au souvenir du baiser qu'ils avaient échangé à l'ombre de la Vierge de pierre, ses genoux flageolaient, les battements de son cœur s'accéléraient, le désir montait en elle.

Commençait-elle à l'aimer ?

Au bout d'un moment, incapable de travailler efficacement, elle rangea ses outils, s'enveloppa dans son tartan et sortit en sifflant Finan. Après être passée par la cuisine, elle se dirigea vers la porte de la forteresse. Elle apporterait à Ruari des galettes d'avoine et lui tiendrait compagnie.

Les chasseurs revinrent à Kinlochan des heures plus tard, les chevaux chargés de deux cerfs, d'une biche et d'une paire de lièvres à la fourrure blanche. Sébastien, Robert et Giric passèrent à côté de la grande colonne de pierre, qui jetait son ombre sur les herbes brunes du pré. Niall et Lulach les suivaient, tenant les chevaux par les rênes. Hugo et les autres chevaliers traînaient derrière.

— Vous autres chevaliers, vous êtes de bons chasseurs, mais pas des grimpeurs, dit Giric en regardant par-dessus son épaule.

— Vos pentes sont terribles, gémit Robert en se massant le flanc.

— Essayez donc un des à-pic de la montagne noire, et vous me direz si les collines de Kinlochan sont difficiles à monter, répliqua Giric en lui tapant sur l'épaule.

Robert trébucha et regarda Sébastien, l'air penaud.

— Tu as eu raison de nous forcer à nous habiller comme ces barbares, Bastien, reconnut-il. Les tartans sont beaucoup plus pratiques que nos vêtements.

— Des barbares, nous ! s'esclaffa Giric. Et qui sont les imbéciles qui insistaient pour emmener les chevaux espagnols, en assurant qu'ils graviraient les montagnes ? S'ils veulent de la viande, les chasseurs des Highlands doivent courir, grimper et charger leur chasse sur des chevaux trapus et robustes.

— Vos montures ont le pied sûr, admit Robert en lui donnant une grande tape dans le dos. Mais leurs propriétaires n'en sont pas moins des sauvages.

Sébastien les regarda en souriant. Après l'épisode des loups, l'autre jour, et la prise d'un cerf au cours de cette chasse, Robert et Giric étaient devenus amis. Giric se tourna vers Niall et Lulach et leur chuchota quelque chose en gaélique, provoquant une explosion de rire chez ses compagnons.

Sébastien contempla le loch calme et bleu en cette fin d'après-midi. Les cimes enneigées se reflétaient dans l'eau.

— C'est une terre fière et forte, comme ses habitants, dit-il. Je comprends pourquoi tant de chevaliers normands cherchent à y obtenir des fiefs.

— Un fief quelque part en Écosse ne me déplairait pas, approuva Robert.

— J'en informerai le roi William dès que je le verrai.

— Tu songes à partir ?

— Pas tout de suite, mais j'ai hâte de rentrer en Bretagne. L'année se termine. J'espérais y être pour Noël, mais ce ne sera pas possible.

— Même si tu quittais Kinlochan tout de suite, tu ne trouverais aucun bateau en partance pour la Bretagne à cette époque de l'année.

— J'ai encore beaucoup à faire ici avant de songer à partir. Grâce au Ciel, la chasse a été fructueuse, aujourd'hui. Kinlochan a de nombreuses bouches à nourrir.

— Il te reste beaucoup à faire, en effet, renchérit Robert. Sans parler du mariage.

— En effet. Demain, nous allons voir le prêtre.

— Des festivités en perspective. Si le temps se gâte, comme le prévoient les Highlanders, nous devrons sans doute passer l'hiver ici, parmi les sauvages.

— Déjà Noël, soupira Sébastien. J'espère seulement que l'abbé a reçu ma lettre et qu'il prend soin de mon fils. Conan va m'attendre pour Noël, et je ne serai pas là. Je n'étais pas non plus avec lui quand il était en danger.

— Tu le rejoindras dès que tu le pourras. Et je suis certain que les moines s'occupent très bien de lui.

— Après la mort de sa mère, j'ai préféré le leur confier, plutôt que de le laisser chez ses grands-parents. Je n'aurais sans doute pas dû. Et j'ai peut-être aussi eu tort de venir en Écosse, en tout cas pour Conan.

— Tu ne pouvais pas deviner ce qui allait arriver au monastère. Et tu ne pouvais pas le laisser dans la famille de sa mère. Ces vautours te l'auraient enlevé, et tu ne l'aurais jamais revu.

— C'est vrai. Je ne pouvais pas le garder avec moi, je n'avais pas de véritable toit à lui offrir. Si seulement j'étais resté là-bas ! s'exclama-t-il en serrant les poings.

— Tu as fait pour le mieux, Bastien.

Sébastien hocha la tête et regarda la forteresse illuminée par le soleil couchant. C'était un refuge pour ses habitants, mais il n'avait pas l'intention d'y vivre avec Conan. Les Highlands ne conviendraient pas à son fils.

Et pourquoi pas, après tout ? Avait-il raison de vouloir élever Conan en Bretagne ? Il fronça les sourcils, troublé par cette pensée.

Les portes de Kinlochan s'ouvrirent, et Donal leur fit signe d'entrer.

Sébastien, Robert et les autres atteignirent le sommet de la pente et se présentèrent à la porte. Alainna se tenait dans la cour, immobile, mince et pâle dans sa robe grise. À part ses cheveux flamboyants, songea Sébastien, on aurait pu la prendre pour la petite sœur de la Vierge de pierre.

Puis elle s'anima soudain et se précipita vers eux, le visage rayonnant. Lorsque Sébastien pénétra dans la cour, elle se tourna vers lui. Il sentit son cœur bondir, mais il resta impassible. Au son de son rire, à la vue de son sourire, quelque chose en lui jaillissait comme une source.

Elle se retourna pour poser des questions aux autres. Manifestement, elle était ravie et fière de leur succès.

Sébastien s'empara des lièvres chargés sur le cheval. Tout en riant à une plaisanterie de Giric, Alainna pivota brusquement et se cogna contre lui. Il la saisit par le coude, la lâcha aussitôt et recula.

— Pardonnez-moi. Je ne voulais pas vous toucher, je suis tout sale.

— Moi aussi, dit-elle en lui montrant ses mains couvertes de poussière. Apportez les lièvres à la cuisine, Morag et Beitris s'en occuperont.

Il acquiesça et s'éloigna.

— Sébastien ? appela-t-elle, l'obligeant à se retourner. La chasse a été bonne, n'est-ce pas ?

— Elle a été bonne.

— Nous aurons de quoi nourrir tout le monde pendant un moment. Je... Ça m'inquiétait, je l'avoue. Mais, à présent, je suis contente.

— Si vous êtes contente, je le suis aussi, dit-il en inclinant la tête.

— Maintenant que la chasse est finie, vous allez enlever le *breacan* ? demanda-t-elle, les mains croisées devant elle.

— Je suis un chevalier breton, pas un Highlander. Je porte ce qui me va le mieux.

— Le *breacan* vous va bien, déclara-t-elle avec un sourire.

Elle se retourna et lui jeta un regard timide par-dessus son épaule.

Il resta planté dans la cour, la corde des lièvres pendue au bout de son bras. Le soleil se cacha derrière un nuage, mais il brillait toujours dans le sourire d'Alainna, dans ses cheveux, dans son rire.

Il la regarda, pensif. Quelle place avait-elle dans sa vie ? En acceptant à contrecœur l'offre du roi, il ne pensait pas s'attarder ici. Mais il ne s'attendait pas non plus à la trouver si séduisante, ni à être conquis par son pays et par les siens.

15

— L'église de Sainte-Brighid est juste là, dit Giric en pointant l'index vers l'est.

Planté sur une petite butte, le bâtiment de pierre

à la tour carrée se détachait sur les pentes enneigées.

— Et cette croix de pierre devant nous, à quoi sert-elle ? demanda Sébastien.

Une grande croix s'élevait dans le ciel nuageux. Usée par le temps, elle était couverte de volutes et de feuilles de vigne sculptées.

— Il y a très longtemps, prêtres et paroissiens se rassemblaient autour de ces croix, répondit Alainna. Prières et messes étaient dites en plein air, mais au fil des siècles, on a construit des églises.

Tirant son cheval par la bride, Sébastien s'approcha de la croix. Avant le départ pour l'église, lorsque les Highlanders et les chevaliers s'étaient réunis dans la cour de Kinlochan, il avait installé Una sur son étalon arabe et avait décidé de faire le chemin à pied. Suivant son exemple, Robert, Hugo, Étienne et d'autres chevaliers avaient laissé leurs chevaux aux plus vieux.

— Certains couples viennent encore y prier ou y prononcer des vœux, expliqua Alainna en le rejoignant. Avec ou sans témoins.

Avec ses joues rosies par le froid, ses yeux brillants et ses cheveux ambrés qui dépassaient de son tartan brun remonté sur sa tête, elle était ravissante. Une bouffée de désir monta en lui.

— Si nous le faisions aussi ? murmura-t-il.

Elle détourna les yeux, lui présentant son profil parfait, mais il la vit rougir.

— Je croyais que le roi voulait un mariage avec contrat et témoins.

— C'est vrai. Il n'en serait pas moins plaisant de s'unir rapidement et sans cérémonie.

Il haussa les sourcils et lui adressa un sourire charmeur, auquel elle répondit par un sourire contraint.

— Le père Padruig nous attend pour commencer la messe ! lança Una, impatiente.

— Regardez à l'ouest, dit Alainna en reprenant sa marche. C'est Turroch, qui appartient à Cormac MacNechtan.

À près de deux kilomètres de l'église, au sommet d'une colline adossée à de hautes montagnes, Sébastien aperçut une forteresse en bois entourée d'une forêt de pins en forme de croissant.

— Je vais lui apporter le message du roi, dit-il.

— Attendez que nous soyons mariés, le supplia Alainna.

— Vous verrez Cormac plus tôt que prévu, annonça Giric, qui revenait en courant avec Niall. Regardez vers le sud. Cormac le Noir arrive avec un autre guerrier.

— Son frère Struan, ajouta Niall.

Sébastien et Alainna se retournèrent. Deux hommes se dirigeaient vers eux à pied. Ils étaient immenses, hirsutes et d'apparence farouche. L'un avait les cheveux noirs, l'autre était roux. Ils portaient des tartans rouge et brun sur des chemises en toile grossière, ainsi que des gilets et des jambières de fourrure. Ils étaient l'illustration parfaite du sauvage des Highlands.

— À en juger par leurs lances et leurs arcs, ils chassent, dit Robert, qui venait de les rejoindre.

— Ou pire, fit Giric. Mais ils se tiendront tranquilles. Ils sont deux contre plus de vingt, dont des chevaliers en armure.

— Ils ne tenteront rien, renchérit Niall. À moins qu'ils n'aient une armée de MacNechtan cachée dans les collines.

Alainna frémit. Sébastien croisa son regard et secoua la tête pour la rassurer.

— D'ici, on a une bonne vue, dit-il. Ils sont manifestement seuls. Ne vous inquiétez pas, damoiselle.

Lorsque les intrus furent assez proches, quelqu'un les héla. Les deux MacNechtan étaient musclés, armés de lances, d'arcs et de targes. Le roux portait deux lièvres attachés à une corde.

— Cormac MacNechtan, dit Alainna. Struan.

— Alainna de Kinlochan, répondit le brun. Nous avons appris l'arrivée de Normands à Kinlochan et nous tenons à les saluer, dit-il en crachant par terre.

— Passez votre chemin, dit Alainna. C'est dimanche.

— Nous ne te voulons pas de mal, ni à toi ni aux tiens, affirma le roux.

— Avec votre arc et votre lance, vous venez vous battre contre des lièvres, je suppose ? intervint Giric.

— Vous avez peur d'être pris pour des lièvres ? demanda Cormac.

— Craignez plutôt de vous trouver face à des loups, répliqua Giric.

— La paix, ordonna Sébastien.

Il tendit à Lulach les rênes de son cheval, qui commençait à s'agiter, énervé par la tension ambiante, et s'approcha des Highlanders.

— De quel droit décrétez-vous la paix entre des ennemis ? fit Cormac en plissant les yeux. Et que vient faire un chevalier breton dans les Highlands ? Avez-vous l'intention de revendiquer des terres ?

— Êtes-vous Cormac MacNechtan de Turroch ? demanda Sébastien en gaélique.

Il jeta un regard par-dessus son épaule et constata que plusieurs membres du clan, dont Alainna, se tenaient derrière lui.

— C'est moi. Qui êtes-vous ?

— Sébastien Le Bret, envoyé ici sur ordre du roi.

J'apporte un message du roi, que je vous remettrai, mais plus tard. Ce n'est ni le lieu ni le moment.

— Enfin une réponse à ma demande ! William va m'accorder l'épouse que je réclame.

Il regarda Alainna, mais Sébastien se déplaça, de façon à lui cacher la vue de la jeune fille, comme si ce regard noir risquait de la souiller.

— Le roi ordonne que les clans Laren et Nechtan déposent les armes, dit-il. Nous discuterons des détails plus tard.

— Nous ne résoudrons cette querelle que par un mariage, protesta Cormac. Nos différends sont plus anciens que la lignée du roi. Ce n'est pas un ordre de William qui les fera cesser. À moins qu'il ne nous accorde une récompense qui nous agrée.

— Avant d'accorder une récompense, le roi désire s'assurer de votre loyauté. Je suis sûr que vous êtes tout disposé à la lui prouver.

— Dites au roi que nous sommes loyaux, intervint Struan. Les rebelles, ce sont les MacWilliam. Et les rebelles qui ne sont pas morts ont fui en Irlande.

— Et, comme vous le voyez, nous ne sommes ni morts ni en Irlande, ajouta Cormac avec un ricanement. Alors, comment pourrions-nous être des rebelles ?

— Si vous êtes loyaux, tant mieux pour vous. Mais ceux qui soutiennent les rebelles celtes risquent leur terre et leur vie.

— J'ai entendu dire que les rebelles MacWilliam revenaient chercher de l'aide dans les Highlands, annonça Cormac. Ruari *Mor* serait parmi eux, ressuscité d'entre les morts. Si je le rencontre, je refuserai de l'aider, ajouta-t-il avec un regard appuyé à l'adresse d'Alainna.

— Même vivant, Ruari ne te demanderait jamais de l'aide ! lança-t-elle.

— Vraiment ? Pourtant, nous avons des hommes, alors que le clan Laren n'en a pas. Si le fantôme de Ruari *Mor* ou tout autre rebelle se présente à ma porte, je le livrerai aux Normands. Cela satisfera-t-il le roi, Breton ?

— Rien de ce que tu fais ne pourra plaire au roi, gronda Lulach en avançant d'un pas.

Un murmure s'éleva. Sébastien se plaça entre les MacNechtan et les autres, bien décidé à endiguer les hostilités.

— Nous nous reverrons pour discuter des ordres du roi, dit-il à Cormac. Pour l'instant, sachez que la couronne exige que vous lui prouviez votre loyauté et que vous mettiez un terme à cette querelle. Si vous refusez d'obéir, vous risquez gros. Le roi a le droit de vous chasser de vos terres.

— Pour les donner à un Normand ? Pourquoi êtes-vous à Kinlochan ? Dis-moi ce qui se passe, ordonna-t-il en se tournant vers Alainna.

— Messire Sébastien Le Bret a été nommé baron de Kinlochan par ordre du roi, dit-elle.

— Laird de Kinlochan ! siffla Cormac en foudroyant Sébastien du regard.

Celui-ci porta la main à son épée. Cormac pivota vers Struan.

— Je vais tuer ce prêtre, marmonna-t-il. Je l'ai payé pour écrire une requête qui me donnerait Kinlochan à moi, pas à des Normands !

— Le prêtre n'y est pour rien, dit Struan.

— Et qu'en est-il d'Alainna MacLaren ? demanda Cormac en regardant Sébastien. Elle a intérêt à m'épouser. Je suis le plus proche voisin de Kinlochan et le plus fort. Sinon, ce sera la guerre.

— Nous y sommes prêts, répondit Sébastien, la main sur la garde de son épée.

— Demandez une autre récompense au roi, suggéra Cormac. La terre des MacGregor serait très bien pour vous.

Giric bondit en avant, mais Sébastien l'arrêta. Robert, Hugo et deux autres chevaliers s'avancèrent. Sébastien brûlait de flanquer son poing dans la figure de Cormac, mais il se contrôla.

— Qui l'épousera ? demanda Cormac. Le Breton, qui a flatté le roi pour obtenir les terres de la dame ? Moi, qui ai présenté une requête légitime ? Ou son frère de lait, qui la convoite en secret ?

Giric se pencha de nouveau en avant, mais Sébastien le foudroya du regard et tendit le bras pour le retenir.

Alainna en profita pour contourner Giric et Sébastien. Ils essayèrent de l'arrêter, mais elle leur échappa et se dirigea vers son ennemi d'un pas digne, telle une reine, couronnée de l'or de ses cheveux. La main sur son arme, Sébastien la rejoignit en une enjambée.

— Cormac MacNechtan, c'est moi qui choisirai mon mari, déclara-t-elle. Ce n'est pas toi qui me diras qui épouser.

— As-tu choisi le Breton ?

— Le Breton est un grand guerrier, et j'ai une dette envers lui. Il a tué un sanglier d'un coup d'épée, me sauvant la vie. Il a également sauvé Eoghan et Lileas de deux loups, avec l'aide d'un autre homme qui s'est enfui.

— Nous avons donc une dette envers le Breton et cet inconnu, dit Struan.

Cormac regarda son frère et Sébastien d'un air menaçant.

— Si un homme est mon ennemi, il restera mon ennemi, même s'il a aidé mon fils, déclara-t-il. Mais je ne porterai pas la main sur lui. C'est tout ce que je peux promettre.

— Cela suffit, dit Alainna. Ce chevalier a prouvé

sa force et sa volonté d'aider mon peuple. Si je choisis de l'épouser, tu l'apprendras en temps voulu.

— Ne commets pas l'erreur de devenir sa femme.

— À moi d'en décider.

— Cormac MacNechtan, intervint Sébastien, le roi ordonne que vous fassiez la paix avec le clan Laren, et il m'a envoyé ici pour y veiller. Je viendrai à Turroch en parler avec vous. Si vous menacez ce clan, préparez-vous à vous battre contre l'armée du roi.

— Eh bien, venez à Turroch, répondit Cormac en appuyant les doigts sur la hampe de sa lance. À présent, j'aimerais m'entretenir avec Alainna en privé, entre chefs. J'ai à discuter avec elle.

— Il en a le droit, dit Alainna.

— Nous ne tolérerons aucun trouble, annonça Sébastien, tout en s'écartant pour les laisser seuls.

— Les terres de Kinlochan me reviennent, dit Cormac à voix basse. Et toi aussi. Ton père souhaitait la paix. Il t'aurait donnée à moi pour l'obtenir. Il me l'a promis le jour de sa mort.

— Il ne l'a pas promis !

— Si. Tu m'es destinée.

— Jamais !

— Pense à la Vierge de pierre, siffla-t-il en la saisissant par le poignet. Au printemps, plus rien ne pourra te protéger. Ni famille, ni Normand, ni fées.

Sébastien s'avança en dégainant son épée. Dans un éclair d'acier, la lame se posa sur l'avant-bras de Cormac.

— Lâchez-la.

Derrière lui, il entendit le glissement de l'acier contre le cuir des fourreaux.

Cormac s'exécuta. Sébastien fit passer Alainna dans son dos et appuya la pointe de sa lame sur la poitrine de l'intrus.

— Filez, dit-il, menaçant.

— Breton, maintenant que vous êtes laird de Kinlochan, nous sommes ennemis. Puisque vous avez aidé mon fils, je n'attenterai pas à votre vie, mais nous ne serons jamais amis – à moins que vous n'honoriez la promesse de Laren MacLaren et que vous ne me donniez sa fille et une bonne partie de ses terres.

— Mon père ne t'a rien promis ! répéta Alainna.

— Giric le sait ! lança Cormac en se retournant. Raconte-lui ce qui s'est passé le jour où Laren MacLaren a été blessé à mort !

— Je lui ai dit ce qu'elle devait savoir, répondit le frère de lait d'Alainna. Laren MacLaren est tombé dans l'embuscade que tes hommes et toi lui aviez tendue, voilà tout.

— Que veut-il dire, Giric ? demanda Alainna, inquiète.

— Rien.

— Laren MacLaren m'a permis d'épouser sa fille. Il a donné sa bénédiction à notre mariage.

— Tu mens ! s'écria Giric d'une voix rageuse.

— Je devrais te tuer sur-le-champ, dit Cormac. Félicite-toi que ce soit dimanche.

— Ça suffit ! coupa Sébastien. Filez.

— Nous nous reverrons à Turroch, Breton. Alainna MacLaren, interroge donc Giric. Et n'oublie pas que tu m'appartiens. Si tu tiens à ton clan – enfin, à ce qu'il en reste – tu me choisiras pour mari, car je connais tes terres aussi bien que les miennes, et je suis un Highlander jusqu'à la moelle, contrairement à d'autres.

Il foudroya Sébastien du regard, tourna les talons et s'éloigna, suivi de son frère.

Une fois qu'ils eurent disparu derrière une colline, Sébastien remit son épée dans son fourreau et se retourna. Alainna et Giric étaient plongés dans une discussion animée.

— Ce n'est pas vrai, disait-elle.

— Si, insistait Giric.

Il lui toucha le bras, mais elle le repoussa.

— Je suis désolé, Alainna, reprit-il. J'espérais n'avoir jamais à te le dire. Mais c'est vrai. Je les ai entendus parler, ce jour-là.

Elle tourna la tête vers Sébastien, et il lut la peur dans ses yeux.

— Mon père m'a promise à Cormac ? demanda-t-elle à Giric. Comment a-t-il pu faire une chose pareille ?

— Il était gravement blessé et savait qu'il ne survivrait pas. Je l'ai vu sur son visage.

— Continue.

— Ce n'est pas Cormac qui avait blessé Laren, mais il l'avait vu tomber. Étant moi-même touché à la jambe et coincé par Aodh le Rouge, qui s'était effondré sur moi, je ne pouvais pas m'approcher de ton père.

— Aodh... C'était un brave homme. Mais raconte-moi ce qui s'est passé avec mon père.

Sébastien fit mine de s'éloigner pour les laisser discuter en paix, mais Alainna le retint d'un geste suppliant.

— Cormac s'est agenouillé à côté de ton père. Il aurait pu l'achever, mais il n'en a rien fait.

— Mon père lui a parlé ?

— Cormac a exigé que ton père capitule. Laren a refusé, mais il lui a proposé de mettre un terme à la querelle.

— Cormac a demandé ma main et mon père a accepté ?

— Je ne sais pas ce qu'ils se sont dit, mais Cormac a eu l'air satisfait. Il a rappelé ses hommes et ils sont partis, alors qu'ils auraient pu nous tuer tous, car ils étaient cinq fois plus nombreux que nous. Et je me souviens de ce que ton père m'a dit quand j'ai enfin réussi à ramper jusqu'à lui.

— Tu prétendais qu'il ne t'avait rien dit, ce jour-là. Tu ne m'avais pas raconté tout ça.

— Comment aurais-je pu te faire du mal, alors que tu souffrais déjà tant ? J'ai gardé ça pour moi. Je savais ce que voulait Laren.

Il prit une profonde inspiration et poursuivit :

— Laren m'a dit que tu le remplacerais bientôt à la tête du clan. Il m'a chargé de veiller sur toi et m'a supplié de faire en sorte que tu épouses, avant le printemps, un guerrier assez puissant pour battre Cormac.

— Il a dû dire à Cormac qu'il pourrait m'épouser lorsque la Vierge de pierre cesserait de nous protéger. Il t'a ensuite demandé de t'arranger pour que je sois mariée avant avec un autre.

— Je le crois. Cormac est convaincu qu'il t'épousera au printemps. Mais ton père approuverait ton mariage avec Sébastien.

— Mon père souhaiterait notre mariage, répéta-t-elle à l'adresse de Sébastien.

Il restait immobile, sa cape s'agitant dans le vent, et ne la quittait pas des yeux.

— Il voudrait que tu sois heureuse, dit Giric. Comme nous tous.

— Les anciens sont-ils au courant de la volonté de mon père ?

— Certains.

Elle hocha la tête, les yeux pleins de larmes.

Sébastien brûlait de la prendre dans ses bras. Il fit un pas vers elle, puis un autre. Mais Giric posa la main sur son épaule et l'étreignit.

Sébastien s'immobilisa. Il surprit le regard tendre que Giric adressait à la jeune fille, la vit se blottir contre lui et serra les poings.

180

Giric appartenait à son monde, contrairement à lui, malgré les ordres du roi, malgré sa volonté d'en faire partie, malgré le désir qu'Alainna éveillait en lui.

Comme elle l'avait dit, il était une âme errante. Il n'avait jamais eu de foyer et se demandait s'il en aurait jamais.

Lorsque Giric lui caressa le dos, Sébastien eut l'impression de recevoir un coup de poignard en plein cœur. Il tourna les talons. Il savait qu'Alainna considérait Giric comme un frère et qu'elle avait besoin de son réconfort, mais il ne supportait pas de les voir ainsi enlacés.

Il s'éloigna à grandes enjambées.

16

Après la bénédiction, Alainna attendit que l'assemblée quitte l'église. Les voix se répercutaient contre les murs, bientôt dominées par le rire retentissant du père Padruig. Puis elle entendit Lorne présenter Sébastien au prêtre. Avant de sortir, Una et Giric lui jetèrent un regard interrogateur, mais elle leur fit signe de partir. Ils comprendraient.

Elle traversa l'église et franchit une porte étroite. Une bougie vacillait dans une niche du mur. Elle la prit et descendit quelques marches en protégeant la flamme de sa main.

La crypte au plafond voûté renfermait plusieurs tombes. Alainna se dirigea vers le petit caveau qui abritait celles de ses parents et de ses frères. Posant la bougie par terre, elle s'agenouilla sur le sol en terre battue et pria pour le repos de leurs âmes.

Les joues inondées de larmes, elle pensa à son père. Sachant sa blessure mortelle, harcelé par son ennemi, il avait dû accepter ce qu'il réprouvait. Mais il avait demandé à Giric de s'assurer qu'elle serait mariée avant que Cormac ne puisse l'épouser.

La tête baissée sur ses mains jointes, elle versa des larmes de chagrin et de gratitude. Soulagée de savoir que son père aurait approuvé son mariage avec le chevalier breton, elle s'essuya le visage. Sa peine était toujours présente en elle, la submergeant parfois à l'improviste, mais elle réussissait à l'atténuer chaque fois un peu plus, même si elle avait compris qu'elle ne se consolerait jamais complètement de la perte de sa famille.

Au bout d'un moment, elle murmura une dernière prière pour les défunts, se leva et se dirigea vers l'escalier de la crypte. Au-dessus d'elle, elle entendit un claquement de bottes sur la pierre.

Sébastien se tenait dans l'étroite embrasure de la porte. Elle lui fit signe de descendre.

— Ils sont là ? demanda-t-il en entrant.

Elle acquiesça.

— Venez, je vais vous montrer, dit-elle en levant la bougie. Mes parents sont de ce côté, et mes frères là. Ils sont enterrés côte à côte. Dans la vie, Conall et Niall étaient deux âmes sœurs. Nous les avons réunis dans la mort, dans une même tombe.

— Des âmes sœurs ?

— Liées l'une à l'autre par un amour indéfectible, elles peuvent être camarades, frères et sœurs, ou amantes. Tout le monde n'a pas une âme sœur, mais ceux qui en ont une sont bénis.

Elle toucha la dalle sur laquelle étaient sculptés deux guerriers entourés de feuilles de vigne enroulées autour de deux épées.

— C'est mon cousin Malcolm qui a sculpté cette

tombe, dit-elle en l'époussetant. Lui-même ne repose pas ici, car il est mort à Glasgow et y a été enterré. Il a également sculpté la pierre tombale de ma mère, quand j'étais petite.

Avec son armure et sa stature imposante, Sébastien semblait emplir la petite pièce. Il se dégageait de lui une force et une sérénité rassurantes.

Alainna le devinait compatissant et tendre. Lorsqu'elle l'avait interrogé sur son enfance, elle avait décelé en lui une vulnérabilité qui contrastait avec son apparente dureté.

C'était étrange, se dit-elle, de nourrir de telles pensées à propos d'un homme auquel, au départ, elle ne songeait qu'à s'opposer. Étrange aussi de songer qu'elle serait bientôt sa femme. À cette idée, les battements de son cœur s'accélérèrent.

— Et qui a sculpté la tombe de votre père ? demanda-t-il.

— Moi.

Du doigt, elle suivit le contour de la pierre, sur laquelle était représenté un chevalier, une épée à la main, avec une forteresse en arrière-plan.

— Vous ? fit-il, impressionné.

— Le grès est aussi facile à sculpter que l'argile, expliqua-t-elle, refoulant les larmes qui lui montaient de nouveau aux yeux. Je n'aime pas trop le travailler, car sa poussière est désagréable et provoque une mauvaise toux. Mais Malcolm avait sculpté les autres dalles dans cette pierre, et nous en avions plusieurs blocs en réserve. Nous avons eu tellement de morts ! Durant les années où Malcolm était avec nous, nous avons réalisé beaucoup de tombes et de croix. Il y a encore d'autres pierres dans la crypte, ainsi qu'à l'extérieur de l'église. Mais celle-ci, dit-elle en caressant l'effigie de son père, il fallait que je la sculpte moi-même.

Il posa la main sur la sienne. La chaleur de sa paume la pénétra. Elle enroula les doigts autour de son pouce, et ils demeurèrent un long moment silencieux.

— Ce doit être affreux de les avoir tous perdus, dit-il enfin.

— Il me reste les autres.

« Et vous, vous aurai-je ? » songea-t-elle, mais elle s'interdit d'exprimer ses pensées à voix haute.

Il lui étreignit la main, avant de retirer la sienne. Elle ébaucha un geste pour la retenir, mais il se détourna.

— Venez, dit-il. On vous attend dehors. J'ai vu le père Padruig. Il veut nous parler des préparatifs du mariage.

Elle ramassa la bougie et le suivit.

— Nous devons nous dépêcher, dit-elle. Pour rentrer, nous avons une lieue à parcourir en terrain découvert.

— Vous n'avez rien à craindre, avec tous ces chevaliers en armure.

— Je sais. Cormac ne nous attaquera pas un dimanche. Il respecte les lois de l'Église. Mais votre future rencontre avec Cormac m'inquiète.

— S'il tente de se rebeller, nous serons prêts à nous battre.

— Il tentera quelque chose, j'en suis sûre. Que ferez-vous ?

— Nous nous battrons.

— Les hommes se battent, et les femmes attendent. J'en ai assez. Dois-je prendre un mari pour le perdre aussitôt ?

— Vous ne me perdrez pas.

Il se tenait à moins d'un mètre d'elle. Sa voix résonnait dans l'ombre, profonde et douce. Elle avait besoin d'entendre ces mots – elle avait perdu tant d'êtres chers – et voulait désespérément y croire.

Elle eut soudain envie de le toucher, de sentir sa force, mais l'espace qui les séparait lui semblait immense.

— Au moins, si vous partez pour la Bretagne, vous reviendrez peut-être un jour, dit-elle, la bougie vacillant dans sa main tremblante. Si vous allez à Turroch, il est probable que vous ne reviendrez jamais.

— Je reviendrai de Turroch comme de Bretagne.

— Peut-être pas. C'est comme ça. Les hommes de ma famille vont se battre contre les Mac-Nechtan et ne reviennent pas ! Je refuse que vous subissiez le même sort !

Elle se retourna vivement pour monter l'escalier, mais il l'attrapa par le bras, lui prit la bougie des mains et l'attira vers lui.

— Irais-je me marier pour abandonner ma femme si vite ? demanda-t-il en lui soulevant le visage. Me croyez-vous si bête que ça ?

Il lui effleura les lèvres, lui donnant un tendre baiser. Elle gémit et empoigna ses bras enveloppés dans sa cotte de mailles. Il prit sa tête dans sa paume et glissa les doigts dans son épaisse chevelure, au-dessus de ses lourdes nattes.

Renversant la tête en arrière, elle lui offrit sa bouche. De ce baiser jaillit une force qui la submergea comme un torrent, comme le vent, le feu et l'eau, tout à la fois.

Il s'écarta, puis posa son front contre le sien.

— Seigneur, chuchota-t-il d'une voix rauque.

Elle s'inclina vers lui, désireuse de goûter encore au bonheur qu'elle avait découvert dans ses bras. Il l'embrassa sur la joue.

— Si nous devons nous côtoyer de la sorte,

mieux vaudrait que je vous épouse, de crainte de vous déshonorer.

— Il y a des déshonneurs que j'ignore.

— Mieux vaut ne jamais les connaître.

— Je suis curieuse, dit-elle, lui présentant son visage.

Il l'embrassa de nouveau, avec passion cette fois, la serrant contre lui.

Elle se dressa sur la pointe des pieds et entoura sa taille de ses bras, abasourdie par les sensations qu'il faisait naître en elle. Comme il était bon et réconfortant de l'embrasser et d'être enveloppée dans son étreinte ! La cotte de mailles meurtrissait sa chair, malgré l'épaisseur de ses vêtements, et elle pouvait sentir ses muscles tendus sous le métal.

Il interrompit leur baiser, mais elle réclama de nouveau sa bouche et se laissa emporter dans un tourbillon de sensations.

— Ah ! fit une voix au-dessus d'eux. Je vois qu'il est temps de parler mariage.

Alainna sursauta et leva les yeux. Du haut de l'escalier, le père Padruig leur souriait.

— Venez, venez, dit-il. Sortez des ténèbres pour entrer dans la lumière, si vous le voulez bien. Cette crypte gèlerait le nez du diable lui-même – quoique vous ayez trouvé le moyen d'y mettre un peu de chaleur, hein ?

— Mais, père Padruig, protesta Alainna d'une voix angoissée, tout à l'heure, vous étiez d'accord pour nous marier. Pourquoi dites-vous le contraire maintenant ?

La déclaration du prêtre avait intrigué Sébastien autant qu'Alainna, mais il se contenta de hausser les sourcils.

— Je sais pourquoi vous voulez vous marier, répondit le père Padruig dans un anglais rapide et aisé. Et je crois qu'il serait imprudent de ma part de vous marier maintenant.

— Imprudent ? fit Alainna. Il est imprudent d'ignorer les ordres du roi ! William pourrait donner la terre à un autre chevalier normand. Nous avons besoin de Sébastien et de ses hommes pour nous aider à résister au clan Nechtan. Ce mariage est vital pour nous. Nous n'avons pas le choix.

— Je trouve cependant que vous devriez attendre un peu. À moins que vous n'acceptiez de vous contenter d'une cohabitation. Ça pourrait s'arranger.

— S'arranger ? Faut-il avoir recours à une ruse ? Que voulez-vous dire ?

Ils étaient dans la nef de l'église. La lumière entrait par les deux fenêtres. Dehors, on entendait les membres du clan Laren et les chevaliers du roi discuter.

Sébastien avait été élevé par des moines, mais il n'avait jamais rencontré de religieux comme le père Padruig. Avec sa large carrure, ses grandes mains et son visage tanné, celui-ci, malgré sa tonsure, ressemblait davantage à un guerrier chevronné qu'à un prêtre.

Sébastien le trouvait intelligent, cultivé, amusant. Il avait embrassé Alainna comme sa fille, donné une grande tape dans le dos de Sébastien et ponctué son discours d'un gros rire contagieux.

— Laissez-moi vous expliquer mon point de vue, dit le père Padruig en levant l'index. Si je vous marie, comme il se doit, sur le parvis de l'église, tout le monde le saura.

— Et alors ? fit Alainna.

— Si j'accepte de vous marier plus discrètement,

il faudra que je publie les bans trois dimanches de suite. Pour certains, c'est court. En l'occurrence, c'est trop long.

— Nous croyez-vous trop lubriques pour attendre...

Alainna s'interrompit, gênée. Sébastien dissimula un sourire, mais le père Padruig s'étrangla de rire.

— Je comprends ce que veut dire le père, intervint Sébastien. Il estime imprudent de célébrer un mariage public.

Padruig opina du chef.

— Si je vous marie, Cormac l'apprendra. Il est imprévisible, et je ne pense pas que vous souhaitiez envenimer les choses. Attendez que Sébastien ait discuté avec lui des ordres du roi. Cormac doit abandonner l'idée qu'il a des droits sur Alainna.

— Le roi exige une copie de notre contrat de mariage, dit Sébastien. Et j'ai promis de m'embarquer pour la Bretagne au printemps. Dans combien de temps comptez-vous publier les bans ?

— L'attente est dure, hein ? Mais le mariage ne se réduit pas au plaisir charnel. Et j'estime qu'il vous faut un temps de réflexion.

Sébastien vit Alainna baisser les yeux, comme si les propos du prêtre la troublaient.

— C'est le roi qui a décidé pour nous, mon père, dit-il. D'après son message (il tapota la bourse accrochée à sa ceinture) la faveur accordée à Kinlochan ne prendra effet que quand il aura le contrat de mariage entre les mains. Si le mariage n'est pas célébré, et vite, Alainna et son clan risquent de perdre beaucoup.

— Vous pourriez cohabiter, suggéra Padruig une nouvelle fois.

Étonné, Sébastien regarda Alainna. Elle fronçait les sourcils.

— Engagez-vous devant témoins à vivre ensemble pendant un an et un jour. Au bout de cette période, si vous ne vous entendez pas, vous pourrez vous séparer. Vous n'aurez plus aucune obligation l'un envers l'autre, sauf s'il y a un enfant. Sébastien devra alors le reconnaître, mais le mariage ne sera pas obligatoire.

— Cela serait conforme à l'ordre du roi, approuva Alainna. Nous pouvons établir un contrat de mariage et le signer, comme on le fait lors des fiançailles.

— Pour une cohabitation, il n'est pas nécessaire d'afficher les bans, précisa le père Padruig. Ainsi, Cormac n'apprendra la nouvelle que lorsque vous le jugerez bon.

— Cela me paraît judicieux, dit Sébastien.

Alainna acquiesça sans le regarder.

— Je suggère que vous prononciez vos vœux le jour de Noël, ou la veille, conclut le prêtre. Cela vous portera bonheur. Vous verrez vos problèmes se résoudre comme par enchantement.

Il sourit. Alainna rougit et se dirigea vers la porte.

Un vent vif soufflait. Sur le chemin du retour, Alainna marchait en silence à côté de Sébastien. Leurs compagnons se tenaient à l'écart, respectant leur intimité.

— Nous allons donc cohabiter, dit-elle au bout d'un moment. Pourtant, nous ne le voulions ni l'un ni l'autre. Je suis sûre que vous souhaitiez une femme française ou bretonne.

— Et vous, un guerrier celte. Un homme mythique surgi de la brume pour défaire votre ennemi et engendrer une nouvelle branche de Laren.

— C'est vrai, admit-elle en offrant son visage au vent.

— Je ne suis pas cet homme.

— Vous pourriez l'être.

— J'aspire à une autre vie.

— Je ne suis pas une Française de noble naissance.

Il ne répondit rien. Son regard était triste.

— Prendrez-vous mon nom, messire chevalier, et le donnerez-vous à nos enfants ? demanda-t-elle.

— Prendrez-vous le mien et le donnerez-vous à nos enfants ?

— Je ne peux pas. Cela marquerait la fin d'un très vieux clan.

— Et je me suis battu toute ma vie pour me faire un nom.

— Votre mérite n'a rien à voir avec le nom que vous portez. Il ne disparaîtra pas avec votre nom.

Le regard perdu vers les collines, il poussa un soupir. Elle soupira aussi.

— Que devons-nous faire, Sébastien ?

— Nous marier en tenant compte de ces données.

— Et si nous avons des enfants ?

— Il existe des moyens de l'éviter.

Elle le regarda, abasourdie.

— Ce n'est pas ce que j'attends du mariage, dit-elle, les larmes aux yeux. Je veux des enfants et un mari qui m'accepte, moi et les miens.

— Croyez-vous que cette situation m'enchante ? Je dois choisir entre vous et mon fils. À mon arrivée ici, le choix me paraissait plus facile, ajouta-t-il en détournant les yeux. Il est de jour en jour plus difficile.

— Si nous ne transformons pas la cohabitation en mariage, nous pouvons être libres dans un an et un jour.

— C'est peut-être la seule solution. Robert et d'autres peuvent rester ici après mon départ et superviser la construction du château. Votre clan a grandement besoin de la protection de la couronne. Le roi souhaitera peut-être négocier et partager la terre entre plusieurs chevaliers.

— Ce serait possible ?

— En un an, il peut se passer beaucoup de choses.

— Nous nous comprenons. Nous savons ce que chacun de nous veut. Nous vivrons en amis et ne dirons rien à personne de notre intention de nous séparer au bout d'un an.

Il haussa les sourcils. La cicatrice au-dessus de son œil gauche lui donnait un air à la fois rude et coquin. Ses yeux avaient la couleur d'un ciel nuageux.

— Est-ce une offre de paix, damoiselle ? demanda-t-il.

— Oui. Pour un an et un jour.

— Soit, dit-il avec un sourire triste.

Elle lui rendit un sourire hésitant.

— Si le temps le permet, j'irai voir Esa demain, annonça-t-elle au bout d'un moment. Je vais lui dire de venir à Kinlochan.

— Ah, la mystérieuse Esa. J'ai hâte de la rencontrer, répondit-il, du ton détaché qu'il utilisait parfois pour masquer ses pensées.

Se doutait-il que Ruari MacWilliam était vivant ? Elle avait parlé de Ruari à Giric, qui avait réagi, comme prévu, avec un calme parfait. Il garderait le secret, elle le savait.

— Je vais demander aux miens qui veut m'accompagner, dit Alainna.

Comme Niall, Lulach et Giric se dirigeaient vers eux, elle attendit qu'ils les aient rejoints pour leur poser la question.

— Lorsque la neige sera profonde, il ne sera pas facile de la faire venir à Kinlochan, ajouta-t-elle.

— De toute façon, ce ne sera pas facile, dit Niall.

— Je veux qu'Esa assiste à nos vœux. J'espère que l'un d'entre vous m'accompagnera.

— Tu as plus de chances d'arracher un chêne à mains nues que de sortir Esa de chez elle, commenta Lulach. Elle est brave, mais têtue.

— *Ach*, fit Alainna. Je la convaincrai. Vous ne savez pas vous y prendre.

— Nous avons essayé à trois reprises, protesta Lulach. Elle refuse avec tant de gentillesse qu'on lui pardonne. Cette femme est un bloc de pierre.

— Je sais travailler la pierre, répliqua Alainna en souriant. Qui de vous viendra avec moi ? Niall ? Tu aimes bien voir Esa.

— Non, merci. Elle m'obligera à faire toutes ses corvées, et je devrai descendre son grand métier à tisser sur le dos – si toutefois elle consent à quitter sa petite maison, ce qu'elle ne fera pas.

— Giric ? Tu viens ?

— Alainna, j'ai promis aux chevaliers de les emmener chasser demain. Pouvons-nous y aller après-demain ?

— Je ne veux pas attendre. Le temps va se gâter, Una en est sûre. Et j'aimerais qu'Esa soit ici pour Noël et pour assister à nos vœux. Lulach ?

— Ces jours-ci, Donal et moi devons nettoyer la forge et effectuer quelques réparations. Una et Morag désirent que la forteresse soit propre pour le Nouvel An. Il y a beaucoup à faire.

— Vas-y, dit Niall à l'adresse de Lulach. Depuis que tu es gosse, tu es fou d'Esa.

— Moi ? C'est toi qui étais amoureux d'elle ! glapit Lulach.

— Vous étiez tous les deux amoureux d'elle, je

crois, intervint Giric. J'ai entendu dire qu'en épousant Ruari, Esa avait brisé des centaines de cœurs.

— J'ai très envie de connaître cette femme, lança Sébastien, amusé. J'irai avec vous, Alainna.

— Vous ?

Elle jeta un regard à Giric, qui fronça les sourcils.

— Lorne pourrait m'accompagner, s'empressa-t-elle d'ajouter.

— Lorne sera dans son lit de poète, rétorqua Giric. Il l'a dit à Una.

— Un lit de poète ? Qu'est-ce que c'est ? demanda Sébastien.

— De temps à autre, il se met au lit toute une journée avec un linge sur les yeux et une pierre sur le ventre. Il se remémore tous les poèmes et tous les contes qu'il a appris dans sa vie.

— Ah, bon, fit Sébastien, interloqué. J'irai avec vous, Alainna, répéta-t-il. Il faut que je repère toutes les bornes qui délimitent les terres. Il y en a quelques-unes là-haut. Tôt ou tard, je devrai m'y rendre.

— Très bien, soupira-t-elle. Mais sachez que nous voyagerons à pied, car Esa vit dans les hautes collines.

17

Sébastien s'accroupit et but une gorgée d'eau glacée au ruisseau. La pierre qu'il cherchait, un grand rocher peint en blanc, se trouvait sur la berge. Il se redressa et scruta les collines pour calculer la distance qu'ils avaient parcourue depuis la dernière borne qu'ils avaient découverte, au bord du même ruisseau.

Durant presque toute la matinée, ils avaient grimpé dans les collines et avaient fini par atteindre des pentes dénudées et balayées par le vent.

Il sortit de sa bourse sa tablette de cire et son style pour noter l'emplacement de la pierre, puis il monta rejoindre Alainna.

— Puis-je voir ? demanda-t-elle en tendant la main. Vous avez fait une carte de Kinlochan ?

— Très succincte, dit-il en lui donnant la tablette d'une main hésitante.

Elle étudia le plan approximatif qu'il avait fait du domaine, avec son loch, sa forteresse et le long ruisseau auprès duquel ils se trouvaient. Puis son attention fut attirée par le croquis soigné qui occupait un coin de la tablette.

— Je ne savais pas que vous aviez une main si sûre, commenta-t-elle. Ce petit château est parfaitement dessiné. Vous l'avez vu quelque part ?

— Non. Je l'ai imaginé, répondit-il.

Il tendit la main pour reprendre la tablette, mais elle la garda.

— C'est très joli. Et j'aime bien ces trois tours dans le mur. Il n'y a sûrement rien de semblable dans les Highlands. Le futur château de Kinlochan ressemblera-t-il à celui-là ?

— Peut-être.

Il récupéra sa tablette et la glissa dans sa bourse.

— Vous vous y connaissez donc en plans et en constructions ?

— Vous pensiez que je ne m'intéressais qu'à la guerre, aux tournois et à mon travail ?

— Je vous ai vu vous entraîner au combat, chasser et monter la garde pour le roi. C'est tout.

— Si je n'étais pas devenu chevalier au service

d'un suzerain, et si j'avais eu la chance de pouvoir étudier à l'université, je serais devenu architecte.

Jamais il n'avait exprimé ce regret à voix haute, réalisa-t-il en laissant son regard errer sur les collines. Le dessin du château pouvait paraître simple, mais il avait pour lui une valeur particulière.

Fasciné depuis l'enfance par l'architecture, il avait dessiné des tas de plans. Il avait beaucoup appris en observant et en lisant tout ce qu'il trouvait sur le sujet dans les bibliothèques des seigneurs qu'il avait servis. Aussi avait-il été ravi quand le baron anglais qui l'avait engagé l'avait chargé de superviser la construction de trois châteaux.

Le petit croquis de la tablette était un concentré de ses observations et de ses idées. L'ordre du roi William de construire un château à Kinlochan l'avait réjoui, bien qu'il n'eût pas l'intention d'y vivre.

— Comment avez-vous appris l'art de l'architecture, si vous n'êtes pas allé à l'université ? demanda Alainna, intriguée. Où avez-vous étudié ?

— Que de questions ! Voulez-vous que nous nous arrêtions un moment ici ? proposa-t-il. Una vous a donné une collation, je crois.

— En effet. Asseyez-vous ici... Non, attendez, dit-elle, comme il s'apprêtait à s'installer sur un gros rocher.

Il recula.

— Regardez, ajouta-t-elle en touchant la pierre du bout du doigt.

Le rocher, long de deux mètres mais deux fois moins large, se mit à se balancer doucement.

Sébastien rit de surprise. Lorsque la pierre s'immobilisa, il la toucha à son tour. Le balancement reprit. Curieux, il s'agenouilla pour regarder en dessous.

La base du rocher, légèrement incurvée, reposait sur une plaque de schiste. Il se redressa, étonné.

— C'est une pierre de justice, expliqua Alainna. Les anciens s'en servaient pour juger les crimes et les querelles, m'a raconté Lorne. L'accusé se tenait là, ajouta-t-elle en montrant l'extrémité du rocher dirigée vers l'aval du ruisseau. Un prêtre ou un chef de clan se tenait à l'autre bout et exposait l'affaire devant les témoins. Ensuite, il frappait la pierre avec une baguette de bouleau, et la pierre répondait en se balançant d'un côté ou de l'autre.

Tandis qu'elle parlait, Sébastien faisait bouger le rocher pour observer son mouvement.

— Parfois nord-sud, parfois est-ouest, observa-t-il.

— Nord-sud, l'inculpé était considéré comme innocent. Est-ouest, il était déclaré coupable. Si la pierre ne bougeait pas, le jugement était incertain et l'accusé restait impuni. La pierre n'est plus utilisée, conclut-elle en s'asseyant. Ce n'est qu'une curiosité.

— C'est curieux, en effet.

Sébastien s'assit à son tour et appuya les pieds sur le sol, jusqu'à ce que la pierre s'immobilise. Alainna fouilla dans le ballot qu'elle avait apporté et lui tendit une galette d'avoine et une épaisse tranche de fromage.

— Qui vous a éduqué ? demanda-t-elle. Et comment en êtes-vous venu à vous intéresser à la construction des châteaux ?

— Les moines qui m'ont élevé m'ont enseigné les langues, la lecture et l'écriture, les mathématiques et la théologie. J'étais passionné par l'architecture et la géométrie, mais j'ai appris seul. Je n'avais personne pour me payer l'université.

— Vous n'avez pas de famille ?

— Je n'ai plus que mon fils.

Il détacha un morceau de fromage, le mâcha lentement, puis il poursuivit :

— Les moines sont ma famille. L'abbé Philippe m'a tenu lieu de père. Je suis arrivé dans son monastère à l'âge de deux ans. À ce moment-là, il était jeune et pas encore abbé.

— Je comprends que vous deviez retourner en Bretagne.

— Je dois retrouver Conan et les moines et tout faire pour les aider. C'est... dur d'être en Écosse sans savoir ce qu'ils sont devenus.

Et dur d'exprimer ses sentiments à haute voix, bien qu'il lui fût plus facile de le faire devant Alainna que devant quiconque.

— Lorsque je vous ai rencontré, dit-elle, songeuse, je croyais qu'on ne pouvait pas trouver deux êtres plus différents que nous. Mais je pense de plus en plus que nous nous ressemblons.

— Pour ce qui est de l'orgueil, certainement.

— Pas seulement. Nous ferions tout, l'un et l'autre, pour ceux que nous aimons. Pour les vôtres, vous abandonneriez cette magnifique terre, ajouta-t-elle en montrant les collines.

Il embrassa l'horizon du regard et éprouva un certain regret. Il commençait à aimer ce pays de montagnes, de lochs et de ciel orageux. Le quitter serait beaucoup plus difficile qu'il ne l'avait cru au début.

— Je donnerais mon âme pour être sûr qu'ils sont en sécurité, murmura-t-il.

— Comme moi pour les miens. Mais si j'étais séparée d'eux et que je me trouve dans un lieu étranger avec des inconnus, je serais moins courtoise avec eux que vous ne l'avez été avec nous. Je partirais le plus vite possible, au risque d'être prise pour une barbare.

— Je vous croyais fatiguée de ma courtoisie, damoiselle.

— Pas de toute votre courtoisie, messire, dit-elle en fixant les pieds de Sébastien. Je vous suis reconnaissante d'immobiliser cette pierre pour me permettre de manger.

Il rit et mordit dans sa galette d'avoine. Elle l'imita, puis s'essuya les mains.

— Vous avez dit un jour que vous saviez quelque chose au sujet de vos parents... reprit-elle.

Il rompit le reste de sa galette et jeta les morceaux aux oiseaux.

— J'ai été abandonné à la porte du monastère avec un anneau d'or et un morceau de sel, pour montrer que j'étais baptisé et de noble naissance. Les moines ignoraient mon nom, aussi m'ont-ils donné celui de leur patron, puisque j'ai été trouvé le jour de sa fête. Le monastère est celui de Saint-Sébastien. Il est situé près de Rennes, en Bretagne.

— Et vous êtes devenu Sébastien Le Bret. C'est un beau nom.

— Il manque peut-être d'ancienneté et de noblesse. Il ne comporte pas la particule marquant l'appartenance à une terre. Mais il est bien à moi.

— Et vous ne l'abandonnerez jamais.

— Mon nom est tout ce que j'ai, dit-il en s'absorbant dans la contemplation des pentes couvertes de neige. Et il n'est qu'à moi.

Elle lui toucha le bras. Il ne la regarda pas, mais ce léger contact fit battre son cœur et enflamma son corps.

— Savez-vous quelque chose à propos de vos parents ? demanda-t-elle.

— L'abbé Philippe a fait des recherches pendant des années. Finalement, quand j'ai eu neuf ans, un prêtre d'un village breton est venu le voir. Sur son lit de mort, une femme l'avait supplié de se rendre au monastère. Elle prétendait y avoir abandonné un enfant, qui n'était pas le sien. Elle décrivit l'anneau et le lange que je portais et dit avoir été nourrice au service de la famille de ma mère.

— Elle connaissait vos parents ?

— D'après le prêtre, ma mère était la fille d'un seigneur breton. Je n'ai jamais su son nom, car la nourrice tenait à le garder secret. Mon père était le cadet d'une famille de barons anglais, les Lindfield.

— Vous connaissez donc votre nom !

— Ce n'est pas mon nom. Je n'y ai pas droit.

— Comment ça ?

— Mon père était prêtre. Les fils de prêtres n'ont pas le droit de porter le nom de leur père. En Écosse, en revanche, j'aurais été légitimé.

— Qui était votre mère ?

— Sa famille l'avait destinée au couvent. Mon père était un prêtre anglais à la cour de Bretagne. Le père de ma mère l'avait engagé pour apprendre à lire à sa fille. Ils tombèrent amoureux... et je suis né. Ma mère est morte en me mettant au monde, et son frère, mon oncle, a tué mon père.

Le silence se fit aussi épais que le brouillard qui enveloppait le sommet de la colline. Alainna murmura quelques mots de compassion et s'appuya contre lui. La pierre se balança doucement, mais Sébastien ne l'arrêta pas.

— La famille de ma mère ne voulait pas d'un bâtard. Dès que je fus sevré, la nourrice me laissa à la porte du monastère. Elle avait d'autres enfants et ne pouvait pas nourrir une bouche supplémentaire. Elle avoua au prêtre que cet abandon lui avait brisé le cœur et qu'elle s'inquiétait pour moi.

— C'était une brave femme.

— Sans doute. Quand j'étais enfant, je rêvais d'une petite femme aux yeux bruns qui chantait en me berçant. Je me demandais alors qui elle pouvait être, puisque la seule famille que je connaissais était les moines.

— Vous vous la rappeliez sûrement.

— Peut-être. Les moines étaient bons pour tous les garçons dont ils avaient la charge, mais ils nous donnaient une éducation stricte. Peu de jeu, beaucoup de prière et d'étude. Bref, de quoi faire un bon moine, mais je n'avais pas la vocation. L'abbé Philippe retrouva la famille de mon père en Angleterre. Durant l'année de mes onze ans, un cousin vint me chercher au monastère et m'emmena chez lui.

— Vous avez donc de la famille.

— Certes. Mais aucun de ses membres ne tenait à me fréquenter, et je compris vite que je ne devais rien attendre d'eux. On me trouva un coin dans les écuries, ce qui me permit de me familiariser avec le dressage des chevaux. Puis un autre chevalier me prit dans sa maison. J'y suis devenu page, écuyer, puis chevalier. Messire Richard était un homme bon. Il m'a donné mes chances.

— Tout ça est loin du monastère breton.

— D'un certain côté, oui. J'ai appris jeune à me débrouiller seul dans le monde. Je voulais avoir ce que possédaient les autres chevaliers : un nom, de la fortune, une terre, une famille. J'étais décidé à les obtenir. Pourtant, je reste un solitaire. Aux yeux du monde, je suis un homme actif, mais au fond, je demeure un contemplatif.

— Voilà donc votre histoire, commenta-t-elle, songeuse.

— Une partie, en tout cas. Et vous ? Quelle est votre histoire ?

— La mienne n'est pas intéressante, et vous la

connaissez presque en entier. J'ai toujours vécu à Kinlochan, entourée de ma famille. J'ai mené une vie d'autant plus protégée que mon clan était menacé.

Lorsqu'elle se leva pour ranger le reste de nourriture, la pierre se balança sous lui comme un bateau sur l'eau. Il l'immobilisa de nouveau avec le pied.

— Quelle étrange pierre, dit-il en glissant la main sur la surface dure et froide.

— Certaines personnes y viennent encore, en quête de prédictions.

— Dis-moi, pierre, va-t-il neiger ? demanda-t-il en se levant à son tour.

Alainna rit d'un rire cristallin. Il toucha doucement le rocher.

— Nord-sud, annonça-t-il.

— Tôt ou tard, il neigera. Pas la peine de le demander à la pierre.

Il posa le pied sur le rocher pour l'arrêter.

— La mystérieuse Esa consentira-t-elle à revenir avec nous ?

Alainna rit de nouveau.

— Je crois connaître la réponse, dit-elle.

— Vous, taisez-vous.

Elle gloussa. Il toucha la pierre, et le balancement reprit.

— Nord-sud, dit-il. Esa viendra avec nous.

— J'aurais pu vous le dire.

— Qu'ai-je besoin d'une pierre de justice, alors que j'ai dame Alainna ?

Elle sourit de plus belle.

— Demandez quelque chose que vous ne pouvez pas savoir, suggéra-t-elle.

— Alainna trouvera-t-elle le guerrier celte qu'elle désire ?

Elle lui fit une grimace. Il se pencha et toucha

la pierre, qui se balança du nord au sud. Un frisson le parcourut.

— Ah, murmura-t-il, déçu. Vous serez exaucée, semble-t-il.

— À mon tour, dit-elle, consternée. Sébastien rencontrera-t-il une belle Bretonne ? demanda-t-elle en tournant autour du rocher.

La pierre se mit à bouger.

— Est-ouest, déclara-t-elle. Aucune chance. J'aurais dû demander si vous alliez rencontrer une belle Française.

— Sans doute, murmura-t-il.

— Sébastien trouvera-t-il une maison pour son âme errante ?

Il s'immobilisa. Alainna toucha le rocher, qui ondula doucement.

— Nord-sud, annonça-t-elle en le regardant. Vous trouverez ce que vous cherchez.

— Vraiment ?

Il la fixa longuement, puis arrêta la pierre avec le pied.

— La pierre de justice ne se trompe jamais, décréta-t-elle.

Il contourna la pierre pour la rejoindre, se baissant au passage pour ramasser le ballot d'Alainna. En se redressant, il l'entendit s'écrier :

— Regardez !

Quelques flocons de neige tombaient lentement. Il étendit la main pour les recueillir et les lui montra.

— La pierre avait raison, dit-elle gaiement.

Il sourit, heureux de la voir joyeuse. Elle était si fraîche et jolie qu'il sentit son cœur s'emballer. Il épousseta la neige qui saupoudrait ses cheveux roux et effleura sa pommette, où scintillaient quelques flocons.

— Il y a encore une question que je voudrais poser, dit-il à mi-voix.

— Laquelle ?

— Alainna m'embrassera-t-elle ? demanda-t-il en lui caressant la joue.

Pour toute réponse, elle ferma les yeux, et il posa la bouche sur la sienne. La neige dansait autour de leurs visages, l'air était froid, mais leurs lèvres créaient un cercle de chaleur. Il n'aurait pas dû céder à l'attirance qu'elle exerçait sur lui, mais il était incapable de lui résister. Il intensifia son baiser.

Peu après, elle s'écarta de lui, trop vite.

— Vous n'avez pas touché la pierre pour connaître la réponse, dit-elle.

— Je ne voulais pas le lui demander.

Il lui remonta son tartan sur la tête pour la protéger de la neige.

— C'est à vous que je l'ai demandé, ajouta-t-il en jetant son ballot sur l'épaule. Où se trouve la maison de votre parente ? Je ne serais pas mécontent de me réchauffer à un bon feu.

— Vous avez raison. Ne restons pas dans ce vent, acquiesça-t-elle.

— J'aimerais vous réchauffer jusqu'à ce que vous soyez en feu.

Elle ne répondit rien, mais il vit ses yeux briller de désir.

— Mais ce ne serait pas sage, reprit-il en détournant les yeux. Ce que nous venons de faire ne l'était pas non plus.

— Doit-on toujours être sage ? Si c'était idiot, les idiots sont plus heureux que les sages.

— Les idiots ont leur propre forme de sagesse. C'est par ici ? demanda-t-il en se retournant.

— Oui.

Passant en tête, elle entreprit de gravir la colline.

À travers le rideau de neige, Sébastien aperçut bientôt une maison en pierre avec un toit de chaume. Une fumée montait en spirale de la cheminée, et une lueur orange éclairait une des deux fenêtres.

Une chèvre vint à leur rencontre d'un pas tranquille, s'arrêta pour les regarder, puis s'en alla. La porte de la maison s'ouvrit, révélant la haute et mince silhouette d'une femme.

— Alainna ? C'est toi ?

La femme sortit et la chèvre se glissa à l'intérieur.

— Esa ! s'exclama Alainna en se précipitant vers sa parente.

Sébastien se tint en retrait tandis qu'elles s'embrassaient. Puis Esa se tourna vers lui en souriant, et il resta abasourdi.

Elle était d'une beauté saisissante. Ses cheveux châtains étaient mêlés de fils d'argent, et elle était vêtue d'une simple robe de lainage brun-roux et d'un tartan *arisaid* bleu. Elle se déplaçait avec la grâce d'un cygne. Son visage était d'une parfaite symétrie, son sourire charmant, et ses yeux bruns surmontés de cils épais étaient à la fois brillants et chaleureux.

Il vit tout cela d'un seul coup. Il lut aussi de la bonté et de la tristesse dans ses yeux magnifiques, de la fragilité dans la courbe gracieuse de son cou et de la détermination dans ses épaules droites. Il l'aima tout de suite et comprit pourquoi les hommes de Kinlochan étaient amoureux d'elle.

— Dame Esa, dit-il en s'inclinant, je suis très honoré de faire votre connaissance.

— Je suis heureuse de vous accueillir chez moi, messire, répondit-elle d'une voix basse et mélodieuse.

— Esa MacLaren, je te présente Sébastien Le Bret, dit Alainna.

Il jeta un regard à la jeune fille et lui sourit. Elle était d'une beauté flamboyante, qui contrastait avec la sombre élégance d'Esa. La neige tourbillonnait autour d'eux, mais il sentait à peine le froid.

— Entrez, dit Esa. Je peux vous offrir de la bouillie d'avoine chaude, un bon feu et une paillasse pour cette nuit, car la neige tombe de plus en plus fort. J'espère que vous n'êtes pas montés jusqu'ici pour me demander de retourner à Kinlochan avec vous.

Une fois dans la petite maison avec Esa, Alainna chassa la chèvre, puis elle s'adressa à Sébastien avec un grand sourire :

— Pourriez-vous l'emmener dehors ? Il y a de l'herbe pour elle contre la maison. Et prenez aussi le mouton, ajouta-t-elle en lui montrant une grosse brebis.

Sébastien fit de son mieux pour diriger les bêtes vers le lieu indiqué. Contre le mur de pierre s'élevait un minuscule monticule où poussaient de l'herbe et de la bruyère brunies par l'hiver. Le mouton se mit aussitôt à brouter, mais la chèvre tournait en cercle autour de Sébastien, en le fixant de ses étranges yeux dorés. Il réussit à la chasser et regagna la maison.

Comme il baissait la tête pour franchir le seuil, il vit les deux femmes s'embrasser. Alainna murmurait quelque chose à Esa. Celle-ci eut un hoquet et étreignit sa cousine, puis elle s'écarta, les joues mouillées de larmes.

— Au lever du jour, nous retournerons à Kinlochan, annonça-t-elle d'un ton décidé.

18

Le feu rougeoyait et crachait des étincelles comme autant de lucioles. Alainna cligna des yeux. Elle avait l'impression que le sol en terre battue et les chevrons du toit bougeaient, de même que la table, les bancs et le métier à tisser. Elle n'aurait pas dû boire autant de bière.

Esa et Sébastien se tenaient à côté de l'énorme métier qui occupait le centre de l'unique pièce. Les rouges et les verts profonds du tissage étaient rehaussés par la lueur du feu. Autour d'elle, toutes les couleurs lui paraissaient lumineuses. Les cheveux de Sébastien étaient comme de l'or en fusion, ses yeux comme de l'argent. Il ressemblait au guerrier doré de son rêve, se dit-elle. Mais il refusait de jouer ce rôle pour elle.

En se rappelant le contact de ses bras autour d'elle et de ses lèvres sur les siennes, elle soupira. Elle le regarda parler avec Esa, mais la pièce tournait de plus belle. Pour tenter de la stabiliser, elle posa une main sur le sol, à côté de la paillasse sur laquelle elle était assise.

— Peu importe que la neige nous ait retenus ici, dit Sébastien. Alainna est sur le point de s'endormir. Jamais elle n'aurait pu reprendre le chemin de Kinlochan.

— Si, protesta Alainna en se pelotonnant à côté du foyer.

Le feu était si bon, et la paillasse sous elle – deux épais tartans sur une couche de bruyère et de paille – était aussi confortable que son matelas de plumes. Elle posa la tête sur ses bras.

— S'il le fallait, je dévalerais ces collines plus vite que vous, dit-elle.

— Je n'en doute pas, gloussa-t-il.

Il vint s'agenouiller à côté d'elle et la couvrit d'un troisième tartan.

— Maintenant, reposez-vous, ordonna-t-il.

— Fais ce qu'il te dit, ajouta Esa. Repose-toi. La nuit sera longue et calme, avec la neige qui tombe à gros flocons. Si elle n'est pas trop profonde, nous pourrons rejoindre Kinlochan demain. Mais nous devrons emmener la chèvre et la brebis. Je ne veux pas les laisser ici.

Alainna bâilla et se roula en boule.

— Dormez, dit Sébastien en écartant des mèches de cheveux de son visage.

Sous cette caresse, elle ferma les yeux. Il lui étreignit brièvement l'épaule, puis il se redressa. Elle l'entendit de nouveau chuchoter avec Esa.

— Je remarque que vous portez un tartan de ma fabrication, dit sa cousine. Mais vous ne l'avez pas drapé comme un *breacan*.

— Je ne suis pas un homme des Highlands, murmura-t-il.

— Vous me rappelez un Highlander. Vous ressemblez à mon Ruari *Mor*.

Alainna leva la tête. Depuis qu'Esa avait appris que Ruari était vivant, elle semblait avoir rajeuni de dix ans, et les ombres avaient disparu de son visage.

— J'ai entendu dire que votre mari était un grand guerrier.

— Un grand homme. Courageux et bon. Beau et fort. Vous êtes blond, et il... était brun aux yeux bleus. Mais vous me faites penser à lui. Une douceur sous une grande force. Rares sont les hommes qui possèdent cette qualité. Chez les meilleurs, elle brille comme de l'or.

— Je vous remercie de ce beau compliment, dit Sébastien en inclinant la tête. Mais s'il y a de l'or en moi, c'est la lumière dont vous rayonnez toutes deux qui le fait briller.

Esa rit de bon cœur.

— Décidément, vous ressemblez beaucoup à mon Ruari, déclara-t-elle. Si vous l'aviez connu, vous seriez vite devenus amis.

Alainna les écoutait parler et rire. À voir Sébastien sous le charme d'Esa, elle éprouvait une pointe de jalousie. Sa cousine, qui était bonne et charitable, n'était pas comme elle affligée d'un orgueil démesuré.

Esa avait donné son cœur à Ruari. Le croyant parti pour toujours, elle s'était retirée dans la solitude. Leur amour était rare et beau, et à la pensée de leur bonheur retrouvé, Alainna sentit les larmes lui monter aux yeux.

— Regardez, dit Esa, Alainna s'est endormie. Je comptais partager mon lit avec elle et vous offrir cette paillasse près du feu, mais nous n'allons pas la réveiller pour la changer de place.

— Je peux dormir n'importe où.

— Couchez-vous à côté d'elle, à proximité de l'âtre.

Étonnée, Alainna entrouvrit les yeux.

— Vous allez bientôt cohabiter, poursuivit Esa. Notre coutume autorise les promis à dormir ensemble. Quand la jeune fille est enroulée dans des couvertures, comme l'est Alainna, ils partagent parfois le même lit.

— Ce n'est pas... commença Sébastien.

— J'ai bien remarqué la façon dont vous vous regardez, coupa Esa.

Les yeux maintenant clos, Alainna attendait, le cœur battant. La réponse de Sébastien dut être muette, car elle entendit Esa traverser la pièce. Puis, après un bonsoir à l'adresse du chevalier, elle fit glisser les anneaux métalliques du rideau qui séparait son lit du reste de la pièce.

Couchée sur le flanc face au feu, Alainna guetta

les mouvements de Sébastien. Il enleva ses bottes, puis il s'agenouilla à côté d'elle et s'allongea en se couvrant d'un tartan.

Elle entendait son souffle régulier et sentait sa main posée contre son dos, tel un pont entre leurs deux corps.

Le feu craquait, le vent tourbillonnait, ils respiraient à l'unisson. Sa force sereine l'enveloppait comme un manteau confortable.

Enfin, il bougea la main. Elle sentit ses doigts monter le long de son dos, puis descendre. Son cœur battit plus fort. Elle se mit à trembler, mais sa réaction n'avait plus rien à voir avec la bière qu'elle avait ingurgitée. Une envie presque douloureuse de se blottir dans ses bras s'empara d'elle.

À présent, il caressait la masse de ses cheveux retenus par une lanière. Puis il posa de nouveau la main contre son dos.

Le sommeil la fuyait. Elle changea de position pour s'allonger sur le dos, tourna la tête et ouvrit les yeux.

Il l'observait. La lueur du feu accusait les traits de son visage et donnait à ses yeux la couleur de l'argent. Son souffle s'accéléra.

Il lui toucha le menton du bout des doigts et se pencha sur elle. Lorsqu'elle leva la tête, il l'embrassa, sans hâte ni fièvre. Sa barbe était piquante, mais sa bouche douce comme de la soie.

La chaleur de son baiser l'enflamma. Elle buvait ce feu impalpable à ses lèvres et s'épanouissait tout entière, corps et âme.

Il glissa les doigts sur sa joue, son cou et son épaule, puis s'arrêta sur son sein. Elle ne fit pas un geste, redoutant que tout mouvement ne rompît ce charme inexprimable.

Comme elle relevait la tête pour prolonger leur baiser, elle sentit sa main lui caresser le sein. D'exquis frissons la parcoururent.

Ses doigts trouvèrent un mamelon, puis l'autre, déclenchant en elle des sensations si merveilleuses qu'elle s'entendit haleter. Il l'embrassa plus intensément et laissa sa main descendre sur son ventre, suivre la courbe de sa hanche. Elle retint son souffle et se pressa contre lui, en feu. Tout son corps le réclamait.

Elle enfouit la main dans son épaisse chevelure, jusqu'à la nuque, puis plus bas encore. Son corps était ferme et chaud sous sa tunique. Après une vague hésitation, elle explora les courbes de son dos et de sa hanche, puis le contour de sa cuisse musclée.

Soudain, il interrompit leur baiser.

— Seigneur, non, pas maintenant, souffla-t-il. Pas maintenant...

— Pourquoi ? protesta-t-elle.

— Tournez-vous, reprit-il en roulant lui-même sur le dos.

Elle obéit et se coucha sur le flanc, puis elle ferma les yeux, blessée et frustrée.

Un moment passa, puis il l'enlaça, en guise d'excuse muette. Elle resta de marbre. Mais, bien que chaste, cette étreinte n'en était pas moins réconfortante, et elle se détendit peu à peu, avant de succomber au sommeil.

Pendant le trajet du retour, le lendemain, Alainna fut la plus silencieuse des trois. Malgré le fin manteau de neige, la descente fut beaucoup plus rapide que l'ascension. La brebis et la chèvre suivaient tant bien que mal. Esa était tout sourires, et Alainna savait que c'était la pensée de revoir

Ruari qui sublimait sa beauté et la rendait d'humeur si joyeuse.

Sébastien discutait avec Esa, mais Alainna ne se mêlait guère à leur bavardage. Dès qu'il la touchait – pour l'aider à franchir un passage rocheux, pour remonter son tartan qui avait glissé – son cœur s'emballait.

Lorsqu'ils furent enfin assis dans la grande salle de Kinlochan, Alainna put assister à l'accueil chaleureux que les siens réservèrent à Esa. Ils invitèrent Sébastien à partager leur souper et le remercièrent d'avoir contribué au retour de leur parente. Alainna souriait et partageait leur joie, mais une part d'elle-même restait mélancolique.

La cérémonie qui devait l'unir à Sébastien était imminente. On avait déjà tué du gibier pour le banquet. Quant à Lorne, il avait gardé le lit toute la journée pour se remémorer les meilleurs contes qu'il connaissait.

Alainna était affolée par ce qui l'attendait – cette cohabitation pouvait se révéler exaltante ou catastrophique – mais elle n'avait personne à qui confier ses peurs et ses espoirs.

Cependant, avant toute chose, elle devait accomplir une tâche en secret pour Ruari et Esa.

— Aenghus MacOg, dieu de l'amour et de la jeunesse, commença Lorne, après s'être assis à côté de l'âtre, tomba un jour amoureux d'une vierge. Et lorsque le dieu de l'amour cède à une inclination, l'union des âmes est d'une force exceptionnelle.

À mesure que Lorne parlait, Alainna traduisait à mi-voix pour les chevaliers. Ceux-ci avaient pris l'habitude de s'asseoir près d'elle, afin de profiter des contes du soir.

Comme toujours, Sébastien s'était installé à

l'écart. Elle tourna les yeux vers lui et rougit en découvrant que son regard était posé sur elle.

— Aenghus vit cette ravissante vierge en rêve. Elle lui apparaissait constamment, douce et exquise. Parfois, elle lui jouait de la harpe. Il était fou d'amour pour elle, mais il ne savait où la trouver. Il la chercha inlassablement et apprit enfin qu'elle était fille de roi, s'appelait Caer et vivait sur un loch avec d'autres vierges. Il s'y précipita.

« Arrivé à destination, Aenghus vit trois groupes de cinquante cygnes blancs qui nageaient sur le loch. Caer était du nombre, et son père dit à Aenghus qu'elle était ensorcelée. S'il parvenait à la reconnaître, elle serait à lui. Il la reconnut aussitôt.

« Caer était le cygne le plus beau, le plus gracieux et du blanc le plus pur. Il l'appela, et Caer nagea vers lui. Mais elle ne pouvait pas lui appartenir, car il avait l'apparence d'un homme et elle d'un oiseau. Alors, pour elle, il se transforma en cygne.

« Ils s'élevèrent ensemble dans le ciel, unis par une chaîne d'or, et rejoignirent la forteresse d'Aenghus, où ils vécurent heureux pour toujours. Chaque année, ils redevenaient cygnes ensemble.

Comme Alainna achevait de traduire, une phrase lui revint en mémoire. *Pour elle, il se transforma en cygne...* Elle avait demandé à Sébastien de se transformer pour elle en guerrier celte et de prendre son nom. Il avait refusé. Fermant les yeux, elle émit le souhait qu'ils fussent tous les deux comme les cygnes du conte.

Lorsqu'elle rouvrit les yeux, elle croisa son regard et sut qu'il avait compris comme elle l'histoire d'Aenghus et de Caer.

Plus tard, lorsque tout le monde fut endormi, Giric emmena Alainna et Esa dans l'île. Une brume épaisse et glacée recouvrait le loch.

Ruari les attendait sur le rivage, haute silhouette se fondant dans le brouillard. Lorsque le bateau toucha la plage de galets, Giric en descendit et le tira sur la grève.

De son banc, Alainna regarda Esa se lever et enjamber le rebord de la barque.

Elle se planta, mince et gracieuse, devant l'homme sur la plage. Ruari lui tendit la main. Elle la prit dans les siennes et la porta à son visage.

Elle lui toucha la joue, les cheveux, la poitrine, puis elle rit, d'un rire argentin, et se jeta dans ses bras.

Les yeux pleins de larmes, Alainna détourna la tête.

Giric s'assit à côté d'elle et reprit la rame.

— Je reviendrai avant l'aube pour la ramener à Kinlochan, dit-il. Et chaque nuit, pendant que Ruari restera caché ici, je conduirai Esa sur l'île.

Incapable de prononcer un mot, tant elle avait la gorge serrée, Alainna approuva d'un hochement de tête. Refoulant ses larmes, elle remonta son tartan sur sa tête, tandis que le bateau retraversait le loch.

L'amour de Ruari et d'Esa était profond et fort, et elle rêvait de connaître une telle passion.

Ce qu'elle éprouvait pour Sébastien était du même ordre, et elle était persuadée qu'elle ne lui était pas indifférente.

Restait à faire grandir ce qui existait. Mais l'orgueil les séparait. Cette barrière pourrait-elle jamais être renversée ? se demanda-t-elle.

Elle se retourna une dernière fois. Ruari et Esa avaient disparu dans la brume.

19

Lorsque Sébastien traversa la cour en direction de l'atelier d'Alainna, de gros flocons paresseux tourbillonnèrent autour de lui. Il baissa la tête, regrettant d'avoir laissé sa cape dans la grande salle.

Depuis leur retour avec Esa, il l'avait aperçue ici et là, se rendant à la cuisine, transportant un seau d'eau ou sortant de la salle tandis qu'il y entrait. Ils n'avaient échangé que de brefs saluts, et elle n'était même pas venue souper, la veille. Una lui avait dit qu'elle était occupée à sculpter.

Sans elle, la salle paraissait froide et sombre. Sans l'écho de sa douce voix traduisant les histoires pour les chevaliers, même les contes de Lorne semblaient ternes. Aux yeux de Sébastien, Alainna était l'âme de Kinlochan.

Il rentrait de ses exercices matinaux et était décidé à la trouver pour discuter de Kinlochan et de ses tenants – bien qu'en réalité il voulût simplement la voir. Ils allaient être unis le lendemain, la veille de Noël, et cette pensée ne le quittait pas.

En outre, il désirait éclaircir certaines questions avec elle avant d'aller chez Cormac MacNechtan. Or il tenait à se rendre à Turroch avant le Nouvel An.

Sébastien brossa les flocons qui se détachaient, énormes, sur les manches de sa tunique. En quelques enjambées, il se retrouva au milieu de la cour. En entendant quelqu'un l'appeler, il se retourna.

Debout dans l'embrasure de la porte de la cuisine, Una lui fit signe de venir, et il la rejoignit.

— Entrez, Sébastien *Bàn*, dit-elle en le tirant par

la manche. J'ai à vous parler. La neige est légère, hein ?

— Je crains qu'elle ne s'épaississe, répondit-il en gaélique.

— Possible.

Elle se dirigea vers le large foyer de pierre. Plusieurs galettes d'avoine cuisaient sur une plaque. À l'aide d'une spatule en bois, elle en retourna quelques-unes.

— Grâce à certains augures – oiseaux, ombres, vent, nuages... et les os de mon mari – je sais le temps qu'il fera.

— Que vouliez-vous me dire, dame Una ?

Il huma le parfum des gâteaux qui cuisaient et les saveurs qui se dégageaient de la marmite en train de bouillonner sur le feu. Longue et basse, la cuisine était le seul bâtiment de la forteresse construit en pierres et couvert d'un toit d'ardoise, afin de limiter les risques d'incendie. Une grossière table en chêne en occupait le centre. Des bouquets d'herbes et des bottes d'oignons pendaient des poutres. Des paniers de pommes et de carottes, ainsi que des sacs d'avoine, étaient alignés le long d'un mur.

— Je veux vous donner un cadeau, dit Una en faisant glisser sur la table les galettes brûlantes. Une cuisine n'est pas un lieu pour un guerrier, je le sais, mais j'ai pensé que vous auriez peut-être faim. Je vous ai vu tout à l'heure près de la colonne, tel un guerrier protégeant notre Vierge.

Elle sourit en branlant légèrement du chef.

— Je m'exerce à l'épée tous les matins, dit-il. Et je protégerais volontiers votre Vierge de pierre, si elle était réelle.

— Elle l'est.

— Vous voulez parler d'Alainna ?

— Des deux. Tenez, mangez. Elles sont faites

avec du miel et du sel. Vous avez besoin de vous nourrir.

Sébastien prit docilement la galette et mordit dedans. C'était chaud et délicieux. Il déglutit et accepta la coupe de bière que lui tendait Una.

— Comment la Vierge de pierre peut-elle être réelle ? demanda-t-il.

— Elle est enfermée dans la colonne. Elle veille sur nous. Les fées lui ont jeté un sort, mais elle sera bientôt libre.

— Alainna m'a raconté son histoire.

— Je tiens à vous remercier d'aller tous les matins protéger notre Vierge. Elle vous en est reconnaissante. Les sept cents ans étant près de s'achever, il se peut que sa force décline. Prenez ce cadeau, Sébastien *Bàn*.

Elle lui tendit un tartan d'un beau vert profond, tissé de fils noirs et rouges.

— C'est trop, protesta-t-il. Je ne peux pas...

— Tss tss, fit-elle en le drapant sur son épaule gauche. Vous avez fait beaucoup pour nous. Et vous devez avoir froid dans vos habits normands. Il a été tissé par notre Esa avec de la laine filée par les femmes de Kinlochan. Il vous tiendra aussi chaud que si vous restiez près de notre feu.

Elle lui tapota la poitrine en souriant, et Sébastien sentit son cœur fondre au contact de ce geste tendre.

— C'est un beau vêtement, en vérité, dit-il. Et un beau cadeau.

— Puisse-t-il vous apporter joie et protection.

Elle s'interrompit, les lèvres tremblantes, et lui tendit une longue épingle métallique entortillée à une extrémité.

— Drapez-le à la manière des Highlanders, ajouta-t-elle. Vous portez merveilleusement bien le *breacan*.

— Mais je ne suis pas un Highlander.

— Vous l'êtes de cœur, répliqua-t-elle en le poussant vers la porte. Allez trouver Alainna. Elle travaille, ce matin.

— Encore ?

— Elle sculpte le jour, la nuit et même le dimanche. Parlez-lui. Dites-lui qu'elle travaille trop et qu'elle ne se repose pas assez. Dites-lui que vous voulez la voir rire dans la grande salle avec nous.

— Je doute qu'elle m'écoute.

— *Ach*, elle vous écoutera. Après tout, vous avez été envoyé ici pour protéger la Vierge.

— La Vierge de pierre ou celle de Kinlochan ? demanda-t-il en ouvrant la porte.

— Les deux.

Sébastien traversa la cour en souriant. À mi-chemin, il s'arrêta pour draper le tartan sur ses épaules à la manière d'une cape et le referma sur son torse avec l'épingle. Protégé du vent par l'épais lainage, il reprit sa marche sous la neige.

— Ce n'est pas comme ça qu'on porte le tartan, lança une voix d'homme.

Sébastien tourna la tête et vit Lorne venir vers lui. La longue chevelure du vieillard semblait plus blanche que la neige et ses yeux étaient d'un bleu perçant. Il tenait une longue épée à la main, ce qui étonna Sébastien, qui savait que le barde n'était pas un guerrier.

— Désirez-vous que je vous montre une nouvelle fois comment on met le *breacan* ? demanda Lorne.

— Ce n'est pas la peine, je m'en souviens, répondit Sébastien en secouant la tête. Una vient de me donner ce tartan, et je suis honoré de ce présent. Mais, étant breton de naissance, je ne suis pas sûr de vouloir le porter à la manière des Highlanders.

— Ce tartan appartenait à notre fils.

— Le mari de Morag ? Je ne savais pas...

217

— Peu importe. Portez-le comme lui, avec courage et grâce. Il ne lui est plus d'aucune utilité, et ça ne servirait à rien de le garder dans un coffre avec du myrte pour éloigner les insectes. Una a eu raison de vous l'offrir.

— Vous devriez le donner à un Highlander.

— Nous avons des tartans à revendre dans ce clan, Sébastien *Bàn*, parce que nous avons perdu beaucoup d'hommes. Les femmes en ont des coffres pleins. Mettez-le, et qu'il vous porte chance, conclut Lorne en lui tapotant l'épaule.

— Je vous remercie.

— Je voulais aussi vous donner ça, dit le vieillard en lui présentant l'épée. Prenez-la. C'est ce que nous appelons une *claidheamh mor*, une grande épée. Une épée de Highlander.

Sébastien examina la large lame à deux tranchants, la poignée gainée de cuir, le cuivre travaillé de la garde.

— C'est une arme magnifique, mais je ne peux pas accepter un tel...

— Mes parents et moi, nous tenons à ce que vous l'ayez. Nous en avons parlé ensemble, avec Lulach et Niall, Donal et Aenghus. Nous vous avons vu vous exercer à l'épée, presque tous les matins, près de notre Vierge de pierre. Vous avez beaucoup d'adresse et une grande force. Il vous faut une épée comme celle-ci.

Sébastien la souleva. La claymore était beaucoup plus longue et plus lourde que son épée, mais parfaitement équilibrée.

— Je me suis déjà servi d'épées à deux mains, mais celle-ci est encore plus longue et plus haute que certains hommes de ma connaissance.

— Vous êtes grand vous-même et saurez en faire bon usage.

Lorne reprit l'arme et en posa la pointe contre le sol.

— Le pommeau doit arriver sous le menton, dit-il, avant de la rendre à Sébastien.

— Manier une telle arme sera un véritable défi, car elle est beaucoup plus lourde que celle dont je me sers d'habitude.

— Vous vous entraînerez et vous la maîtriserez. Nous vous montrerons comment faire – ou plutôt mes parents, car je ne touche pas aux armes de guerre. Cela ne convient pas à un barde. En tout cas, c'est une bonne épée, elle vous protégera et vous aidera à défendre Kinlochan.

Sébastien la tint à l'horizontale et passa les doigts sur la rainure ondulée qui étincelait sur toute la longueur de la lame.

— Je vous remercie infiniment, dit-il. C'est très généreux à vous de me donner cette épée et le tartan.

— Ils appartenaient à un puissant guerrier. Ils ont retrouvé un propriétaire digne du premier.

— Votre fils ?

Lorne acquiesça d'un hochement de tête.

— Si les feuilles de la forêt étaient en or et l'écume de la mer en argent, le grand héros Fionn MacCumhaill aurait tout distribué. Alors, qui sommes-nous pour garder ce que nous avons ? Vous avez été envoyé ici pour protéger ce clan, et vous nous apportez aide et espoir. Nous tenons à vous en remercier.

Sébastien détourna les yeux, ne sachant comment répondre à la confiance que ce clan mettait en lui.

— J'apprécie ces présents, Lorne MacLaren, et j'essaierai de leur faire honneur, bien que je sois un chevalier breton et non un guerrier celte.

— Peu importe qui vous êtes. Vous êtes le bienvenu ici.

— J'aimerais moi aussi vous donner quelque chose pour fêter Noël, dit Sébastien, la gorge serrée.

— En épousant notre Alainna, en battant le clan Nechtan, en engendrant des fils pour le clan Laren et en devenant notre chef, vous nous donnerez plus que vous ne croyez, déclara le vieillard en souriant.

— Lorne, je ne suis pas décidé à m'installer à Kinlochan, répondit Sébastien en le regardant droit dans les yeux. Vous le savez.

— Quelle qu'elle soit, votre décision sera celle d'un homme d'honneur, répliqua le vieillard, sans cesser de sourire.

— L'honneur est chose fragile, murmura Sébastien, répétant les propos d'Una.

— C'est vrai. Mais nous pensons que vous apporterez des changements positifs à Kinlochan.

— Alainna ne veut rien changer.

— Elle croit qu'il est de son devoir de protéger nos traditions. Elle a grandi au milieu de la guerre, et son père, sur son lit de mort, lui a demandé de préserver le clan, notre héritage, nos vies, notre avenir. Elle le lui a promis. Elle était bien jeune pour faire une telle promesse, mais elle est capable de la tenir.

— Je le sais. Et je comprends maintenant qu'elle ressent le déclin de son clan comme un échec personnel, en tant que chef et en tant que fille. Mais elle n'est pas responsable de ce qui arrive à son clan.

— Je le lui ai dit, mais elle est têtue. Parlez-lui, Sébastien *Bàn*. Vous pouvez lui démontrer que tout changement n'est pas synonyme d'échec.

— Elle refuse toute influence normande. Je ne suis même pas arrivé à la convaincre d'obliger ses fermiers à ramasser du fourrage pour permettre aux chevaux et au bétail de passer l'hiver ! Alainna y voit une coutume normande, alors que c'est du simple bon sens.

— Eh bien, faites-en une coutume écossaise. Une coutume de Kinlochan.

Ils traversèrent la cour en silence. Sébastien s'arrêta devant la porte de l'atelier d'Alainna et se prépara à frapper.

— Stop, fit Lorne. Attendez. Ne l'interrompons pas.

Ils entendirent la voix d'Alainna, qui dominait le vent :

> *Pitié pour ceux qui sont partis,*
> *Hommes vaillants*
> *Belles épouses,*
> *Pitié pour ceux qui sont partis,*
> *Hommes forts,*
> *Douces épouses.*

Par la fenêtre, Sébastien aperçut Alainna penchée sur son bloc de pierre, le dos et les bras en mouvement, perdue dans son travail et sa mélodie. Puis il regarda Lorne et vit que les yeux du vieillard s'étaient embués, tandis que la voix continuait à chanter :

> *Viendra la paix, viendra la joie,*
> *Le courage et la bonté.*
> *La vie ne nous est pas cruelle.*
> *Protège-nous, conduis-nous au port.*

Elle cessa de chanter, et Sébastien entendit le raclement du métal sur la pierre.

— Pourquoi chante-t-elle ? demanda-t-il à Lorne.

— Les femmes chantent en tissant, les bergers chantent, les marins chantent, les mères chantent, les amants chantent. Nous sommes une race de poètes et de chanteurs autant que de guerriers. Celui-ci est un chant particulier, qui ne doit pas être interrompu.

Le chant reprit, avec les mêmes mots dits d'une voix douce.

— Elle rappelle l'âme, dit Lorne.

— Laquelle ? Celle de son père ?

— L'âme de notre clan.

Sébastien hocha pensivement la tête. Il se souvenait de ce qu'Alainna lui avait dit, lorsqu'ils se trouvaient près de la Vierge de pierre. L'angoisse de voir bientôt cesser la protection du clan perçait dans sa voix.

— Elle rappelle l'âme de son clan, avant qu'il ne s'évanouisse dans la nuit des temps. C'est une très ancienne incantation.

— Cela peut-il se réaliser ?

— Ce chant est une prière. Une supplication. C'est comme si elle s'agenouillait dans une église. Elle demande l'aide de Dieu pour son clan. Et je crois que vous faites partie de la réponse de Dieu, conclut Lorne en lui tapant sur l'épaule.

Une fois seul, Sébastien resta un long moment devant la porte. Lorsque Alainna eut fini de chanter, il leva la main pour frapper.

Mais quelque chose le retint. Il demeura là, vêtu d'un tartan écossais et d'une tunique bretonne, et se sentit soudain parfaitement déplacé. Il n'était qu'un étranger à Kinlochan. Et même s'il apprenait à draper son tartan et à manier la claymore comme un vrai Highlander, il serait toujours un étranger.

Il pouvait écouter leurs légendes, parler leur langue, boire leur eau-de-vie, chasser dans leurs collines, leur construire un château, et même

222

épouser leur chef, mais pourrait-il jamais devenir l'un des leurs ?

Il appuya la main contre la porte. Il était sur le point de posséder tout ce dont il avait rêvé : foyer, héritage, amour. Pourtant, il était incapable de faire le dernier pas. Car la vie qu'il s'était imaginée était ailleurs, au-delà de la vaste mer.

Il ferma les yeux, sachant qu'il s'efforcerait de protéger ce clan, de préserver ses membres et leur mode de vie.

Alainna recommença à chanter, et Sébastien s'éloigna. Sa voix le suivit, aussi pure et belle que les flocons de neige qui tourbillonnaient autour de lui.

20

— *Ach*, Morag, lui as-tu frotté les cheveux pour en enlever la poussière de pierre ? demanda Una en s'écartant du brasero, une serviette dans les mains. T'es-tu servie du savon à la lavande qui vient de France ?

— Oui, oui, dit Morag, en renversant un seau d'eau tiède sur la tête d'Alainna.

Comme l'eau savonneuse tombait en cascade sur elle, la jeune fille enfouit le visage dans ses genoux.

Ses parentes ne lui avaient pas laissé le temps de dire ouf. Elles l'avaient arrachée à son atelier, où elle travaillait depuis l'aube. Conduite dans sa chambre à coucher par ses servantes improvisées, elle avait été jetée dans un baquet d'eau chaude et lavée comme une enfant.

— Morag a utilisé tout le savon, grommela

Beitris en soulevant le pot vide. Et tous les pétales de rose séchés.

— Le jour de son mariage, une mariée mérite ce qu'il y a de mieux, dit Esa, occupée à recoudre la robe de laine bleu foncé d'Alainna. Et un mariage la veille de Noël nous portera chance, ajouta-t-elle avec un sourire.

— Pas un mariage, intervint Alainna en crachotant sous un nouveau flot d'eau. Je ne suis pas une mariée.

— Mais si, rétorqua Morag. Je t'ai observée avec ton Sébastien. Il y a plus entre vous qu'un ordre royal, j'en suis sûre.

— Il n'y a qu'une commune volonté d'obéir. Aucun de nous deux ne souhaite cette union.

— Le désir de cet homme crève les yeux, dit Beitris. Et comme la cohabitation dure un an et un jour, nous aurons un vrai mariage à Noël prochain. Voilà qui portera vraiment chance à tout le clan !

Alainna fronça les sourcils, tandis que Morag lui essorait les cheveux.

— Quelle idée de ne pas dormir la veille de ton mariage ! Tu as les cheveux pleins de poussière et d'éclats de pierre. Et des cernes sous les yeux.

— J'ai beaucoup de travail.

— Et surtout beaucoup de rêves sur le beau mari que tu vas épouser aujourd'hui.

— Ce n'est pas un mariage, insista Alainna.

— Mariage ou pas, il faut que nous nous dépêchions. Il y a beaucoup à faire, dit Una. Esa répare l'accroc au bas de ta belle robe. Mettre ce jour-là un vêtement usé ou abîmé porterait malheur. Et notre clan doit éviter tout mauvais présage. Cette année, Noël nous promet du bonheur, ajouta-t-elle en lui tendant la serviette.

Alainna se leva et s'enveloppa dans le linge, puis

elle sortit du baquet et se sécha les cheveux avec une autre serviette.

— Cohabitation ou mariage, c'est tout comme, pour moi, dit Beitris. Lulach et moi avons cohabité pendant une année. C'était un bon début pour nous, comme ce le sera pour vous.

— Peut-être ne voulons-nous pas d'un bon début, rétorqua Alainna.

Tandis que Morag lui passait par la tête une fine chemise de lin, elle laissa tomber la serviette mouillée et l'écarta d'un coup de pied, puis elle s'assit sur un tabouret pour enfiler le pantalon de laine que lui tendait Una.

— Accepte donc ce mariage, fit celle-ci, les mains sur les hanches.

— C'est aussi ce que Sébastien me dit, répondit-elle, en nouant des rubans au-dessus de ses genoux pour maintenir le pantalon en place.

— Il est aussi sage que beau et courageux, et tu devrais l'écouter, dit Esa. Il sera un bon mari.

— Il ne sera peut-être jamais un mari. Il compte m'abandonner pour retourner en Bretagne dès qu'il le pourra.

— Il n'a pas le droit de te quitter avant un an et un jour ! s'exclama Una, indignée. Tu ne le lui as pas dit ?

— Je l'ignorais. Que veux-tu dire ?

Elle leva les bras pour enfiler la tunique de laine brune que lui tendait Una. Morag la fit pivoter sur elle-même et se mit à démêler ses cheveux mouillés.

— Pendant cette période d'essai, l'homme et la femme ne peuvent pas être séparés plus de trois nuits, sinon l'union est considérée comme nulle, dit Morag.

Alainna parut surprise.

— S'il va en Angleterre et qu'il ne t'emmène pas

avec lui, l'union ne sera plus valable, reprit sa cousine. S'il va n'importe où – même à la chasse ou à la cour du roi – et qu'il reste éloigné de toi plus de trois nuits, elle sera annulée, de même le contrat que vous aurez signé. Le père Padruig ne te l'a pas dit ?

— Il a seulement dit que s'il assistait à l'échange des vœux, ce serait un mariage. C'est pourquoi il ne viendra que pour le banquet, mais pas pour la cérémonie.

— Si ton chevalier part en Bretagne, il devra t'emmener, dit Morag en passant le peigne dans l'épaisse chevelure mouillée d'Alainna.

— Je ne quitterai pas Kinlochan, et il ne restera pas ici. Il a un jeune fils en Bretagne, qui vit avec... des amis qui ont eu des ennuis, dernièrement. Et Sébastien est inquiet.

— Un fils ! s'exclama Una. Tu vois, la chance nous sourit déjà ! Il y aura bientôt un enfant à Kinlochan !

— Sébastien veut laisser l'enfant dans son pays. À cause de lui, il ne peut pas rester en Écosse. Quant à moi, je ne partirai pas d'ici.

— *Ach*, fit Una en secouant la tête. Quel orgueil !

— Il doit bien y avoir une solution, déclara Morag.

— Demande à ton chevalier de t'emmener en Bretagne, dit Una.

— Il ne reviendra pas avant longtemps.

— Beitris, prends la tunique d'Alainna et secoue-la par la fenêtre, ordonna Una. Elle est pleine de poussière. Et il faudra aussi nettoyer ses chaussures. Nous avons les fleurs pour ses cheveux ? Il y a tellement à faire et si peu de temps !

— Calme-toi, Una, dit Morag. Mairi est dans la cuisine, et Beitris et moi irons bientôt l'aider. Nous avons fait sécher des brins de bruyère pour lui confectionner une couronne. Mais il nous faut davantage de genièvre pour décorer la salle et pour en brûler afin de chasser le malheur. Alainna pourra aller en chercher quand ses cheveux seront secs.

Beitris ouvrit la fenêtre et agita la tunique comme une bannière.

— Regardez ! s'exclama-t-elle. Un heureux présage pour le mariage !

— Ce n'est pas un mariage, marmonna Alainna.

— Voyons... fit Una en s'approchant de la fenêtre. Ah, c'est un bon signe, en effet.

Esa posa son ouvrage et la suivit.

— Qu'est-ce que c'est ? demanda Morag, en les rejoignant devant l'étroite ouverture qui éclairait la petite chambre d'Alainna.

— On dirait Aenghus MacOg ou quelque héros de légende, dit Beitris avec admiration.

— C'est vrai, approuva Morag.

— Qu'est-ce que vous regardez ? demanda Alainna en continuant à se peigner.

— Ton homme, dit Una. Viens voir.

Alainna s'approcha à son tour de la fenêtre. Au-delà de la palissade, dans le pré de la Vierge de pierre, Sébastien contournait la colonne en maniant la claymore. Ses cheveux brillaient comme de l'or, et son épée étincelait dans la lumière du matin.

— C'est un heureux présage de voir le marié veiller sur notre Vierge le matin de son mariage. Le matin de son union, corrigea aussitôt Beitris.

Alainna regarda Sébastien tourner autour de la Vierge comme pour la protéger. Il brandit son épée face à la pierre, l'acier resplendissant au soleil, puis il l'abaissa et se retourna pour ramasser sa cape et son bouclier bleu. À cette distance, elle devinait à peine le symbole qui était dessiné dessus, mais elle aurait pu le reproduire les yeux fermés : la flèche blanche sur fond azur qu'elle avait vue en rêve, alors qu'elle ne connaissait pas encore Sébastien Le Bret.

Le guerrier doré de ses rêves existait bel et bien. Il s'approchait de Kinlochan pour s'unir à elle. Un frisson la parcourut, et son cœur se mit à battre plus vite.

Soudain, elle souhaita ardemment qu'il reste toujours avec elle, qu'il prenne son nom et qu'il adopte son clan. Par bien des aspects, il était le champion de son rêve.

Mais il refusait de l'être. Il serait ravi d'apprendre que son voyage en Bretagne annulerait leur union.

Elle s'écarta de la fenêtre en soupirant.

Sébastien attendait au milieu de la salle. Derrière lui, le feu crépitait, lui chauffant le dos et les jambes. Il portait sur sa tunique brune son surcot vert foncé brodé d'argent et avait jeté le tartan vert foncé sur ses épaules. Il s'éclaircit la gorge.

L'assemblée formait un large cercle autour de lui. Soudain, la porte s'ouvrit, et Alainna entra, seule, dans la robe bleu nuit qu'elle avait arborée pour son audience avec le roi. Ses cheveux flamboyants lui tombaient jusqu'à la taille. Elle ne portait pas de tartan, de sorte que la ligne élégante de sa robe mettait sa silhouette en valeur dans les moindres détails. Sous l'étroite guirlande de bruyère qui lui couronnait la tête, ses yeux étaient d'un bleu étincelant.

Elle s'avança, puis tourna trois fois autour de Sébastien, avant de s'arrêter devant lui.

Il tendit les mains et elle lui donna les siennes, main gauche dans main gauche, main droite dans main droite, de sorte que leurs bras se croisèrent. Ils restèrent ainsi, les yeux dans les yeux. Les mains d'Alainna étaient douces mais fermes dans les siennes. Il resserra son étreinte, et elle lui répondit par une brève pression.

Fermant les yeux, il se rappela le poème que lui avait appris Lorne, mais lorsqu'il regarda de nouveau Alainna, éblouissante dans la lumière de l'âtre, il oublia tout ce qu'il avait prévu de dire.

Elle inspira profondément et commença :

> En été, tu es une ombre,
> En hiver, tu es un abri,
> Un roc,
> Une forteresse,
> Un bouclier.
> Je te chéris,
> Je t'aide,
> Je t'étreins,
> Je te jure fidélité.

— Je te prends pour conjoint, Sébastien Le Bret, poursuivit-elle en lui serrant les mains de ses doigts tremblants, dans la paix, la joie et l'espérance.

Il savait ce qu'il devait répondre, mais jusqu'à cet instant, il n'avait pas pensé le dire avec autant de conviction.

— Je te prends pour conjointe, Alainna Mac-Laren, dans la paix, la joie et l'espérance.

Le poème qui lui vint à l'esprit n'était pas celui que Lorne lui avait appris, le matin même, mais un autre que le barde avait récité, quelques jours auparavant. Il ferma les yeux et se jeta à l'eau.

> J'ai trouvé dans le jardin
> Mon joyau, mon amour.
> Son œil est une étoile,

Sa bouche une baie,
Sa voix une harpe.
J'ai trouvé dans la prairie
La vierge aux yeux clairs.
Son œil est une étoile
Sa joue une rose
Son baiser du miel.

Lorsqu'il eut fini, elle avait les yeux pleins de larmes. Il l'attira à lui.

— Voilà, chuchota-t-il. C'est fait.

Elle leva le visage vers lui, et il l'embrassa, conscient que ce baiser de paix marquait un tournant dans sa vie.

21

Un tintement argentin résonna dans la grande salle. Sébastien, qui était en train de parler avec Robert, leva les yeux, mais il ne vit que les têtes, les épaules et les dos de ses voisins. Soulevant sa coupe de bois, il but une gorgée d'eau-de-vie.

Les tables du banquet étaient encore couvertes de bols et de plats à moitié pleins, les convives n'ayant pu venir à bout du rôti de cerf, du ragoût de mouton, des galettes d'avoine, du fromage et des pommes. Des cruches de bière et de vin épicé, ainsi que des outres d'*uisge beatha*, s'offraient ici et là aux assoiffés.

Contrairement aux autres, Sébastien n'avait pas beaucoup mangé. Quant à Alainna, assise entre lui et Giric, elle avait à peine touché aux mets. Certains Highlanders et chevaliers étaient encore à table, tandis que d'autres avaient pris place sur les tabourets ou à même le sol pour écouter le conteur.

Le tintement reprit. Les bavardages se turent, et Sébastien leva de nouveau les yeux. Cette fois, il vit Lorne traverser la salle. Ses cheveux se répandaient sur ses épaules comme une coulée de neige. Il tenait à la main une branche de pommier à laquelle pendaient, attachés par des fils de couleur, des clochettes d'argent, des perles de cristal, des glands et des noisettes. Il secouait la branche en cadence, produisant un son musical.

À l'arrivée de Lorne, Alainna quitta la table, tira une chaise près du feu et versa de la bière dans une coupe d'argent qu'elle laissa sur un tabouret. Puis elle alla se rasseoir entre Giric et Sébastien, qui l'interrogea du regard.

— Que fait-il ?

Elle se pencha vers lui.

— Il porte la branche d'argent, honneur réservé aux bardes qui pratiquent depuis au moins neuf ans, chuchota-t-elle. Lorne est plus qu'un conteur. C'est un *fili* qualifié, un maître poète. Il a appris son art dans une école de bardes des Highlands occidentales, dont les traditions remontent à l'ancienne Irlande. Dans sa jeunesse, il a étudié pendant neuf ans pour être admis dans le *filidh*.

Sébastien hocha la tête.

Lorne fit le tour de l'âtre en secouant la branche. La musique emplit la salle. Le barde s'assit, posa la branche sur le tabouret à côté de lui et but une gorgée de bière. Ensuite, il balaya la salle d'un regard circulaire, son profil d'aigle éclairé par les flammes.

Sébastien sentait la fièvre monter dans le public. Les uns après les autres, les auditeurs se penchèrent en avant, impatients d'entendre l'histoire. Le vieillard reprit la branche, la souleva et l'abaissa en cadence, produisant un air léger. Puis il s'arrêta et le son argentin mourut.

Alainna était serrée entre Giric et Sébastien. Ce dernier se tourna pour lui laisser plus de place, et elle se retrouva pressée contre sa poitrine. Conscient qu'il lui aurait suffi d'un geste pour l'entourer de son bras, il s'immobilisa et fixa le regard sur Lorne.

— Il y a bien bien longtemps, commença le barde, dans la nuit des temps, un guerrier appelé Conall des Victoires partit pour l'ouest avec quatre camarades. Ils aperçurent une belle île verdoyante qui scintillait au milieu de l'eau, prirent un bateau et voguèrent vers l'aventure.

« Le roi de l'île avait une ravissante fille, qu'il avait enfermée dans une tour d'argent, avec une porte de bronze et un toit de plumes blanches. Cette tour reposait sur de hautes colonnes. Le roi dit à Conall que celui qui parviendrait à délivrer la princesse l'épouserait et hériterait de l'île verdoyante à la mort du vieux roi.

Robert, Hugo et les autres étaient suspendus aux lèvres d'Alainna, qui traduisait en anglais le récit de Lorne. Sébastien écoutait en même temps Lorne et la traductrice. La vibration de sa voix et la chaleur de son corps si proche le pénétraient comme un vin capiteux. Il ferma les yeux.

Il n'aurait su dire si la paix qui l'habitait était due à l'écho de ces deux voix superbes, à la douce pression de son corps contre le sien ou à l'atmosphère recueillie de la pièce.

— Après que tous les guerriers eurent essayé en vain, Conall poussa de toutes ses forces et abattit les colonnes qui soutenaient la tour, poursuivit Lorne. La princesse tomba dans ses bras. Et l'amour envahit le cœur de Conall...

Sébastien ouvrit les yeux. Il connaissait bien ce

sentiment. Il croisa le regard d'Alainna, qui marqua une pause dans sa traduction, comme si elle partageait ses pensées.

— Mais Conall savait que son compagnon MacMorna était aussi amoureux de la princesse de la tour d'argent. Et Conall aimait son ami, car il était un ami selon son cœur. Celui qui épouserait la princesse devrait rester à jamais sur l'île verdoyante. MacMorna était prêt à mener une existence paisible, mais Conall était affamé d'aventures.

« Alors, il se retourna et déposa la jeune fille dans les bras de son ami. Et Conall dit au roi que MacMorna avait abattu les colonnes et gagné la princesse...

Quelque chose se contracta dans la poitrine de Sébastien. Il ne pouvait pas envisager une seconde de céder Alainna à un autre homme.

À présent, il comprenait combien il la désirait et quel imbécile il avait été de songer à la quitter. Ils s'unissaient parce que le roi le leur avait ordonné, mais des liens plus profonds s'étaient tissés entre eux... des liens que leur orgueil risquait de briser.

Lorne et Alainna se turent, et le son délicat de la branche d'argent se fit de nouveau entendre. Alainna lui sourit.

— C'est mon conte préféré, dit-elle.

— Une merveilleuse histoire, murmura-t-il, heureux de ne pas s'être assis à sa place habituelle, heureux aussi de s'être uni à elle, même si ce n'était que pour peu de temps.

— Le prêtre est ivre, annonça Una.

Alainna se pencha pour examiner le père Padruig, qui était assis à gauche de Sébastien.

— Déjà ? s'étonna Niall. D'habitude, il attend la fin des histoires. Hé, Padruig, donnez-moi ça.

Il arracha l'outre de la main du prêtre et la porta avidement à sa bouche.

— Voilà, ajouta-t-il en la reposant. Ça fera ça de moins.

— Il n'est là que depuis quelques heures, et il est déjà abruti par la boisson, dit Una en les regardant tous deux avec dégoût.

— Je ne suis pas abruti, répliqua le père Padruig avec indignation. Et mon ami Niall le Manchot m'a raconté la cérémonie. *Ach !* Je suis malheureux de l'avoir ratée ! Niall m'a dit que c'était tellement beau qu'il en avait eu les larmes aux yeux.

— Exact, confirma Niall. Et si vous y aviez assisté, ç'aurait été un mariage.

Les deux hommes s'étranglèrent de rire.

— Celui-là n'est pas ivre, reprit Una en montrant Sébastien du doigt. Pourtant, il a bu de l'eau-de-vie. Mais vous, un prêtre !

— Je suis un bon prêtre.

— C'est vrai, approuva Niall. Comment se fait-il que ce chevalier ne soit pas ivre, s'il n'a jamais bu que des vins français et de la bière anglaise ?

— J'ai été élevé au vin breton, qu'on doit boire appuyé à un mur, dit Sébastien.

Il regarda Alainna, les yeux pétillants, et elle lui sourit, amusée.

— Quand vous irez là-bas, rapportez-nous-en, demanda Niall.

— Il ne peut pas y aller avant un an, répliqua Padruig en prenant l'outre de la main de Niall. Il ne peut aller nulle part pendant un an et un jour, à moins d'emmener Alainna avec lui. Et elle ne partira pas de Kinlochan !

— De quoi parle-t-il ? demanda Sébastien à l'adresse d'Alainna.

— Il nous rappelle que si vous me quittez trois

nuits de suite, notre union sera annulée, dit-elle en baissant les yeux.

— Annulée ?

— Comme si rien n'avait eu lieu.

Il la regarda, incrédule, puis fronça les sourcils en faisant tourner nerveusement sa coupe à moitié vide entre ses doigts.

— Je l'ignorais moi-même jusqu'à aujourd'hui, reprit-elle. Mais j'ai pensé que la nouvelle vous ferait plaisir. Puisqu'il faut que vous partiez, de toute façon... finit-elle dans un murmure.

Sébastien resta muet. Incapable de deviner ce que cachait son silence, Alainna se demanda si cette révélation le satisfaisait ou pas.

— Le contrat de mariage que j'ai rédigé pour vous est à présent signé et parfaitement valable, dit le père Padruig à Sébastien, mais il ne prendra toute sa valeur que quand les noces auront été célébrées. Veillez donc à ne jamais partir sans Alainna !

— Alainna ne quittera pas Kinlochan, déclara Niall. Elle ressemble trop à Esa, sa parente. Toutes deux possèdent l'amour de leur terre natale enraciné au plus profond d'elles-mêmes.

— Que me reste-t-il d'autre à apprendre ? Y a-t-il encore des clauses de notre union que j'ignore ? demanda enfin Sébastien d'un ton morne.

Alainna lui lança un regard pénétrant.

— Coucher ensemble vaut mariage, dit Padruig. L'union charnelle est ce qui fait le mariage aux yeux de Dieu, sinon de l'Église.

— Ça, je le sais, gronda Sébastien.

— Pour le prêtre que je suis, une union charnelle est un mariage, que les vœux aient été rompus ou non, insista le père Padruig, l'air sévère. La cohabitation est permise par l'ancienne loi celte, mais l'Église de Rome ne reconnaît pas ce genre d'union.

Toutefois, d'après la coutume, si vous laissez Alainna seule pendant plus de trois jours, elle ne sera plus votre conjointe.

— Et toute la belle poésie que vous avez récitée pendant la cérémonie sera perdue, gémit Niall.

Le prêtre lui tendit l'outre.

Sébastien tournait et retournait sa coupe dans sa main, sans regarder Alainna.

Par-delà tous les vœux, prononcés ou rompus, l'union charnelle valait mariage, se répétait-elle. S'ils cédaient à la tentation, ils seraient définitivement mariés au regard de Dieu. Elle leva les yeux vers Sébastien, mais il l'ignora.

— Alors, réfléchissez, dit le père Padruig. Une cohabitation ne doit pas être prise à la légère.

— Je sais, père.

— Vous n'avez qu'à obéir aux ordres du roi, dit Niall. Où est le problème ? L'affaire est entendue. Conformément aux souhaits du roi – et aux nôtres – vous trouverez paix et bonheur dans les bras l'un de l'autre.

Sébastien fronça les sourcils. Alainna se détourna, les joues en feu.

Giric et Lulach s'assirent à table, de part et d'autre de Niall. Peu avant, elle les avait vus rire avec Robert et d'autres chevaliers normands. À présent, la salle avait retrouvé le silence, car Lorne avait appuyé sa harpe contre sa cuisse et commençait à jouer une douce mélodie. Un coude sur la table, Alainna se détendit et écouta la musique. Elle bâilla.

— Bientôt au lit, hein ? fit Lulach avec un clin d'œil.

— Je n'ai pas beaucoup dormi la nuit dernière, répondit-elle en rougissant. J'ai travaillé tard à mes sculptures.

— Plus de ça, hein, Sébastien ? gloussa Niall.

Sébastien ne répliqua rien, mais il croisa les bras et se tourna vers Giric.

— Demain ou après-demain, si le temps le permet, dit-il, je prendrai quelques hommes pour explorer le nord-ouest de Kinlochan.

— Pour délimiter la fin de nos terres ? demanda Giric.

— Oui, et pour chercher les rebelles. Un des fermiers que j'ai rencontrés l'autre jour m'a dit avoir vu, il y a peu, un homme caché dans une grotte, par là-bas. Il pensait que c'était sans doute un des rebelles celtes. L'homme qui s'est battu contre les loups pourrait en faire partie, puisque ni Alainna ni toi ne l'avez reconnu. Les rebelles doivent chercher le soutien des Highlanders de cette région.

Alainna s'éclaircit la voix.

— Le clan Laren ne soutient pas la cause des MacWilliam, déclara-t-elle. Je parle en tant que chef de mon clan.

— Mais des rumeurs courent. Il y a au moins un rebelle dans les environs. D'après le fermier, les MacWilliam reviendraient d'Irlande un à un.

— Je l'ai entendu dire, moi aussi, intervint le père Padruig. Ils arrivent un à un, pour préparer le retour des autres et rallier des partisans à leur cause.

En songeant à Ruari, caché sur la petite île, Alainna se mordit la lèvre. Si les siens découvraient la vérité, soutiendraient-ils l'époux d'Esa ou le livreraient-ils à la couronne ?

— Ruari MacWilliam est mort, affirma Giric. Les rebelles n'ont donc plus de chef en Écosse.

— S'il était vivant, il viendrait ici, dit Niall. Je me demande si les siens cherchent du soutien dans notre région.

— En tout cas, ils n'en trouveront pas ici, intervint Lulach. Nous n'avons jamais soutenu la cause de Ruari, mais nous l'aurions protégé, car il était notre parent par alliance.

— Taisez-vous donc, ordonna Alainna. Ne parlez pas de Ruari devant Esa.

Assise avec Una, Morag, Beitris et Mairi, la femme muette de Niall, Esa rayonnait de bonheur.

— S'il était ici, l'aideriez-vous ? demanda Sébastien.

Alainna joignit les mains sous la table, soulagée que Sébastien ne la regarde pas à cet instant.

— Ruari *Mor* était un grand homme, répondit Lulach, un puissant guerrier et un homme qui aurait dû être roi, si les rois étaient choisis pour leur valeur et leur force. Je n'aurais pas hésité à l'aider et à le défendre, si l'occasion s'en était présentée. Mais je ne soutiendrai jamais la cause des rebelles.

— Moi aussi, je l'aimais, dit Niall. Il avait un cœur et une fierté de lion. Mais les autres membres de son clan sont colériques et orgueilleux, et je ne les estime pas.

Alainna croisa le regard sombre de Giric. À côté d'elle, Sébastien fronçait les sourcils.

— Je ne serais pas étonné que le clan Nechtan complote avec les MacWilliam, reprit Lulach.

— Dans sa lettre à la couronne, Cormac proteste de sa loyauté, dit Sébastien à l'adresse de Padruig. Est-ce vous qui l'avez écrite ?

— Oui, répondit le père. Il affirme être loyal au roi, en effet. En tant que prêtre et grand-père de son fils, je ne peux pas en dire plus.

— À votre tête, on voit ce que vous en pensez, lança Niall. Vous ne feriez pas beaucoup d'efforts pour défendre cet homme.

Pour toute réponse, Padruig empoigna l'outre, but une gorgée d'eau-de-vie et s'essuya la bouche.

Alainna était mal à l'aise. Dès qu'on prononçait

les noms de Ruari ou de Cormac, son cœur bondissait. Elle ne pouvait pas croire que Ruari était revenu dans la région pour demander le soutien de son ennemi.

— Regardez, dit Niall. Voilà les femmes qui arrivent, Una en tête. Elles pensent sûrement qu'il est temps pour ces deux-là de s'unir.

Alainna entendit Una et Beitris rire. Elle se retourna et vit plusieurs de ses parentes s'approcher de leur table. La plupart arboraient de grands sourires. Esa était du nombre, grande et digne.

— Il reste encore le coucher de la promise, et il se fait tard, dit Una, qui portait deux tartans pliés dans les bras. Levez-vous, tous les deux !

Sébastien s'exécuta, et Alainna l'imita.

— Pour une cohabitation, le coucher n'est pas le même que pour un mariage, expliqua Beitris à Sébastien.

Elle prit les tartans des mains d'Una et en tendit un à chacun des promis.

— Nous ne vous escorterons pas à la chambre avec des chants et des bénédictions comme pour un mariage. Vous devez sortir et vous trouver un endroit discret dans un autre bâtiment.

— Ou en haut, dans la chambre d'Alainna, ajouta Morag avec un petit sourire. Nous ferons semblant de ne pas vous voir.

— On ne vous suivra pas, promit Una. On respectera votre intimité.

Les rires fusèrent autour d'eux. Mais Alainna était incapable de sourire. Elle était écarlate. À sa grande surprise, elle constata que Sébastien avait rougi, lui aussi. Le tartan dans les bras, il paraissait embarrassé.

— Nous ne vous suivrons pas, en effet, intervint Lorne. Mais nous vous donnerons un *seun*, une bénédiction. Venez par ici.

Alainna et Sébastien s'approchèrent du barde, tandis que les autres restaient en retrait, formant un large cercle autour d'eux.

Lorne leva une main. Un fil rouge auquel étaient noués de petits cristaux pendait de ses doigts. Il le secoua légèrement pour le faire tinter et étinceler.

Le barde tourna ensuite autour du couple, en agitant le fil à un rythme lent. Tout en marchant, il récitait une bénédiction. Alainna ferma les yeux.

> *Soyez le chemin pour l'autre,*
> *Soyez l'étoile pour l'autre,*
> *Soyez l'œil pour l'autre,*
> *Soyez le soleil et la lune pour l'autre,*
> *Soyez la grâce et la paix pour l'autre,*
> *Soyez le bouclier et la force pour l'autre.*

Il continua de secouer le fil de cristaux et de tourner autour d'eux.

> *Chaque jour soyez joyeux,*
> *Ne soyez jamais tristes,*
> *Tous les jours soyez bénis,*
> *Et ayez longue vie et prospérité.*

Lorne s'immobilisa et les cristaux se turent. Alainna sentait à ses côtés la chaleur de Sébastien, son corps solide comme un roc, comme une forteresse.

Le silence se prolongea dans l'assemblée. Alainna ouvrit les yeux et vit les siens, qui formaient un cercle affectueux autour d'elle et de Sébastien. Lorne s'était mêlé à eux. Conscients qu'ils assistaient à quelque chose de sacré, les chevaliers étaient graves et respectueux.

Elle regarda Sébastien. La lumière dansante du feu sculptait son profil. Puis il se tourna vers elle et lui adressa un signe de tête pour lui indiquer qu'il était temps de quitter la salle.

Elle se dirigea vers la porte. La foule s'ouvrit pour les laisser passer.

22

Dans la cour éclairée par les étoiles, leurs souffles formaient des nuages dans l'air glacé. Alainna et Sébastien marchaient côte à côte, escortés par les accords légers de Lorne.

— Nous pouvons aller ici, dit-elle, comme ils approchaient de son atelier.

Elle ouvrit la porte et entra. Sébastien la suivit et dut baisser la tête pour passer sous le linteau.

La pièce était froide et sombre, et les sculptures sur les bancs et l'établi évoquaient des fantômes. Une faible lueur rouge émanait du brasero au centre de la pièce. Alainna s'en approcha, ses pas crissant sur les éclats de pierre. Elle saisit un tisonnier métallique et se pencha pour attiser les braises. Après avoir ajouté quelques morceaux de tourbe, elle s'essuya les mains et se retourna, indécise.

Sébastien traversa la pièce, prit une chandelle sur une étagère et s'accroupit pour l'allumer au brasero. En se redressant, la chandelle à la main et le tartan sous le bras, il haussa les sourcils.

— Nous allons dormir ici ?

— J'y ai déjà passé beaucoup de nuits, dit-elle en serrant son tartan contre sa poitrine. Pour l'instant, il fait froid, mais ça va vite se réchauffer.

Il embrassa la pièce du regard : sol jonché

d'éclats de pierre, bancs et établi chargés de sculptures et de pierres grossièrement taillées, étagères pleines d'instruments de fer et de bois, le tout recouvert d'une couche de poussière.

— Douillet, commenta-t-il.

Alainna rit et étala son tartan sur une longue dalle de grès rose placée sur trois solides tréteaux, dont l'une des extrémités était légèrement plus élevée que l'autre. Sébastien jeta son tartan à côté du sien et posa la chandelle sur un coin de la pierre.

— Si vous êtes fatigué et que vous ne souhaitez pas aller coucher dans la grande salle, vous pouvez dormir ici, dit-elle en caressant la dalle. Ce n'est pas un lit très séduisant, je sais, mais...

Il passa les doigts sur la surface granuleuse. Une bordure de cercles entrelacés avait été gravée en creux, mais le reste de la pierre était vierge.

— S'agit-il d'un autre de vos projets ? demanda-t-il.

— Non. Malcolm avait commencé à la sculpter. C'est la dernière des pierres de grès rose qu'il a apportées ici, il y a plusieurs années. Les autres ont servi pour les tombes que vous avez vues dans l'église. J'espère ne jamais avoir à terminer celle-ci.

— Finalement, je crois que je me contenterai de la paillasse du chien près du brasero.

— Si vous aimez la compagnie des puces, dit-elle, amusée.

— Et si je retournais dans la salle, où pourrais-je dormir ?

— Il vous serait difficile de prendre une couche à côté des autres chevaliers, à présent...

— C'est vrai.

Il croisa les bras et s'appuya contre la pierre.

— Vous ne voulez pas que nous vivions comme

mari et femme ? demanda-t-il. C'est la coutume, non ?

— Les couples qui cohabitent jouissent des mêmes privilèges que les gens mariés, dit-elle, imitant sa pose. Mais ils sont en général amoureux et désireux de se marier. Ils vivent ensemble jusqu'à ce qu'ils trouvent un prêtre. C'est pourquoi la période a été étendue à un an et un jour. Nous avons la chance d'avoir un prêtre près de Kinlochan, ce qui n'est pas le cas dans le reste des Highlands.

— Ah, bon... Mais les vœux que nous avons prononcés peuvent être rompus, n'est-ce pas, même si la cohabitation équivaut à un mariage au regard de Dieu ?

— D'après notre coutume, c'est possible. Les miens pensent que nous... nous consommerons notre union. Ils croient que nous ne cohabitons qu'à cause de Cormac, mais ils désirent nous voir mariés et veulent que vous acceptiez de prendre notre nom et de le donner à nos enfants.

— Cela m'est impossible, murmura-t-il.

— Ils s'y attendent, pourtant. Ils ont du mal à croire qu'on puisse refuser notre nom ou quitter Kinlochan.

— C'est un endroit superbe et un beau nom. Mais mes attaches sont en Bretagne, comme les vôtres sont ici.

— Vous pourriez ramener votre fils ici, dans votre nouveau foyer.

— Mon foyer, répéta-t-il, comme s'il n'avait jamais entendu ce mot.

— Les miens pensent que vous allez rester ici pour battre le clan Nechtan et reconstruire le clan Laren. Ils veulent voir en vous non seulement un champion envoyé par le roi, mais un chef.

— Leur chef, c'est vous, pas moi.

— À présent, ils croient en vous, leur guerrier doré.

Regrettant d'avoir exprimé ses propres pensées, elle se mordit la lèvre.

— Leur quoi ?

— Leur héros. Vous leur avez prouvé votre valeur. Ce n'est pas un lit confortable, dit-elle en dépliant les tartans, mais vous pouvez y dormir, si vous voulez.

— Et vous ?

— Je ne suis pas fatiguée. J'ai du travail.

— Je vous connais sans doute moins bien qu'un mari ne connaît sa femme, mais vous me semblez épuisée. Vous avez la voix rauque et des cernes sous les yeux. Vous avez besoin de repos.

— Mon travail me détend. Après une telle journée, je suis à bout. Je me reposerai plus tard.

— Ici ? fit-il en tapant sur la pierre. Il n'y a pas de lit digne de ce nom, dans cette pièce. Et demain, et les jours suivants ?

— Je partagerai ma chambre avec vous, mais pas mon lit. Seuls vous et moi serons au courant.

— Vous êtes prête à tout pour faire plaisir aux vôtres, n'est-ce pas ? dit-il en hochant la tête.

— Ils ont déjà essuyé tellement de déceptions, tellement de pertes... Je ne peux pas leur dire que nous ne voulons pas de cette union.

— Les années ont certes affaibli les membres de votre clan, Alainna, mais ils restent solides et sages. Ils ne sont pas aussi vulnérables que vous le dites. Il n'y a pas de raison de leur cacher la vérité.

— Si. Votre arrivée ici et notre union leur ont donné espoir et joie. Je l'ai vu ce soir, à leurs visages, à leurs rires. Je ne peux pas leur enlever ça. Pas tout de suite.

Elle voulut s'écarter, mais il la retint par l'épaule.

— Vous les aimez tellement, murmura-t-il, que

vous leur laisserez croire que nous vivons comme mari et femme. Est-ce par respect pour eux, Alainna, ou pour ne pas affronter la vérité ?

— La vérité, c'est que nous nous prêtons à ce jeu dans le seul but d'obtenir de l'aide pour Kinlochan... et pour que la terre vous soit octroyée.

— Je ne suis pas venu que pour la terre.

— Pourquoi, alors ?

— Pour vous. Je suis venu pour vous.

Un frisson la parcourut, et elle le regarda, conquise par la sincérité qu'elle entendait dans sa voix.

— Je vous ai vue parler au roi, dit Sébastien. J'ai lu votre fierté et votre désespoir dans vos yeux. Il était clair que vous aimiez votre peuple et que vous aviez terriblement besoin d'un champion. Je suis venu pour vous aider.

— Je vous en suis reconnaissante. Mais vos seules vertus chevaleresques ne sauveront pas Kinlochan.

— Vous avez une piètre opinion de la courtoisie, je le sais. Pourtant, en ce moment, qu'est-ce qui vous protège, sinon ma courtoisie et mon sens de l'honneur ?

— Comment ça ? fit-elle en se libérant de son étreinte.

— Ma courtoisie préservera votre virginité, cette nuit, sur ce lit de pierre. Et plus tard dans votre propre lit. Si je n'étais pas courtois de nature, je pourrais porter atteinte à votre vertu, gente dame.

— Je connais votre courtoisie, et je vous invite dans ma chambre, mais pas dans mon lit.

— Je m'en contenterai, dit-il d'une voix neutre.

Elle aurait voulu savoir ce qui se cachait derrière ce vernis de politesse, elle aurait voulu attiser le feu, la passion qu'elle devinait en lui. Mais ses paroles avaient dressé une barrière entre eux.

Sans un mot, elle prit la chandelle et la posa sur un banc où se trouvaient une pierre recouverte d'un linge et plusieurs outils. Puis elle enfila une tunique pour protéger sa robe, ramena la masse de ses cheveux sur une épaule et les natta en une longue tresse qu'elle rejeta en arrière.

Après avoir retiré le linge, elle choisit un ciseau et un maillet et se mit au travail. Mais la présence de Sébastien la troublait. Elle avait du mal à calmer les battements de son cœur et le tremblement de ses mains.

— Quelle est cette pierre ? demanda-t-il. C'est la première fois que je vous vois la travailler. Elle a une belle couleur. On dirait de la crème fraîche, ajouta-t-il en passant un doigt dessus. Et elle est lisse. C'est de la pierre à chaux ?

— De la pierre à chaux de Caen. Malcolm l'a rapportée de France, je crois.

— De Normandie. Caen est en Normandie. J'y suis allé moi-même, et j'ai entendu parler de sa fameuse pierre à chaux.

— Fameuse à juste titre, car elle est tendre et facile à travailler, mais suffisamment dure pour être polie comme du marbre. Elle obéit au contact le plus infime, à la main la plus douce.

— Une pierre qui vous correspond parfaitement.

— Je regrette de ne pas en posséder davantage, dit-elle en baissant les yeux, flattée par le compliment. Comme je n'ai que celle-ci, je tiens à sculpter quelque chose d'exceptionnel.

— Que représente cette scène ?

— Ce n'est qu'une ébauche, mais ici, il y a une tour avec une palissade, et à l'intérieur, un homme et une femme...

— Et à l'extérieur, des arbres, de l'eau et des oiseaux. Je vois. C'est Kinlochan ?

— Cette scène évoque un lieu légendaire appelé

Tir Tairngire, la Terre de la Promesse, ou *Tir na n'Og*, la Terre de l'Éternelle Jeunesse. Une île verdoyante à l'extrême ouest, où le coucher de soleil est comme de l'or en fusion sur une mer étincelante. Cette île comporte une tour dont les murs sont d'argent, la porte de bronze et le toit de plumes blanches.

— Vous êtes aussi poète que votre grand-oncle, dit-il en gaélique.

Elle se sentit rougir et frissonner.

— Le seigneur de cette île est le plus courageux des guerriers, et sa dame la plus gracieuse et la plus belle des femmes. Leur terre est riche, les collines sont couvertes d'arbres fruitiers, les rivières pleines de saumons et les arbres d'oiseaux.

— Le paradis.

— Le paradis, répéta-t-elle en suivant des doigts le motif de la bordure. Une terre de joie et d'espoir. Une terre où ni la vieillesse ni le chagrin n'existent. Ce n'est pas Kinlochan, conclut-elle, les larmes aux yeux.

— Vous souhaiteriez y vivre ?

— Qui ne souhaiterait vivre dans un paradis terrestre ? demanda-t-elle en se penchant pour choisir un autre ciseau.

— En effet.

Il resta à côté d'elle, à la regarder travailler. Au bout d'un moment, elle leva la tête.

— Au fait, Donal et Lulach ont demandé aux fermiers de Kinlochan une contribution en avoine et en orge pour vos chevaux. Avec ça, je pense que nous aurons assez de nourriture pour tout l'hiver.

— Bien. Cependant, l'année prochaine, il faudra veiller à rentrer du fourrage pour les bêtes.

L'année prochaine...

— C'est entendu.

— Puisque nous parlons de Kinlochan, je voulais

vous dire que je vous avais cherchée, le jour où le brouillard était si dense. Je croyais vous trouver ici ou avec Una et les autres femmes, mais personne ne vous avait vue.

— Ah, ce jour-là, souffla-t-elle, le cœur battant. J'étais... j'étais sortie de l'enceinte.

— Drôle de temps pour sortir. Ou pour faire du bateau.

— Du b... bateau ? répéta-t-elle en enfonçant le poinçon d'un coup de maillet.

— Finalement, je suis allé jusqu'à la Vierge de pierre et je vous ai aperçue au milieu du loch avec Finan.

Elle rata le poinçon et se donna un coup de maillet sur les doigts.

Grimaçant de douleur, elle laissa tomber ses outils et massa son pouce meurtri.

— Montrez-moi ça, dit Sébastien en lui prenant la main.

— Ce n'est rien.

Mais ses doigts étaient tièdes et forts, et elle se laissa faire.

— J'ai l'habitude, fit-elle en riant.

— Pitoyable habitude.

— Ça va passer, murmura-t-elle en essayant en vain de retirer sa main.

— Vous étiez sur le loch, reprit-il. Je me suis demandé pourquoi vous vous rendiez seule sur cette île par un temps pareil. Je m'apprêtais à vous y rejoindre, quand j'ai été appelé pour aider un de mes écuyers à tenir mon cheval pendant qu'on le ferrait. Quand j'ai voulu aller vous retrouver, Una m'a dit que vous étiez rentrée et que vous étiez dans votre chambre.

— Ah ah, fit-elle, ne sachant que répondre. Je... Quand j'étais petite, je pensais que cette île était *Tir na n'Og*. L'été surtout, au coucher du soleil, elle est magnifique, verte et luxuriante. J'y vais parfois chercher des pierres. La plupart de mes croix, je les ai sculptées dans des pierres trouvées là-bas.

— Par temps froid et brumeux, ce ne doit pas être le paradis.

— L'île est un... un lieu paisible, un refuge propice à la méditation et à la prière.

— Vous avez pris votre chien dans un petit bateau pour aller méditer et prier dans cette île ?

— Pour... pour méditer sur des œuvres de charité. Le brouillard et la brume, l'aube et le coucher du soleil sont considérés par les Celtes comme des moments mystiques, favorables au recueillement.

— Vraiment ? Et votre chien prie avec vous ?

— C'est un chien exceptionnel, dit-elle avec un sourire angélique.

— En effet.

Il libéra sa main et elle reprit ses outils.

— Pour ce qui est des œuvres de charité, ajouta-t-il, de mon point de vue, vous en accomplissez chaque jour ici. Si vous vous adonnez en plus à la prière et à la méditation, vous ne devez pas être loin de la béatification.

— Pas du tout ! fit-elle en s'arrêtant, le ciseau sur la pierre.

— Gente dame, si vous recherchez la solitude dans des lieux mystiques, vous seriez plus heureuse dans un couvent que mariée. D'ailleurs, à mon arrivée ici, vous ne me l'avez pas envoyé dire.

— C'était un accès de colère, messire, ce qui prouve que je ne suis ni une sainte ni une martyre, répliqua-t-elle, avant de se remettre au travail. Que voulez-vous dire exactement ? Vos insinuations me déroutent. Je suis habituée aux Highlanders, dont la franchise confine souvent à la brusquerie. Dites clairement ce que vous pensez.

Il fronça les sourcils et croisa les bras.

— Je peux très bien être brusque, si c'est ce que vous désirez. Ce que vous avez fait était dangereux et irresponsable. Et j'en viens à me demander s'il n'y aurait pas sur cette île quelque chose que vous souhaiteriez tenir secret.

Elle posa ses outils et essuya ses mains tremblantes sur son sarrau.

— J'aime être seule, voilà tout, dit-elle. Comme vous, messire.

— Étrange comportement, quand il y a des hommes cachés dans les collines, et sans doute ailleurs. Je ne voudrais pas qu'il vous arrive malheur.

— À Kinlochan, je n'ai rien à craindre.

— Je suis ici précisément pour veiller à votre sécurité et à celle de votre peuple.

— Autre chose, maintenant, et soyez franc, dit-elle, pressée de changer de sujet. Avez-vous toujours l'intention de quitter l'Écosse ?

— Absolument. Et je compte revenir de temps en temps pour m'assurer de votre bien-être. C'est le cas dans beaucoup de mariages.

— Vous voulez donc que nous restions mariés.

— C'est la volonté du roi.

— Un mariage où le chevalier fait ce qui lui plaît, s'exclama-t-elle, furieuse, cherchant l'aventure ici et là, s'appropriant des terres et s'enrichissant, tandis que sa femme l'attend, enfermée dans une tour, à élever seule leurs enfants ! Mieux vaudrait ne jamais se marier !

— Quel genre de mariage désirez-vous, alors ? demanda-t-il en la saisissant par les bras.

Elle posa les mains sur son torse et sentit les battements désordonnés de son cœur sous ses paumes.

— Le genre pratiqué dans les Highlands. Dans ma propre famille.

— Éclairez-moi.

— Des journées vécues côte à côte, pleines d'amour...

— Croyez-vous que je veuille autre chose ? coupa-t-il.

Sur ces mots, il l'attira à lui, passa un bras derrière elle, glissa les doigts dans ses cheveux et défit son épaisse tresse. Puis il s'empara de sa bouche avec une force et une douceur qui la stupéfièrent.

Le baiser se prolongea, passionné et délicieux, jusqu'à ce qu'elle sente ses genoux céder sous elle. Sébastien s'écarta alors, sans la lâcher, et la regarda dans les yeux.

— C'est ce que vous désirez ? demanda-t-il.

Elle ferma les yeux, bouleversée.

— Et vous, souffla-t-elle, que voulez-vous ?

— Je veux la même chose que vous. Le paradis, dit-il, en lui caressant les cheveux avec une telle douceur qu'elle abandonna toute colère. Mais je ne crois pas que cela existe pour moi.

Il la relâcha, et elle dut se rattraper au bloc de pierre à chaux pour ne pas tomber. Il se dirigea vers la porte, mais s'arrêta avant de l'ouvrir.

— Alainna, je suis un homme solitaire, déclara-t-il. Il ne m'est pas facile d'exprimer ce qui me tient à cœur.

— C'est-à-dire ? demanda-t-elle dans un murmure.

— Mes rêves. Mon fils. Vous, maintenant, ajouta-t-il, la main sur la clenche.

Tremblant de tout son corps, elle s'approcha de lui.

— Restez, murmura-t-elle. Ne partez pas.

— Rester dans quel but ?

— Pour la paix. Pour l'espoir.

— Notre orgueil ne nous autorisera ni paix, ni espoir, ni mariage.

— Restez, répéta-t-elle en lui effleurant le dos. Racontez-moi vos rêves.

— Mes rêves m'appartiennent, que je les réalise ou non.

— Vous pouvez les partager avec moi. Je vous ai fait partager les miens.

Elle remonta la main jusqu'à son épaule et sentit combien il était tendu.

— Vos rêves ? Ah, vos sculptures.

— Surtout mon pays de la promesse. Je ne l'ai jamais montré à personne. C'est la sculpture qui m'est la plus chère. Elle renferme... tous mes espoirs. Tous mes rêves.

— Vous voulez donc entendre mes rêves, dit-il en se tournant vers elle. Un garçon élevé dans un monastère apprend à se taire et à rester tranquille. J'ai pris l'habitude de garder mes pensées pour moi. Je l'ai conservée.

— Changez d'habitude.

— Enfant, je rêvais beaucoup à ce que je ferais de ma vie. J'ai nourri des ambitions, je me suis fixé des buts dont l'importance n'a cessé de croître jusqu'à ce que je sois en mesure d'agir.

— Que vouliez-vous ?

— Un titre, des terres, un statut de chevalier, un nom valeureux. Une maison. Une famille.

— Vous les avez obtenus, dit-elle, bouleversée.

— Presque tous. J'ai perdu... la part la plus importante du rêve. Ma femme. Ma maison. Peut-être mon fils. Voilà, vous savez tout.

— Si vous avez autre chose à dire, j'attendrai. Je pense que je pourrais attendre éternellement... si cela devait vous aider.

Il ébaucha un sourire.

— Pour une femme emportée, vous êtes extrêmement patiente.

— J'ai appris à l'être. La patience seule vient à bout de la pierre.

Il éclata d'un rire clair et se passa les doigts dans les cheveux.

— Alors, asseyez-vous, fit-il. Je vais vous raconter d'autres rêves.

23

Tandis qu'Alainna se remettait au travail, Sébastien avança un tabouret et la regarda tracer, à l'aide de petits coups légers et précis, la palissade qui entourait la tour.

— Vous n'arrêtez jamais, même pendant votre nuit de noces, fit-il remarquer.

— En effet.

La chandelle donnait à sa peau et à ses cheveux des nuances ambrées.

— Racontez-moi votre histoire, Sébastien, dit-elle.

Elle souffla sur la pierre pour dissiper la poussière qui s'y était accumulée.

— Bon, fit-il.

Elle prit un petit morceau de pierre grumeleuse pour poncer une arête.

— Il y a six ans – j'avais vingt-cinq ans – j'ai épousé la fille d'un comte français, alors que j'étais au service du duc de Bretagne. Elle était jeune, pieuse, studieuse, et plus que quiconque faite pour la vie contemplative. Ses parents ne voulaient pas qu'elle se consacre à Dieu. Cela aurait pourtant mieux valu. Elle est morte en couches, après deux ans de mariage. Elle avait juste dix-neuf ans.

Encouragé par son silence compatissant, il eut envie de lui en dire davantage. Elle posa le grès qu'elle avait utilisé pour poncer. Il le prit et le retourna distraitement dans sa main.

— Nous vivions dans la vallée de la Loire, reprit-il, dans le château dont elle devait hériter de son père. C'est notre fils qui en héritera.

— Le château vous appartient, maintenant ?

— Pas à moi. Son père l'avait spécifié dans notre contrat de mariage. Il devait revenir au fils aîné de ma femme. En attendant que Conan soit assez âgé pour toucher son héritage, c'est son grand-père qui l'occupe. Si nous n'avions pas eu d'enfant, il serait rentré en possession de son bien. Les parents de ma femme ne m'ont jamais accepté. Je n'étais pas digne, à leurs yeux, d'épouser leur fille.

— Alors, comment se fait-il que vous l'ayez épousée ?

— Je l'ai gagnée dans un tournoi.

— Vous l'avez gagnée ?

— À une fête des Rois, alors qu'il avait beaucoup bu, son père annonça à tous les convives du banquet donné par le duc de Bretagne que le gagnant de la joute, qui avait lieu le lendemain, obtiendrait pour femme sa fille cadette. C'est moi qui ai gagné. Son père fut fort contrarié – rappelez-vous que je suis un orphelin et un bâtard – mais il tint parole.

— Était-elle contente ?

— Elle en avait l'air.

— Comment s'appelait-elle ? Était-elle belle, bonne, et... vous méritait-elle ?

Il sourit de ses questions, de sa curiosité. En outre, évoquer ces souvenirs lui était moins douloureux, à présent.

— Elle s'appelait Héloïse. Elle était très belle. Des cheveux châtain foncé, des yeux bruns, des formes un peu rebondies – ce qui lui déplaisait, mais ajoutait à son charme et à sa douceur. Elle passait le plus clair de son temps à lire ou à discuter avec son chapelain. Elle était faite pour la vie monacale. Toutefois, elle me préférait au mari que son père lui destinait.

Alainna tendit la main pour reprendre le morceau de grès, mais Sébastien le garda et se pencha vers la pierre.

— Où ? Ici ? fit-il, montrant une arête inégale.

Elle acquiesça de la tête, et il se mit à poncer, comme il l'avait vue faire.

— Vous l'aimiez ? demanda-t-elle, avant de frapper le ciseau avec le maillet.

— Oui, répondit-il, après un moment d'hésitation. Elle était bonne et douce. Elle m'a donné ce que je désirais le plus.

— Un fils.

— Un fils, une famille et une maison. D'une certaine façon, les deux années passées avec elle ont été les meilleures de ma vie.

— Vous étiez heureux avec elle ?

— J'étais heureux, mais elle ne l'était pas. J'étais follement ambitieux. Je voulais gagner des tournois, devenir riche, me faire un nom qui serait respecté par les seigneurs et les rois. Et j'ai réussi. Mais j'ignorais alors le mal que je lui causais.

— Je ne peux pas croire que vous lui ayez fait du mal. Vous l'aimiez.

Elle posa ses outils et prit un chiffon pour essuyer la surface de la pierre.

— Je pensais qu'elle était heureuse, poursuivit-il. Nous vivions dans un château qui dominait un méandre du fleuve. Elle aimait son jardin et ses manuscrits – au retour de chaque voyage, je lui en apportais un nouveau. Ensuite, le petit Conan lui a donné beaucoup de joie. Elle avait tout ce qu'elle désirait. Puis, un jour, elle m'a dit qu'elle ne m'avait pas, moi.

— Vous étiez rarement là, n'est-ce pas ? Elle était seule. Et elle vous aimait.

— Le plus souvent, j'étais absent, c'est vrai. Je n'étais pas présent à la naissance de Conan. Je n'étais pas là non plus à la naissance de notre fille, née prématurément. Héloïse et l'enfant sont mortes toutes les deux avant mon retour.

— Oh, Sébastien ! murmura Alainna.

Elle lui effleura le poignet, et il prit dans la sienne sa main couverte d'une fine poussière blanche.

— Elle n'était pas heureuse, dit-il. Mais quand je l'ai compris, il était trop tard. Une seule chose comptait pour moi : réaliser mes rêves. J'étais orgueilleux. Ainsi, j'ai perdu ce que j'aimais le plus au monde, ce qui était le plus important.

Alainna soupira et se tourna vers lui. Il étreignit son autre main.

— Vous n'étiez pas responsable de sa tristesse.

— J'aurais pu remédier à sa solitude. Et voilà que j'ai recommencé la même chose avec mon fils. Je l'ai confié à d'autres personnes – pour son bien, me disais-je, mais en fait pour satisfaire mon ambition. Maintenant, je dois retourner en Bretagne. Il le faut.

— Je sais. Votre fils n'a pas besoin d'un père titré, riche ou jouissant d'une grande renommée. Il a besoin de *vous*.

— Quand j'étais enfant, dit-il en lui caressant machinalement les mains avec ses pouces, je voulais être seigneur d'un château, fier de mon nom, de mon domaine, de mes enfants et de l'héritage que je leur laisserais. Mes rêves sont devenus mon ambition. À présent, je dois donner à mon fils un foyer en Bretagne, dans un de mes domaines. Je ne vois pas d'autre solution.

— Vous n'en voyez pas ? demanda-t-elle en effleurant sa cicatrice. Comment pouvez-vous être si aveugle, alors que la solution crève les yeux ?

— Ce n'est pas aussi simple que vous le pensez.

— Vous avez ici un foyer pour lui, Sébastien. Une famille et le château que vous construirez. Vous avez à Kinlochan ce que vous recherchez pour Conan et pour vous.

Il se leva et lui tourna le dos.

— À quel prix ? demanda-t-il. Mon nom ? Tout ce que j'ai ?

— Votre amour-propre. C'est tout, répondit-elle en se levant à son tour.

— C'est cet amour-propre qui m'a permis de réaliser mes ambitions. Sans lui, je n'étais rien qu'un orphelin sans nom, élevé par des moines. En Angleterre, j'aurais pu croupir dans les écuries, mais je suis devenu chevalier. Je ne peux pas rester ici et abandonner tout ce que j'ai accompli.

— Je ne vous le demanderai jamais.

— Alors, que voulez-vous de moi ?

— Que vous restiez avec moi.

— Partez avec moi.

Elle détourna les yeux. Il connaissait la réponse.

— Sébastien *Bàn*, nous avons besoin de vous ici. Vous pouvez faire de ce lieu votre maison. Notre héritage, vous pouvez le donner à votre fils.

— Et votre guerrier celte ?

— Les miens vous ont accepté.

— Et vous ?

Elle se tenait dans l'ombre, mais la lueur rougeoyante de la chandelle dansait sur son visage.

— Je veux que vous restiez, répondit-elle. Au début, je ne le voulais pas. Maintenant... maintenant, tout a changé.

Sa voix et son attitude étaient calmes, mais il devinait la passion et la force qui couvaient sous ses mots.

Il réfléchit, et une foule d'inconvénients lui vinrent à l'esprit.

— Je ne peux pas, dit-il. Et vous ne pouvez pas venir avec moi. Nos devoirs nous séparent.

— Nous nous ressemblons.

Il hocha la tête. Puis il comprit soudain qu'il désirait, plus que tout au monde, être avec elle, et il dut faire appel à toute sa volonté pour ne pas la prendre dans ses bras.

— Si nous ne parvenons pas à nous entendre, mieux vaudrait mettre un terme à ce mariage, dit-il enfin. Je ne veux pas vous faire de mal, comme j'en ai fait à Héloïse et à Conan.

— Vous me blesseriez d'une autre manière, chuchota-t-elle. Je n'ai pas le droit de vous demander de vivre ici comme un Highlander. Je ne le ferai plus.

— Quand je partirai, vous et les vôtres pourrez continuer à vivre dans la forteresse. Robert ou un autre chevalier supervisera la construction du château, et je demanderai au roi de laisser ici une garnison pour vous protéger.

Sa voix résonnait dans la pièce remplie de pierres. Il avait l'impression d'être aussi raide et glacé que les sculptures qui encombraient l'atelier.

À présent, ses ambitions d'autrefois lui paraissaient vaines. Son monde avait basculé sans qu'il s'en rende compte, et il ne savait plus à quoi se raccrocher.

— Je vous remercie de songer à mon clan, dit-elle finalement, d'un ton froid.

Alors, il n'y tint plus. Il s'avança et la prit par les bras.

— Je ne mérite pas de remerciements, répliqua-t-il avec véhémence. Je ne suis pas du tout le champion dont vous avez besoin. Je ne suis pas celui que vous attendiez. Mais vous le trouverez, pour vous et tous les vôtres.

— Je l'ai trouvé, mais il ne veut pas de moi.

— Mensonge ! gronda-t-il.

Il était le fer et elle l'aimant. Incapable de résister à son attrait, il l'attira à lui et referma sa bouche sur la sienne.

Elle glissa les bras autour de sa taille, se pressa contre lui, et il se sentit chavirer. Il plongea les mains dans ses cheveux abondants, en saisit une poignée et lui tira doucement la tête en arrière pour la contempler.

— Aucun de mes rêves de gloire ou de fortune ne vous arrive à la cheville, chuchota-t-il.

Il reprit sa bouche et crut qu'elle allait défaillir. Lui encerclant la taille de ses deux mains, il la souleva et l'assit sur la dalle de grès. Elle noua les bras autour de son cou, et il chercha de nouveau sa bouche, comme pour apaiser la soif qu'il avait d'elle.

Son sang bouillonnait dans ses veines, son corps vibrait. Sous ses lèvres et ses mains qui l'exploraient, elle se mit à gémir comme un saule dans le vent. Elle était la passion incarnée et effaçait toutes les femmes qu'il avait connues.

Mais il fallait qu'il s'arrête. Poursuivre ne pourrait que mener à la catastrophe. Le mélange de l'amour et de l'orgueil n'apporterait rien de bon. S'arrêter ? C'était plus facile à penser qu'à faire... Elle se montrait avide, passionnée, irrésistible.

Lorsqu'elle se serra plus fort contre lui, l'enveloppant de ses cheveux comme d'un nuage, il capitula. Une fois, une fois seulement, et après plus rien, se promit-il.

Quand il promena le bout des doigts sur ses mamelons dressés, qui se dessinaient sous la laine de sa robe, elle haleta doucement.

De ses lèvres, il lui effleura le cou et la gorge. Puis il glissa la main dans l'encolure de sa robe et de sa chemise, prit un sein dans sa paume et le caressa en l'embrassant. Elle s'étendit alors sur la dalle, et il s'allongea près d'elle.

D'une main, il remonta les amples plis de la robe de laine et de la fine chemise, jusqu'à ce qu'il touche le satin de ses cuisses. Plongeant plus loin sous ses vêtements, il caressa son ventre tendu, tandis que son souffle s'accélérait.

D'un geste vif et décidé, elle défit son surcot vert foncé et sa tunique, puis elle s'attaqua à ses braies, qu'elle ouvrit et descendit sur ses cuisses. Au contact de ses doigts sur son bas-ventre, il tressaillit.

Poussant son exploration plus loin, il trouva la plage soyeuse, humide et chaude de son intimité. Il glissa doucement l'index en elle et la caressa. Elle se raidit et ne put retenir un cri, ce qui ne fit qu'aviver le désir de Sébastien.

Lorsqu'il s'arrêta, elle émit un gémissement de protestation et enfouit la tête au creux de son épaule.

— Je vous ai promis d'être courtois, haleta-t-il en lui baisant le cou.

— Je ne veux pas de votre courtoisie, c'est vous que je veux.

— Si nous continuons, nous serons liés pour toujours.

— Ces liens pourront se délier, si vous y tenez. Nos coutumes le prévoient.

Il hésita. Ces coutumes n'étaient pas les siennes.

— C'est la veille de Noël, poursuivit-elle en lui

caressant le visage. Écoutez votre cœur comme j'écoute le mien. Nous trouverons un moyen. Nous le voulons tous les deux. Nous en avons besoin.

Elle l'attira à elle pour l'embrasser de nouveau.

— Alainna... gémit-il.

— Ce que vous ressentez, je le ressens. Ce que vous désirez vraiment, je le désire. Nous sommes semblables. Je le sais, maintenant.

Il le savait aussi. En lui-même, il accepta cette vérité. Ils se dévêtirent l'un l'autre. Le contact de sa nudité contre la sienne, tiède et si douce, le brûla comme une flamme.

Toute raison le quitta, toute pensée le déserta, et il ne fut plus que chair et sang.

Lorsqu'il se pencha de nouveau sur elle, il huma le parfum de ses seins, qui sentaient la bruyère et la lavande. Prenant délicatement ses hanches dans ses mains, il l'attira à lui, et elle le guida. Avant d'entrer en elle, un tremblement le saisit, mais il l'oublia aussitôt et plongea en elle, au risque de lui faire mal, et il comprit qu'elle sombrait avec lui.

Il gisait à côté d'elle, dans le silence, conscient d'avoir été emporté par un élan bien plus fort que le désir. Seigneur, il l'aimait.

Cette révélation lui coupa le souffle. Il la berça longuement dans ses bras. Lorsqu'il s'aperçut qu'elle s'était endormie, il se leva sans bruit, prit son tartan et se dirigea vers la porte, les éclats de pierre craquant sous ses bottes. Le vent avait redoublé de fureur, mais il entendait toujours la musique et les rires en provenance de la tour.

Sur son chemin, il trouva une grosse branche et la ramassa. Il s'en servit d'abord comme canne, puis combattit un ennemi imaginaire. Il se retourna, s'arrêta et frappa de nouveau.

L'ayant débarrassée de ses brindilles, il se planta au milieu de la cour, se balança d'un pied sur l'autre puis, la tenant à deux mains comme la claymore, il fendit l'air, fit une embardée, pivota, virevolta.

Finalement, il jeta le bâton haut et loin et le regarda franchir la palissade.

Ignorant raison, prudence et ambition, il avait cédé à son cœur. L'amour avait envahi sa vie. À présent, ses objectifs devaient changer.

Lui-même avait changé, et cette prise de conscience le bouleversait. Il ne savait que faire. Il n'était plus celui qu'il avait été et se demandait encore qui il était devenu.

Il leva la tête. Le ciel semblait saupoudré de diamants. La nuit de Noël avait opéré un miracle.

Il tourna les yeux vers l'atelier. Une lueur dorée marquait le contour des volets. La chandelle brûlait toujours. Il alla ouvrir la porte.

Alainna était couchée sur la dalle, pelotonnée comme une enfant. Il la regarda dormir et ramena ses cheveux en arrière. Puis il plia son tartan et le lui glissa sous la tête.

Enfin, il contourna la pierre pour s'étendre à côté d'elle, l'attira dans ses bras, posa la joue contre sa tête et s'endormit.

24

Une fumée grise s'élevait à la pointe du loch, obscurcissant le ciel. Importuné par l'intense chaleur du brasier, Sébastien recula et observa ceux qui se tenaient en cercle autour du feu de joie. Tous souriaient.

Le jour de Noël s'était levé froid et argenté. Ce matin-là, le père Padruig avait quitté la forteresse avec Alainna et Sébastien, plusieurs Highlanders et les chevaliers. Ils étaient partis à pied ou montés sur de solides chevaux au pied sûr – la mince couche de neige avait en effet gelé pendant la nuit – pour assister à la messe en l'église Sainte-Brighid.

À leur retour, les membres du clan avaient allumé un feu de joie avec des branches et des bûches qu'ils avaient empilées la veille. À présent, ils étaient rassemblés autour des gigantesques flammes pour chanter des chants gaéliques traditionnels et brûler la bûche de Noël. Les coutumes des Highlands en cette période de l'année étaient simples. Le jour saint était célébré avec moins de faste qu'en Angleterre ou en France, alors que le Nouvel An, avait-on dit à Sébastien, était accueilli avec des cris de joie.

Alainna brillait comme une étoile au milieu de l'assemblée. Elle était tête nue, car elle avait refusé de porter le fichu blanc des femmes mariées, sous prétexte qu'elle ne l'était pas encore officiellement.

Mais elle l'était, et ils le savaient tous les deux. À son air heureux, les siens avaient deviné que leur union avait été consommée. Les plus vieux semblaient convaincus que Sébastien resterait à Kinlochan. Il lisait l'espoir dans leurs visages souriants, leurs démarches légères et leurs rires francs, et il se sentait écrasé par le poids de leur joie. Alainna se tourmentait, elle aussi. Il le voyait à sa pâleur, à cette ombre dans ses yeux bleus, à son sourire forcé.

Après cette nuit, la plus merveilleuse de sa vie, il se sentait incapable de la quitter. Il soupira.

Au milieu du feu brûlait l'énorme bûche de Noël,

dans laquelle Alainna avait sculpté un visage rata-
tiné.

— Cette tête est la *Cailleach Nollaich*, dit une
voix familière.

Sébastien se retourna. Esa se trouvait à côté de
lui, enveloppée dans son tartan.

— La *Cailleach* est la vieille femme de Noël ou
de l'hiver, expliqua-t-elle. Nous brûlons son image
pour nous porter bonheur tout au long de l'année
nouvelle.

Sébastien la fixait, fasciné par sa beauté. Ses
beaux yeux brillaient et, ces derniers jours, les
fines rides et les cernes qui les entouraient s'étaient
atténués.

— Vous avez l'air en forme, dit-il. Êtes-vous
contente à Kinlochan ?

— Je suis très contente ici, répondit-elle avec un
sourire retenu.

Esa lui prit la main droite, et Alainna la main
gauche. Autour du feu de joie, Highlanders et Normands se donnèrent la main, et les Highlanders se
mirent à chanter.

Le chant s'élevait en même temps que les
flammes, clair et mélodieux dans le ciel nacré.
Sébastien joignit bientôt sa voix aux autres.

Radieuse, les joues rosies par le froid, Alainna le
regarda. Oubliant un instant son dilemme, il lui
étreignit la main et continua de chanter, le cœur
en fête.

— Nous avons maintenant des guerriers pour
nous soutenir, et c'est bien, déclara Lorne après le
souper. Et il y a bien bien longtemps, autour d'un
autre feu, par une autre nuit d'hiver, les trois fils
d'Uisneach se trouvaient avec la ravissante
Deirdre, qu'on appelait Deirdre des Douleurs. Et le

plus beau des fils d'Uisneach était Naoise, aux cheveux d'un noir de jais, à la peau blanche comme la neige, aux joues rouges comme le sang. Deirdre l'aimait plus que sa vie.

« Ce soir-là, Naoise jouait aux échecs avec Deirdre. Deirdre aux boucles d'or et aux yeux gris, Deirdre dont la beauté rendait les hommes fous. Elle était prête à renoncer à l'amour d'un roi, à son pays, pour être avec le fils d'Uisneach. Écoutez, je vais vous raconter comment Deirdre et les fils d'Uisneach furent exilés, et quelle fut leur fin...

Sébastien attendit la suite, adossé au mur. Assis sur un banc à l'écart, il observait la salle en buvant du vin épicé. L'histoire que racontait Lorne était poignante et belle, pleine d'amour et de loyauté, de nostalgie et de chagrin. En entendant Lorne évoquer les vallons et les collines d'Écosse hantés par le souvenir de Deirdre, il sentit sa gorge se serrer.

Lui aussi aimait cette terre, avec ses montagnes blanches, ses gorges profondes et ses lochs argentés ; ses à-pic, ses arbres majestueux et ses femmes. Alainna étincelait comme une perle au milieu d'elles, et il ne pouvait détacher ses yeux d'elle.

— Et quand les fils d'Uisneach furent morts et qu'ils furent couchés dans une tombe, Deirdre contempla une dernière fois leurs beaux visages. Elle vit Naoise gisant entre ses frères et tomba morte de chagrin et d'amour au milieu de Naoise et de ses frères, son âme enlacée pour l'éternité à la sienne, à la leur...

Sa traduction achevée, Alainna se leva, suivie de Finan, et alla rejoindre Sébastien. Celui-ci caressa la tête du chien, qui se coucha à ses pieds, sa queue battant le bout de sa botte.

Alainna s'assit à côté de lui et lui prit la main.

Le barde attrapa sa harpe et se mit à chanter un poème sur une mélodie douce et déchirante.

— On dit que la *clarsach*, la harpe celte, émet trois sortes de musique, chuchota-t-elle en se penchant vers Sébastien. Celle qui fait couler les larmes, celle qui vous berce comme un enfant et celle qui suscite la joie. Mais toutes ont le pouvoir d'émouvoir l'âme.

— Ce doit être celle qui fait couler les larmes.

Ajoutée à l'histoire de Lorne, au vin et à sa propre tristesse à l'idée de quitter Alainna, ce lieu et ses habitants, cette musique l'émouvait jusqu'au fond de l'âme.

— Lorne termine toujours ainsi le conte de Deirdre des Douleurs, mais il va ensuite égayer nos cœurs par des accents joyeux, puis il jouera un air apaisant pour nous endormir.

La main d'Alainna dans la sienne, il écouta Lorne entamer un autre chant, vif et léger celui-là.

— Je veux que tu restes, murmura-t-elle.

Il soupira et détourna les yeux. Puis il porta à ses lèvres la main qu'il tenait dans la sienne et en baisa chaque jointure. Même cet infime contact l'enflamma. Il ne répondit rien, mais son silence était aussi éloquent qu'un refus.

Elle retira sa main.

Au bout d'un moment, il se pencha vers elle.

— Alainna, je dois bientôt aller trouver Cormac MacNechtan. Le roi attend mon rapport.

— Déjà ? Noël s'achève à peine.

— Le temps est imprévisible. Je ne peux pas retarder cette entrevue plus longtemps. Nous avons fait ce que nous voulions, gente dame. Nous nous sommes unis à l'insu de Cormac, et le contrat a été établi et signé. Le père Padruig m'en a promis une copie, que j'enverrai au roi. Il faut aussi que je rédige un rapport sur Kinlochan.

— Qui t'accompagnera à Turroch ?

— Mes hommes, ainsi que Giric et Lulach. J'irai dans deux ou trois jours.

— Cormac ne cherchera qu'à se battre.

— Nous saurons nous défendre.

Elle ouvrit la bouche pour dire quelque chose, mais se ravisa. Il vit des larmes briller dans ses yeux. Elle se leva brusquement, murmura un rapide bonsoir et s'éloigna.

Finan dressa la tête et se leva à son tour pour la suivre. Au lieu d'aller dans son atelier, elle gravit l'escalier en bois qui menait à sa chambre, le chien sur ses talons.

Sébastien fixa longuement l'escalier vide, dévoré par le désir de lui faire l'amour sans plus attendre. Crispant les doigts sur sa cuisse, il vida sa coupe de vin. Il savait qu'il devait garder ses distances.

Lorne joua une mélodie apaisante, et Sébastien se détendit un peu. Les plus vieux gagnèrent leurs couches, tandis que plusieurs chevaliers installaient leurs paillasses à l'autre bout de la longue salle. Les trois jeunes écuyers dormaient déjà depuis longtemps, leurs têtes ébouriffées dépassant des couvertures.

Enfin, Sébastien quitta son banc, gravit l'escalier et ouvrit la porte de la chambre d'Alainna. Il entendit sa respiration derrière les rideaux du lit. La petite pièce était située au-dessus de la grande salle, de sorte qu'elle était chaude. Le son de la harpe lui parvenait, assourdi mais toujours mélodieux. Dans un coin de la chambre, le brasero donnait un peu de lumière, si bien qu'il put distinguer la couche de tartans qu'Alainna lui avait préparée.

Leurs pensées se rejoignaient : mieux valait se tenir éloignés l'un de l'autre.

Finan dormait sur une paillasse près du brasero. À l'arrivée de Sébastien, il leva la tête et se rendormit aussitôt.

S'approchant du lit, Sébastien écarta les rideaux et discerna la silhouette de la jeune fille dans l'obscurité. Son souffle était un murmure, et il se dégageait d'elle un parfum de lavande. Il toucha la masse de sa chevelure et laissa ses doigts s'attarder sur son épaule.

Elle se retourna, faisant glisser la couverture en fourrure, et il effleura la peau nue de sa poitrine. Elle frémit dans son sommeil et émit une espèce de miaulement.

Comme le désir montait en lui, impérieux, il retira la main, maudit son amour-propre et ses ambitions et referma le rideau.

Après avoir retiré ses bottes et ses chausses, il s'allongea sur les tartans et poussa un soupir sonore, auquel répondit un autre, plus discret, en provenance du lit. Se tournant sur le côté, il s'endormit au son de la harpe.

Elle attendait près de la Vierge, dans un tourbillon de flocons de neige. De temps en temps, Finan tournait autour d'elle, se demandant manifestement ce qu'ils faisaient dehors par un temps pareil.

Les portes de Kinlochan avaient été ouvertes de bon matin, et sa sortie était passée pratiquement inaperçue. Dans la cour, les hommes préparaient le départ des chevaliers, tandis que les femmes vaquaient à leurs occupations dans la grande salle ou dans la cuisine, convaincues qu'Alainna travaillait dans son atelier.

Elle les vit se rassembler devant la porte, Sébastien sur son étalon crème, les autres chevaliers sur leurs chevaux de race, Giric et Lulach sur leurs montures robustes à la robe obscure. Les cottes de mailles et les armes brillaient dans la pâle lumière matinale.

Alainna leva les yeux. Le ciel était d'un blanc poudreux. Lorsqu'elle regarda de nouveau vers Kinlochan, les cavaliers franchissaient la porte.

Elle jeta un coup d'œil vers l'île. Ruari y était toujours caché, bien que, depuis Noël, il passât moins de temps dans la tour. Son bras s'était rapidement guéri, et il lui arrivait souvent de gagner le rivage à la rame avant l'aube, pour ne revenir qu'à la nuit tombée, quand Giric lui amenait Esa.

Lorsque le loch serait gelé, il devrait trouver une autre cachette. Sans doute lui et Esa regagneraient-ils leur maison dans les collines. Alainna s'attendait que sa parente annonce bientôt son désir de retrouver sa chère solitude.

À travers le voile de neige, elle vit les cavaliers, Sébastien et Giric en tête, contourner au petit galop l'extrémité du loch.

Le guerrier de ses rêves chevauchait vers elle. Son cœur bondit dans sa poitrine, et elle ferma les yeux. S'il la quittait, il lui resterait le souvenir de leur passion partagée. S'il la quittait, elle porterait, espérait-elle, son enfant. Celui-ci perpétuerait son clan, tout en lui rappelant l'image de son père.

Petite sœur de la Vierge de pierre, drapée dans son long tartan, elle s'écarta de la colonne. Sébastien retint son cheval. Il fit signe à Giric et aux autres de continuer et dirigea sa monture vers elle.

— Je voulais te parler avant que tu ne partes, dit-elle en tenant le cheval par la bride.

— Si c'est le temps qui t'inquiète, ne te fais pas de souci, dit-il. Nous reviendrons vite.

— Ce n'est pas ça. J'ai quelque chose à te dire.

— Turroch n'est pas loin. Nous discuterons des ordres du roi et serons de retour avant la tempête. Rentre. Tu ne devrais pas sortir sans escorte.

— J'ai Finan *Mor*, et puis, à côté de la Vierge, je n'ai rien à craindre. Descends de ton cheval. J'ai quelque chose à faire.

— Ce que tu as de mieux à faire, c'est de rentrer au plus vite. Finan, à la maison, ordonna-t-il en montrant la forteresse. Ramène ta maîtresse à la maison.

— Finan, reste, dit-elle.

Le chien tourna en rond en geignant.

— Ne le tourmente pas, Sébastien. Il ne sait plus à qui obéir. Descends de ton cheval. Je ne te demande qu'une minute.

Sébastien soupira et sauta à terre dans un cliquetis d'acier. Il la dominait de toute sa taille, et elle se rappela soudain sa visite à l'église de Dunfermline, quand il l'avait accompagnée, patient, fort et superbe.

— Qu'y a-t-il ? demanda-t-il.

Elle le prit par la main et l'entraîna face à la Vierge de pierre.

— Puisque tu tiens à aller voir Cormac, il faut que je récite une incantation protectrice.

— Alainna, tout se passera bien, je n'ai pas besoin...

— Chut. Je dois le faire pour moi autant que pour toi. Je ne peux pas te laisser rencontrer les MacNechtan sans un *seun* protecteur.

Elle marcha en cercle autour de lui en déclamant :

> *Je pose sur toi un bouclier de brume*
> *Émanant de la bruyère et de la montagne,*
> *De la mer et du roc,*
> *De l'homme et de la vierge,*
> *Jusqu'à ce que tu me reviennes.*

Elle posa la main sur sa poitrine. La cotte de mailles était froide sous sa paume.

— Nulle lame ne te transpercera, nulle flèche ne t'atteindra, nul feu ne te brûlera. Bouclier d'anges autour de toi, bouclier magique. Puisses-tu me revenir tel que tu m'as quittée.

Fermant les yeux, elle inclina la tête et demeura un long moment silencieuse, dans la neige et le vent.

Lorsqu'elle rouvrit les yeux, Sébastien la fixait avec intensité. Prenant son visage dans ses mains, il s'empara de sa bouche et lui donna un baiser brûlant, puis il la lâcha et recula.

— C'est ma façon de te bénir, dit-il.

Tournant les talons, il remonta en selle et partit au petit galop.

Les doigts sur ses lèvres, Alainna le regarda s'éloigner, jusqu'à ce que la neige le masque à sa vue.

25

Sébastien jeta le document sur le plateau grossièrement équarri de la table.

— Voici le message que le roi vous adresse.

Il embrassa du regard la salle commune de Turroch, plus longue et plus spacieuse que celle de Kinlochan. Dès son arrivée, il avait remarqué l'aspect négligé et sinistre du lieu – tapis sales, bols de nourriture abandonnés sur les tables, chiens endormis, chats traquant les souris dans les coins sombres.

L'absence de femme était sensible. Sébastien préférait être damné plutôt que de laisser Cormac introduire Alainna dans une telle maison.

Les sourcils froncés, il observa les autres occupants de la pièce. Struan se tenait à quelques pas de son frère. D'autres membres du clan se trouvaient de l'autre côté de l'âtre, debout ou assis, garde misérable et hétéroclite en tartans et bottes de cuir. À la demande de Sébastien, ils avaient à contrecœur déposé leurs armes sur une table.

Struan lui avait assuré qu'ils pouvaient compter sur l'hospitalité des Highlands, et il ne croyait pas Cormac assez fou pour attaquer les hommes du roi dans sa propre maison.

Giric, Robert et Lulach se tenaient derrière lui. Dans la cour attendaient quinze chevaliers, qui avaient reçu l'ordre de donner l'assaut au moindre signe de trouble.

Le silence se prolongeait, pesant. Cormac prit le parchemin, en brisa le sceau, le regarda et le jeta sur la table.

— J'ai passé mon enfance avec des armes, pas avec des livres. Lisez.

Sébastien lut le message à voix haute, puis il replia le parchemin.

— Le roi ordonne que le clan Laren et le clan Nechtan déposent les armes et fassent la paix, résuma-t-il. Cessez vos agressions contre ce clan, ou vous serez chassés de vos terres et passés au fil de l'épée. En outre, je suis chargé de rapporter à la couronne tout lien suspect entre les seigneurs celtes et les rebelles.

— Et le clan Laren, alors ? demanda Cormac. Ils sont apparentés à l'un des rebelles, ce qui n'est pas notre cas. Vous les soupçonnez certainement, eux aussi ?

— Le clan Laren a répondu aux souhaits du roi.

Pour le reste, William attend mon rapport. Il veut savoir quels sont les seigneurs celtes de cette région loyaux à la couronne. Le clan Laren a prouvé sa loyauté. Faites de même et vous vous en trouverez bien.

— Nous pouvons prouver notre loyauté, dit Struan. Nous n'avons jamais aidé les rebelles, bien que nous connaissions des hommes qui les soutiennent.

— C'est vrai, intervint Cormac. En fait, nous les connaissons si bien que je peux vous donner les noms des chefs de la rébellion, si vous voulez.

— Qu'est-ce que cela signifie ? demanda Sébastien.

— Ruari *Mor* MacWilliam, annonça Cormac. Je sais où il se cache.

— Il est mort, grommela Lulach.

— Pas du tout. Je l'ai vu de mes propres yeux et je lui ai parlé, il y a peu.

— Vous l'avez vu ? Et où ?

— Il est venu plusieurs fois à Turroch, ces dernières semaines. Je lui ai offert une paillasse près de l'âtre. Il arrive d'Irlande pour recruter des partisans.

Sébastien lança un regard à Giric, qui resta de marbre.

— Quand l'avez-vous rencontré pour la dernière fois ? demanda-t-il.

— Il y a deux jours, répondit Struan. Vous l'avez vu vous-même, d'ailleurs. Il a tué deux loups pour sauver Eoghan et Lileas.

— Vous saviez, siffla Sébastien en se tournant vers Giric. Alainna savait.

Giric détourna la tête. Son silence équivalait à un aveu. Alainna lui avait délibérément caché la vérité pour protéger Ruari, comprit Sébastien. Esa savait aussi. Et Giric. Combien d'autres étaient au courant ?

Il se sentait blessé et trahi.

Alainna avait parlé d'une ruine sur l'île, et il l'avait vue traverser le loch. En lui, la colère le disputait à la consternation. On ne lui avait pas fait confiance. On ne l'avait pas mis dans la confidence – avec raison, admit-il en lui-même. Les MacLaren respectaient et aimaient Ruari, et Sébastien était chargé de le trouver, de le tuer même.

Que lui avait-on caché d'autre ? Si le clan Laren soutenait la rébellion celte, il devait les dénoncer et arrêter leur chef, si absurde que cela lui parût.

— Ruari a sauvé Eoghan, reprit Cormac, c'est pourquoi je lui ai donné asile. Il est allé à Kinlochan voir sa femme. Ils se sont rencontrés en secret. Vous le saviez ?

Sébastien regarda de nouveau Giric, qui secoua la tête en murmurant :

— Seuls Esa et moi étions au courant. Nous cherchions simplement à aider Ruari. Il n'y a pas d'autre raison. Je vous jure qu'Esa est loyale. Nous sommes tous loyaux à la couronne.

Sébastien détourna la tête. Il voulait le croire, mais ne savait que penser.

— Apparemment, vous l'ignoriez, dit Cormac, l'œil brillant. Eh bien, vous voilà renseigné. Et je peux vous livrer Ruari, comme l'exige le roi.

— Qu'est-ce qui me dit que vous n'êtes pas vous-même un traître ? demanda Sébastien.

— Je ne suis pas assez fou pour me ranger aux côtés de Guthred MacWilliam. Il revendique le trône, mais c'est une tête brûlée. Il n'est pas digne du sang qui coule dans ses veines. Ruari le suit comme un toutou, mais son maître ne vaut rien.

— Si Ruari *Mor* est vivant et s'il se trouve dans les Highlands, intervint Lulach, il doit œuvrer pour sa propre cause, et non pour un jeune morveux.

— Les exploits de votre parent vous ont tous

aveuglés, ma parole ! lança Cormac. Ruari croit avoir mon soutien et celui de mon clan, ajouta-t-il en se tournant vers Sébastien. Mais je ne trahirai pas mon roi.

Giric s'esclaffa, sceptique.

— Où est Ruari, en ce moment ? demanda Sébastien.

— Je ne sais pas. Mais il sera ici dans un jour ou deux. Vous pourrez alors le capturer, si vous le désirez.

Sébastien et ses compagnons – même Robert, qui ne comprenait de la conversation en gaélique que ce que lui chuchotait Giric – étaient tendus comme des arcs.

— Nous devons parler seul à seul, décréta Sébastien, en faisant signe aux autres de sortir.

Ceux-ci lui jetèrent des regards noirs et ne reculèrent que d'un pas. Sébastien s'approcha de Cormac, en évitant de respirer son odeur nauséabonde.

— Quel prix ? demanda-t-il, bien qu'il connût la réponse.

— Vous voulez Ruari MacWilliam. Je veux Alainna de Kinlochan. Jurez-moi qu'elle sera ma femme, comme le souhaitait son père. Obtenez du roi la promesse que Kinlochan sera à moi – je sais que vous le pouvez.

— Et ?

— Et je vous remettrai Ruari MacWilliam. Vous démantèlerez ainsi la rébellion. Guthred a une confiance aveugle en lui, et Ruari est au courant de tous ses plans.

Sébastien le regardait fixement.

— Faites-le, insista Cormac, et vous serez le plus puissant chevalier d'Écosse. Le roi vous récompensera.

Il sourit de toutes ses dents grises et cassées.

— Pensez à ce que le roi vous accordera en échange, ajouta-t-il. Kinlochan n'est rien en comparaison. Un comté celte, peut-être...

Cormac avait trouvé le défaut de sa cuirasse et, tel le diable en personne, il le soumettait à la tentation.

— La sœur du roi est la duchesse de Bretagne, poursuivit Cormac. Le roi William n'a qu'un mot à lui dire, et vous recevrez toutes sortes d'honneurs en Bretagne pour avoir sauvé sa terre natale : des domaines, des châteaux, une épouse – une duchesse, peut-être même une princesse. Avec le roi d'Écosse et la duchesse de Bretagne comme débiteurs, vous obtiendrez tout ce que vous désirez.

Sébastien plissa les yeux. Il ne voulait pas des faveurs que Cormac agitait devant lui. C'était Alainna qu'il voulait. Il voulait appartenir à son clan, mais il avait le sentiment d'en avoir été chassé, d'avoir été trahi. Il serra le poing et observa de nouveau Cormac.

— Et que demandez-vous pour vous ? Vous convoitez sûrement autre chose que Kinlochan et une épouse.

— Je recevrai la plus belle des récompenses, répondit Cormac, car je posséderai enfin la terre que mon clan revendique depuis des générations, ainsi que la femme que mon père et mon grand-père me destinaient... Alors, que décidez-vous ?

Sébastien jeta un coup d'œil à ses compagnons, qui restaient muets comme des tombes. Non, jamais il ne participerait à l'ignoble complot que fomentait Cormac.

Aucune récompense ne justifiait la perte d'Alainna.

S'il ne faisait rien pour arrêter Cormac, celui-ci trahirait Ruari MacWilliam pour s'attirer les faveurs du roi. Et, comme Sébastien devait retourner en Bretagne, il obtiendrait non seulement Kinlochan, mais aussi la main d'Alainna.

— Tout ce que vous voudrez, répéta Cormac. Alors ? Reviendrez-vous dans quelques jours capturer Ruari MacWilliam, ou préférez-vous que je vous l'amène jusqu'à la porte de Kinlochan ? Ses parents aimeraient sûrement le voir une dernière fois, avant qu'il ne soit conduit dans les cachots du roi, pendu par les talons et écartelé, comme il convient aux traîtres.

— Je ne mange pas de ce pain-là, lança sèchement Sébastien. Prévenez vous-même le roi.

Tandis que Cormac le regardait, bouche bée, il tourna les talons. Giric, Robert et Lulach sortirent de la salle à sa suite.

— Préparez-vous, mes amis, la tempête ne saurait tarder, dit Sébastien, comme ils traversaient la cour sous la neige. Et nous avons un rebelle à secourir.

Soulagé, Giric éclata de rire.

Ils partirent vers l'est, parcourant des prés parsemés de rochers et des collines couvertes de neige. Le vent balayait les flocons. Sébastien éprouvait un malaise qui n'avait rien à voir avec le temps menaçant.

— Dans les Highlands, les tempêtes de neige deviennent vite dangereuses, dit Giric. Voyez cet étrange nuage, là-bas. C'est une tornade de neige sur les montagnes. Elle se dirige vers nous. Nous devons regagner au plus vite Kinlochan, car si nous sommes pris dans la tornade, nous ne pourrons pas nous réfugier à Turroch. Malgré les lois de l'hospitalité, les MacNechtan ne nous accueilleront pas.

Sébastien scruta le ciel plombé et regarda vers

l'ouest, où de gros nuages masquaient le sommet des montagnes.

— Je me soucie moins du temps que de la loyauté des MacNechtan, déclara-t-il.

— C'est vrai, approuva Robert. Mais nous sommes armés et montés sur des destriers, et nous avons l'expérience du combat. Ce ne sont que des sauvages.

— Lulach et moi sommes aussi des sauvages, lui rappela Giric.

— Civilisés par de bons amis, répliqua Robert.

Giric et Lulach rirent de concert.

— Par un temps pareil, Cormac restera certainement près du feu, intervint Hugo, qui chevauchait derrière eux.

— Ne vous fiez pas aux apparences, dit Lulach. Ces collines ne sont pas vides. Jamais le mauvais temps n'a découragé un Highlander.

Sébastien ressentit soudain un curieux picotement dans le cou.

— Par ici. Rentrons au plus vite à Kinlochan, dit-il en éperonnant son cheval.

— Il y a un chemin plus rapide, proposa Giric. La piste à gauche entre ces collines nous y amènera directement.

— Je préfère la voie la plus longue, répliqua Sébastien. La vue y est plus dégagée.

— Pourquoi ? demanda Robert. Il n'y a personne.

— Sébastien *Bàn* a raison, dit Lulach à Giric. Il vaut mieux emprunter la route la plus longue.

— Montés par des hommes en armure, les chevaux se fatigueront plus vite, rétorqua le jeune Highlander. Vos montures ne sont pas aussi agiles que celles des Highlands, et la neige peut être traître.

Voyant qu'ils n'avaient guère le choix, Sébastien soupira.

— Très bien. Prenons le passage entre les collines, décida-t-il. Mais restez sur vos gardes.

Cormac était sans doute bien tranquille au coin du feu, en train de les maudire, mais son instinct lui tenait un autre discours. Il avait un mauvais pressentiment. Les yeux plissés, il essaya en vain de percer l'épais rideau de neige.

Les collines poudrées de blanc étaient escarpées, froides et vides. Il avançait, écoutant le crissement du cuir, le cliquetis de l'acier et le martèlement des sabots sur le roc et la terre.

Giric prit la tête de la colonne. Les chevaux allaient au pas, deux par deux, sur la piste étroite qui serpentait entre deux collines.

Des paillettes étoilées saupoudraient la crinière d'Araby. Le vent sifflait. Au loin, un corbeau croassa. Sébastien leva la tête. Les pentes étaient si raides qu'il distinguait à peine les sommets à travers la neige et le brouillard.

Le corbeau croassa de nouveau. Sébastien éprouva un autre picotement dans le cou, plus fort que la première fois, et se retourna pour parler à Lulach.

Soudain, un hurlement long et sinistre déchira l'air. Sébastien retint les rênes de son cheval apeuré et scruta une pente, puis l'autre, mais ne vit que du roc. Le bruit retentit encore, bref et terrifiant, répercuté par l'écho.

Il dégaina son épée, la lame normande qui était comme une extension de son bras. La claymore, plus lourde, se trouvait sur sa selle. Devant lui, Giric se retourna pour tirer sa claymore, qu'il portait en travers du dos. Derrière lui, il entendit des bruits d'épées qu'on sortait de leurs fourreaux et de carreaux qu'on encochait dans les arbalètes.

Puis il y eut un grondement, et un rocher dévala la pente de droite. Araby recula, mais son flanc heurta la monture qui le suivait. Tout autour, les hommes criaient et essayaient de faire pivoter leurs montures.

Le rocher atterrit à quelques pieds devant le cheval de Sébastien, qui se cabra. Tandis qu'il s'efforçait de le contrôler, un deuxième rocher dégringola le long de l'autre pente, bloquant la sortie du défilé.

Les flancs des collines s'animèrent. Des hommes surgirent du chaos minéral, criant et hurlant. Des pierres dévalèrent les pentes, touchant des chevaliers. Ceux-ci se tassèrent sous leurs boucliers oblongs, qu'ils dirigèrent de façon à protéger la tête de leurs chevaux et la leur.

Une pluie de flèches répondit à l'attaque des Highlanders. Sébastien décrocha son arbalète de sa selle et tira vers l'une des pentes, mais le rideau de neige et l'afflux de projectiles gênaient sa vision.

Giric fit pivoter sa monture et se fraya un chemin parmi les chevaux et leurs cavaliers. À côté et derrière lui, les hommes tiraient leurs armes et levaient leurs boucliers, mais plusieurs d'entre eux étaient déjà tombés.

Les Highlanders envahirent les pentes et se ruèrent sur eux, horde sauvage de brutes à la tête et aux jambes nues. Leurs nattes graisseuses volaient autour de leurs visages convulsés, et ils hurlaient en brandissant des armes hétéroclites : poignards, frondes, épées immenses, lances et fragments de roc.

Il émanait d'eux une férocité sans nom. Un long frisson parcourut le dos de Sébastien. Levant les yeux, il reconnut Cormac et Struan MacNechtan en haut d'une colline. Sans doute avaient-ils préparé cette embuscade bien avant qu'ils aient quitté Turroch.

Ses hommes et lui étaient coincés dans cette gorge étroite, sans pouvoir ni avancer, ni reculer, ni gravir les pentes qui les retenaient prisonniers. De plus, ils étaient gênés par le poids de leurs armures et l'affolement de leurs chevaux.

Parant de son bouclier les jets de pierre et les coups de lance, il abattit son épée sur l'agresseur le plus proche. Une flèche le toucha à la cuisse, mais elle ricocha sur son armure.

Autour de lui, ses amis se démenaient comme de beaux diables, mais il en vit tomber plusieurs. Les hommes de Cormac se glissaient entre les chevaux, les transperçant de leurs lames, si bien que les nobles animaux s'effondraient avec leurs cavaliers, qui se retrouvaient alors à la merci des épées à deux mains.

Tout en se protégeant de son bouclier, Sébastien mit pied à terre. D'un moulinet, il abattit un deuxième Highlander, tout en surveillant ses arrières et ceux de ses compagnons les plus proches. Les cris de ses hommes lui glaçaient le sang. Il jeta un rapide regard alentour et vit les corps des morts et des blessés, que la neige ensevelissait déjà.

Alors, une fureur terrible s'empara de lui. Il hurla avec une force décuplée par la rage et entreprit de s'ouvrir un chemin dans les rangs des sauvages qui voulaient les anéantir. Devant lui, un Highlander tira Hugo de sa selle. D'un bond, il fut sur l'homme, qu'il désarma d'un coup d'épée.

Robert accourut près de Hugo, qui restait couché sur le sol, et abattit son agresseur d'un moulinet de sa lame. Sébastien jeta un coup d'œil angoissé à Hugo. Il le vit remuer, se mettre sur les genoux et retomber. Robert s'agenouilla à côté de lui.

Un autre hurlement arracha Sébastien à ce spectacle : un Highlander se précipitait sur lui, sa lance brandie. Il l'esquiva juste à temps et lui transperça le flanc.

Une acuité surnaturelle commandait tous ses mouvements. Il agissait avec une précision absolue, luttant pour sa survie et celle de ses compagnons les plus proches.

Vaincre semblait impossible. Pourtant, il le fallait. Son esprit ne pouvait accepter l'idée d'une défaite.

Il frappait sans relâche, d'estoc et de taille, tournant sur lui-même pour fermer tous les angles par lesquels on aurait pu l'approcher. Une colère invincible animait son bras.

En pivotant de nouveau, il vit un quartier de roc heurter Giric, qui vida les étriers. Le jeune homme se releva avec peine, le visage couvert de sang, et para de sa longue lame l'attaque d'un ennemi.

La neige enveloppait les combattants d'un voile tourbillonnant qui ne cessait de s'épaissir, tandis que le vent redoublait de violence, contrariant les projets des MacNechtan.

Surgis de la blancheur mouvante, deux Highlanders l'attaquèrent. Il les affronta, mais un troisième apparut dans son dos, puis un quatrième. Il ressentit un choc violent contre son flanc. Prenant le temps de baisser les yeux, il vit le surcot déchiré, le haubert déchiqueté, son propre sang briller sur l'acier. Il n'éprouvait pourtant aucune douleur.

Il frappa en retour, étendant un homme dans la neige, et pivota sur lui-même. Un cinquième Highlander arriva alors, brandissant une claymore. À l'instant où il croyait qu'il allait le frapper, Sébastien le vit s'attaquer à ses agresseurs.

L'homme abattit un premier MacNechtan, puis un deuxième, en deux coups d'une puissance phénoménale, tandis que Sébastien luttait contre les autres, qui tombèrent bientôt à terre, blessés.

Hors d'haleine, Sébastien croisa des yeux d'un bleu intense sous des sourcils bruns et reconnut l'homme qui s'était battu contre le loup.

Ruari le salua d'un bref signe de tête et se porta au secours de Giric, aux prises avec deux Mac-Nechtan.

Abasourdi, mais débordant de reconnaissance, Sébastien assura la prise de son bouclier et, l'épée au poing, reprit le combat dans l'ouragan blanc.

26

Penchée sur la pierre, Alainna maniait le ciseau d'une main délicate. Dessiné à la craie sur le bloc, le croquis qu'elle suivait exigeait une extrême précision.

Couché près du brasero, Finan dressa la tête et se leva en aboyant. Par-dessus le martèlement du maillet et le raclement du ciseau, Alainna entendit des cris dans la cour.

Elle posa ses outils et alla ouvrir la porte de l'atelier. La neige était plus dense, et la lumière avait pris une teinte lavande. Des congères s'étaient formées au pied de la palissade. Elle remonta son tartan sur sa tête et sortit, son chien sur ses talons.

À travers le rideau de flocons, elle vit Lorne, Niall et d'autres se précipiter vers la porte de la forteresse. Elle pressa le pas, tandis que Finan courait devant elle en aboyant furieusement.

— Que se passe-t-il ? cria-t-elle.

Niall se retourna et montra la palissade de sa main unique.

— Giric et les chevaliers sont de retour ! Aenghus les a aperçus. Il est arrivé quelque chose. Il y a des blessés.

— Qui est blessé ? demanda-t-elle, terrifiée.

Niall rejoignit Lorne et Aenghus en courant, et ils soulevèrent le madrier qui fermait la porte de la palissade. Une fois qu'ils l'eurent ouverte en grand, chevaux et cavaliers entrèrent pêle-mêle dans la cour. Giric marchait en tête, suivi de Lulach.

En les voyant sains et saufs, Alainna poussa un soupir de soulagement, puis elle essaya de discerner les traits de ceux qui venaient derrière. Elle reconnut Robert, Étienne, Richard et plusieurs autres chevaliers. Leurs visages, leurs armures et leurs armes étaient barbouillés de sang. Lulach était hagard, mais indemne, tandis que Giric semblait blessé. Alainna les compta, affolée. Sur les dix-neuf hommes qui étaient partis le matin, seuls treize avaient franchi la porte.

Sébastien n'était pas du nombre. Son cœur s'arrêta de battre.

Pendant que les siens aidaient les chevaliers à mettre pied à terre, elle courut vers Giric.

— *Ach Dhia !* s'écria-t-elle en le rejoignant. Ô Seigneur, qu'est-il arrivé ? Où... où sont les autres ?

Elle tourna la tête vers la porte, puis reporta son attention sur son frère de lait.

Elle lut la tristesse et la désolation dans ses yeux, expression qu'elle avait trop souvent vue chez certains de ses parents au retour du combat.

— Giric, qu'est-il arrivé ? répéta-t-elle, des sanglots dans la voix.

— Une embuscade. Cormac a trahi notre confiance.

— Vous n'avez pas pu lui parler ?

— Si. Nous nous sommes rencontrés à Turroch, répondit Giric.

Il passa la main sur son visage, étalant le sang qui coulait de sa blessure.

— Sébastien lui a remis le message du roi. Nous sommes repartis, et lui et ses hommes nous ont attaqués sur le chemin du retour, après nous avoir bloqués dans une gorge entre deux collines. Cormac et Struan avaient préparé leur coup, c'est certain. Après notre départ de Turroch, ils ont dû prendre un raccourci. Les Normands ont été gênés par leurs lourdes armures et leurs chevaux... qui n'étaient pas faits pour...

— Descends, dit-elle en le voyant faiblir. Morag et Una vont te soigner. Tu me raconteras la suite plus tard, ajouta-t-elle en l'aidant à mettre pied à terre.

Autour d'elle, les anciens assistaient les chevaliers, les accompagnant jusqu'à la salle, tandis que les trois écuyers menaient les chevaux à l'écurie. Niall et Donal soutenaient Robert. Lorne conduisait Étienne, qui avait le bras en sang. Una arriva dans la neige tourbillonnante, munie de linges.

Alainna jeta un regard vers la porte, mais il n'y avait aucun autre cavalier en vue. Sébastien n'était pas revenu. Hébétée, elle refoula un sanglot et soutint Giric.

— Giric... où est Sébastien ? demanda-t-elle.

— Il... Je ne sais pas. Je ne l'ai pas vu au moment où nous nous sommes échappés. Alainna, il s'est battu comme Fionn en personne.

Son cœur se figea. Giric vacilla, et elle passa un bras autour de sa taille. Il s'appuya sur elle. Du sang coulait le long de son visage.

— *Ach*, dit-elle. Attends. N'essaie pas de marcher.

— Ce n'est rien. J'ai connu pire.

Couvrant sa blessure de sa main, il avança, soutenu par Alainna.

— Una ! Lorne ! appela-t-elle.

Laissant les chevaliers qu'ils accompagnaient aux soins de Morag et de Donal, le barde et sa femme s'empressèrent de répondre à son appel. Alainna remit Giric entre les bras de Lorne, tandis qu'Una lui essuyait le front avec un linge. Il faillit s'évanouir contre le barde, mais se reprit et regarda Alainna.

— Il faut que je te dise... commença-t-il.

— Plus tard. Rentre.

— Il faut que tu saches. Ruari était là.

— Ruari ? fit-elle, en même temps que Lorne.

— Pauvre garçon, il délire, dit Una.

— Il était là, insista Giric. Il nous a aidés, Alainna. Sébastien a été attaqué par cinq hommes à la fois, et Ruari s'est porté à son secours. Puis il est venu à mon aide et a sauvé la vie de Robert. Je l'ai vu de mes propres yeux. Nous l'avons tous vu.

— Giric... commença Lorne.

— Où est Ruari en ce moment ? demanda Alainna.

— Je ne sais pas, répondit Giric.

— S'il est dans les parages, dit Lorne, nous le trouverons. Je vais demander à Donal et à Aenghus de partir à sa recherche.

Alainna regarda Giric, qui hocha la tête en signe d'acquiescement.

— Envoie-les dans l'île sur le loch, déclara-t-elle.

Personne ne posa de questions. Giric et Lorne s'éloignèrent vers la tour, tandis qu'Alainna fixait la porte ouverte, qu'aucun cavalier ne franchissait plus.

Il restait encore quelques hommes dans la cour.

Deux écuyers normands essayaient de calmer un cheval et le tiraient vers l'écurie.

Elle s'approcha de la porte et regarda à l'extérieur. Un voile blanc barrait l'horizon. Elle discernait à peine le loch et ne voyait ni la Vierge de pierre, ni la forêt, ni les montagnes.

La neige lui cinglait les joues, et le vent glacé sifflait autour d'elle, soulevant son tartan. Elle aurait dû rentrer soigner les blessés, mais elle n'arrivait pas à quitter la porte. Elle restait plantée là, dans le vent et la neige, serrant son tartan autour d'elle et se balançant d'un pied sur l'autre pour ne pas geler sur place. Bientôt, la nuit tomba, étrangement éclairée par la neige qui ne cessait de tomber. Engourdie et exténuée, Alainna faisait les cent pas, s'arrêtant régulièrement pour scruter le rideau de flocons. Elle se savait attendue dans la chaleur du foyer, mais quelque chose la poussait à rester ici. Quitter son poste de sentinelle équivaudrait à renoncer à tout espoir.

Enfin, alors qu'elle était sur le point de capituler, elle vit de vagues silhouettes émerger de la neige. Un cavalier gravissait lentement la colline, tirant plusieurs chevaux derrière lui. Des chevaux sans cavaliers. Comme il parvenait au sommet de la pente rocheuse, Alainna courut à sa rencontre.

En voyant Sébastien sur le dos du cheval, les épaules voûtées, Alainna eut le cœur brisé. Dans une main, il tenait les rênes de trois chevaux, sur lesquels reposaient les corps de cinq chevaliers.

Il avançait, farouche, à travers le voile de neige. Son camail lui tombait sur les épaules, son surcot était déchiré et couvert de sang, ses cheveux étaient tout collés, mais il était vivant. Il était là, et Alainna éprouva un soulagement indicible.

Elle s'élança vers lui, les jupes au vent, les pieds s'enfonçant dans la neige poudreuse.

— Sébastien ! s'écria-t-elle, la voix étranglée. Sébastien !

Il retint sa monture, et elle s'arrêta à un mètre d'Araby, dont la robe crème paraissait irréelle dans la lumière lavande. Le cheval s'ébroua, souffla et piaffa.

Alainna leva les yeux vers Sébastien. Il avait la bouche dure, les traits tirés, le regard profondément triste.

Elle tendit la main, et il la prit brièvement dans ses doigts glacés. Elle sentit l'intensité de sa détresse et en eut les larmes aux yeux.

— Que de vies perdues, murmura-t-elle, en regardant les corps jetés sur les dos des chevaux.

— Trop, fit-il d'une voix plate. Hugo est mort, Alainna. Hugo.

Devant ce triste fardeau, elle étouffa un sanglot. Elle savait que Hugo était comme un frère pour Sébastien.

La main gauche sur l'estomac, le bras serré contre le flanc, il descendit avec peine de sa monture et tira les chevaux vers la porte ouverte. Alainna tendit la main pour qu'il lui donne les rênes, mais il s'y agrippa et continua sa marche sans la regarder. Alors, elle le laissa entrer seul.

Une fois dans la cour, il s'arrêta et caressa l'encolure d'Araby. Alainna le vit s'appuyer contre le flanc de l'animal, puis le contourner en titubant légèrement. Elle le rejoignit au moment où il retirait sa main de son côté. Ses doigts étaient rouges de sang.

La panique la saisit, mais elle s'efforça de rester calme.

— Rentre, dit-elle en lui effleurant le bras. On va s'occuper des chevaux et... des hommes.

— Il ne faut pas les laisser comme ça. Il y a des prières à réciter. Nous ne pouvons pas envoyer chercher le prêtre par ce temps, mais nous pouvons...

— Plus tard.

Elle toucha sa main qui serrait les rênes. À son contact, les longs doigts glacés s'ouvrirent.

— Nous allons d'abord soigner les vivants, ajouta-t-elle d'un ton ferme.

Elle passa un bras dans son dos, et il s'appuya sur elle. Ravalant ses larmes et ses questions, elle avança en le soutenant.

Lorne traversa le rideau de neige, tel un fantôme, suivi de Donal. Alainna lui tendit le faisceau de rênes.

— Je m'en charge, dit Donal à l'adresse de Sébastien. Ne vous inquiétez pas.

— Venez, ordonna Lorne, jetant un tartan sur les épaules du blessé. Vous êtes fatigué, mon fils, et vous avez besoin d'un bon feu.

Sa voix était chaude et rassurante. Passant un bras autour des épaules de Sébastien, il l'entraîna vers la tour.

Il dormit, se réveilla, s'endormit de nouveau. Il avait l'impression de flotter dans un fleuve d'ombres. Le contact d'Alainna le calmait, sa voix le berçait. Il s'abandonnait à sa force et à sa douceur.

Couché dans le lit d'Alainna, dans un état de semi-conscience, il entendait d'autres voix que la sienne, des voix basses, soucieuses et bonnes : Lorne, Una, Esa, Niall, Giric... Una était souvent là. Il avait vaguement senti qu'elle lui recousait sa blessure, la profonde entaille dans le côté qu'il avait tenue fermée pendant tout le trajet de retour à la maison, pour éviter de perdre la vie.

La maison. Kinlochan était devenu son foyer, et

ceux qui se relayaient à son chevet étaient sa famille. Mais c'était impossible. Il ne savait pas pourquoi, car il avait l'esprit embrouillé. Pour une raison obscure, il ne pouvait pas rester ici. Pourtant, il le voulait plus que tout au monde.

Il les entendit dire qu'il avait perdu beaucoup de sang, qu'il avait failli mourir. Rien d'étonnant à ce qu'il se sente si faible, songea-t-il. Puis il sombra de nouveau dans le brouillard. Seule la voix d'Alainna demeurait, l'encourageant, comme un phare dans la nuit.

Il rêva d'un lieu où elle l'attendait. Derrière elle se dressait une tour dont les murs d'argent étincelaient au soleil et dont le toit était recouvert de plumes de colombe.

C'était le paradis qu'elle cherchait. Il était heureux qu'elle l'ait enfin trouvé. Elle l'appelait, l'invitant à entrer. Il voulait désespérément la rejoindre, mais il était enraciné au sol. Il avait les pieds enfoncés dans un trou et enlacés par des plantes grimpantes.

Il se réveilla de nouveau et tourna la tête avec effort. Alainna était penchée sur lui et posait sa main fraîche sur son front.

— Dors, Sébastien *Bàn*, chuchota-t-elle. Dors et ne meurs pas. Trop d'hommes sont morts dans ma vie, et je n'en peux plus. Je ne veux pas te perdre toi aussi. Pas toi.

Il sentit ses lèvres sur sa joue, sur sa bouche, et crut goûter ses larmes.

Il prit sa main avec effort et la garda dans la sienne, mince, fraîche et forte, tandis qu'il glissait dans un autre rêve, un rêve heureux où elle était avec lui.

Il s'obligea à ouvrir les yeux et à les garder ouverts. Quel jour était-on ? Il n'aurait su le dire. Le troisième jour dans ce lit, le quatrième, ou plus ? Alainna était assise à côté de lui, avec ses cheveux flamboyants et ses yeux profonds comme la mer.

— Je suis réveillé ou je rêve ? demanda-t-il en lui caressant le bras.

Sans réfléchir, il s'était exprimé en gaélique. Elle lui prit la main et la serra.

— Réveillé, dit-elle. J'allais te laver. Tu as eu de la fièvre, mais elle est retombée. C'est bien. Una sera contente.

— Et toi ?

— Je le suis aussi.

Elle descendit le drap, découvrant jusqu'à la taille son torse nu. Il avait le flanc bandé, et le moindre mouvement était douloureux. Elle trempa un linge dans une bassine d'eau, l'essora, puis le lui passa sur la poitrine avec une infinie douceur.

— Mmm, fit-il en haussant les sourcils. Ce n'est pas un toucher de sculpteur, mais un toucher d'ange. Ah, je me rappelle, maintenant. Tu es l'un et l'autre.

— Finalement, je crois que tu rêves, dit-elle en riant.

— Possible. Tu étais dans tous mes rêves.

Elle sourit et se tourna pour mouiller de nouveau le linge.

— Depuis combien de temps... commença-t-il.

— Quatre jours. Tu nous as fait peur, Sébastien *Bàn*. Tu as raté le Nouvel An. Nous l'avons fêté sans toi.

— Et mes hommes ? Robert et les autres ? Giric ? Comment vont-ils ?

Elle lui passa le linge sur une épaule.

— Mieux. Nous nous sommes inquiétés pour Giric. Il avait une mauvaise blessure à la tête, mais il a repris des forces et commence à se lever. Robert a reçu un coup de lance à la jambe, et il a fallu le recoudre, mais il marche déjà. Étienne se remet d'une blessure au bras. Les autres vont bien.

— Et... les autres ? Vous avez fait venir le prêtre et vous les avez enterrés ?

— La neige est trop profonde. Nous n'avons pu envoyer personne auprès du père Padruig. Lorne a récité les prières, et nous avons veillé les corps la première nuit. Una et Morag ont fait leur toilette et les ont enveloppés dans des linceuls. Nous nous occuperons du reste dès que possible.

Il acquiesça et détourna la tête.

— Nous avons été trahis, Alainna, pris dans une embuscade. Nous avons été attaqués par des hommes sans honneur.

— Je sais. Giric et Robert m'ont raconté. Je suis navrée, Sébastien. Et je suis désolée pour Hugo.

— Il était comme un frère pour moi, murmura-t-il en fermant les yeux. Si j'étais un Highlander, cette mort seule me ferait adopter votre querelle.

Elle plongea le linge dans la bassine et le tordit.

— Mais tu n'es pas un Highlander. Je ne veux pas que tu adoptes cette querelle.

— Alainna... soupira-t-il.

— Chut. Ne parle pas. Repose-toi et ne pense qu'à des choses agréables. C'est le meilleur moyen de guérir.

Il soupira de nouveau, l'esprit embrouillé. Penser lui demandait un effort, la tristesse et la colère aussi. Mais, dès qu'il la regardait, une joie sans mélange l'envahissait.

— Les autres vont bien ? demanda-t-il.

— Oui. Je te l'ai déjà dit.

— Et Ruari ? Il est ici ?

Elle se figea.

— Il est ici, répondit-elle en évitant son regard.

— Il s'est porté à notre secours et a combattu les MacNechtan.

— Giric nous a tout raconté. Ruari est ici, chez lui, avec sa femme et les siens, annonça-t-elle sur un ton de défi.

— J'aurai à lui parler. Et à toi aussi, ajouta-t-il d'un air sombre. Tu savais qu'il était de retour, Alainna.

— Ça ne presse pas, dit-elle. L'important, c'est que tu sois vivant.

Il la regarda en soupirant encore. Elle fit glisser le linge sur son ventre, et il frémit.

— Avant que je ne parte, tu as récité une incantation protectrice pour moi. Mais j'ai tout de même été blessé, la taquina-t-il.

— La protection accordée ne correspond pas toujours à notre souhait. En tout cas, tu m'es revenu vivant.

— C'est vrai. J'aurais pu mourir.

— Facilement, Sébastien *Bàn*. Tu as perdu beaucoup de sang, mais l'entaille n'a touché aucun centre vital. Grâce à Dieu, Una est habile à recoudre les blessures. Maintenant que la fièvre a disparu, tu guériras vite.

Tout en parlant, elle passait le linge tiède et mouillé sur son torse, ses bras, ses mains. Blessé et faible, il s'abandonna, tel un bébé, à ses soins tendres et compatissants.

Il sentait le linge glisser sur son corps et songeait qu'il aurait aimé lui rendre la pareille. Il imaginait des délices qu'il n'avait pas la force de réaliser.

Lorsqu'elle passa de nouveau le linge sur son ventre, il lui saisit le poignet et murmura :

— Alainna, si tu ne tiens pas à me rejoindre dans ce lit et à m'enlever le peu de force qui me reste, arrête.

Elle rougit, posa le linge et prit une pièce d'épais coton pour lui sécher les bras et la poitrine.

— Je n'insiste pas, dit-elle. La fièvre a cédé, et il n'y a plus urgence.

— Tu m'as donc déjà lavé sans que je puisse en profiter ?

Il reposa la tête sur les coussins qui sentaient bon la bruyère et la lavande, les deux parfums qui lui rappelaient Alainna, et croisa les bras derrière la tête.

— Je t'ai lavé toutes les parties du corps. Una et les autres femmes m'ont laissé cette tâche.

— Toutes les parties ? Je suis désolé d'avoir raté ça.

— C'était nécessaire pour que la fièvre baisse, bien qu'une dame convenable ne l'eût peut-être pas fait à un chevalier.

Elle avait les joues en feu. Il avait envie de la toucher, de savoir si la chaleur qui brûlait en elle était aussi forte que la fièvre, salutaire cette fois, qui le consumait.

Il passa l'index le long de son cou et lui souleva le menton.

— Une dame ne le ferait peut-être pas à un chevalier, dit-il, mais une épouse le ferait à son mari.

— C'est vrai, répondit-elle en posant la joue dans sa paume.

Puis elle se leva brusquement, prit la bassine et les linges et se dirigea vers la porte. Sans rien ajouter, elle quitta la pièce.

Sébastien se gratta le côté, là où sa blessure le démangeait, puis la tête. Il avait envie de prendre un bain, mais Una le lui refusait depuis plusieurs jours. Demain matin, décida-t-il, il abandonnerait toute dignité et la supplierait. Alainna aurait cédé, se dit-il, mais ces derniers jours, il ne l'avait vue que brièvement. À présent qu'il allait mieux, elle restait longuement dans son atelier.

Elle lui manquait. Depuis qu'il était revenu de la bataille, elle n'avait pas couché dans son lit, et il la soupçonnait de dormir sur la dalle de grès, tandis qu'il se rétablissait dans un nid de plumes et de fourrures.

Il se tourna et se retourna, se gratta de nouveau et jura. Il était tard, mais après plus d'une semaine à ne rien faire que dormir, il n'était pas particulièrement fatigué. Des notes de musique, des rires et la voix mélodieuse de Lorne lui parvenaient à travers le plancher de la chambre. Il s'assit dans le lit.

Son regard s'arrêta sur Finan, celui de ses compagnons qui avait passé le plus de temps avec lui, ces derniers jours. Couché près du brasero, le chien leva une patte arrière pour se gratter. Puis il posa la tête sur ses pattes avant et regarda Sébastien en remuant la queue.

— Ah, fit Sébastien, c'est donc à toi que je dois ces démangeaisons ?

Repoussant les couvertures, il se leva avec précaution, pour ne pas risquer de rouvrir sa plaie, puis il défit son bandage et le mit de côté. Sa cicatrice était nette et en voie de guérison. Il se sentait beaucoup mieux sans pansement.

Nu, il traversa la pièce jusqu'au banc où étaient pliés ses habits. Les femmes les avaient nettoyés et recousus. Il enfila sa chemise, ses braies et sa tunique brune, puis il chaussa ses bottes. Le surcot vert avait été lavé et reprisé, lui aussi, mais il le négligea.

Après avoir ouvert la porte, il laissa Finan passer devant lui, descendit lentement les marches qui menaient à la grande salle, puis il resta un moment en retrait, à observer l'assemblée.

L'un après l'autre, ils le remarquèrent. Les

visages se tournèrent vers lui avec des sourires, et des voix amicales lui adressèrent des paroles de bienvenue. Bien que Sébastien lui eût fait signe de continuer, Lorne cessa de chanter, puis il sourit et entama un air joyeux.

Una se précipita en caquetant comme une poule.

— Au lit ! Et plus vite que ça ! fit-elle en le tirant par le bras.

— Je vais beaucoup mieux. Grâce à vous – et à votre chef de clan, répondit-il en balayant la pièce du regard, à la recherche d'Alainna. Mais je voudrais prendre un bain. Je crois que Finan m'a passé ses puces.

— Nous allons mettre davantage de myrte dans le matelas et les oreillers, décréta Una en regardant Beitris.

Sébastien s'avança, s'arrêtant pour saluer membres du clan et chevaliers, jusqu'à ce qu'il l'aperçût.

Elle était assise à une table, entourée de Giric, de Robert, d'Étienne et de Lulach. Elle était rayonnante, comme toujours. Il s'approcha d'elle.

En face d'elle était assis l'homme qu'il voulait voir, un grand guerrier à la large carrure, au beau visage anguleux et aux cheveux blancs. Esa était appuyée contre lui. Un silence tendu s'installa dans la salle.

Il alla d'abord vers Alainna, lui prit la main et la porta à ses lèvres.

— Bienvenue, Sébastien. Mon clan est heureux de te revoir.

— Et toi ? Es-tu heureuse ?

— Tu le sais bien.

Il détourna les yeux et croisa le regard du guerrier assis de l'autre côté de la table. Ruari se leva lentement et lui fit face.

Sans dire un mot, Sébastien se pencha pour attraper une coupe, qu'il remplit de bière.

— Je vous dois des remerciements, Ruari MacWilliam, déclara-t-il. Comme nous tous ici.

Ruari accepta la coupe avec un petit sourire et but une gorgée. Lorsqu'il brandit la coupe pour saluer Sébastien, toute la salle applaudit.

27

Les échos du glas emplissaient les collines. Debout dans l'embrasure de la porte de son atelier, la main posée sur la tête de Finan, Alainna écoutait. Chaque coup de la cloche de l'église se gravait dans son cœur comme une marque de ciseau. Le père Padruig avait promis de sonner toutes les heures, jusqu'à ce que les chevaliers morts aient été enterrés.

La neige tombait de nouveau, mais la couche formée par les chutes de la semaine précédente avait suffisamment fondu pour leur permettre d'accompagner les morts jusqu'à l'église et d'assister à la messe. Giric, Lorne et d'autres étaient restés pour creuser les tombes dans le sol pratiquement gelé, mais Alainna et Sébastien venaient de rentrer à Kinlochan.

Ravalant ses larmes, elle regarda la cour silencieuse, froide et immaculée. Au-delà de la palissade, les montagnes bleutées étaient couronnées de nuages pâles.

Elle vit Sébastien traverser la cour à grandes enjambées. Il conservait une démarche gracieuse, malgré les séquelles de sa blessure. Le vent balayait sa chevelure dorée et soulevait son tartan, qu'il portait drapé sur ses épaules à la manière d'une cape.

Comme toujours quand elle le voyait, son cœur bondit dans sa poitrine.

— Que Dieu aplanisse ta route, dit-elle en gaélique.

— Et qu'Il te garde de tout malheur, répondit-il.

Finan lui lécha la main. Il gratta la tête de l'animal, puis il s'appuya contre le chambranle.

— Le monde dort sous un manteau blanc, déclara-t-il, songeur. Et ces nuages annoncent de nouvelles chutes de neige.

— La reine de l'hiver règne, tandis qu'Aenghus MacOg dort. Mais il se réveillera bientôt. Avec Brighid, il ramènera le printemps, et nous aurons de nouveau du soleil et de la verdure.

— Vivement que les beaux jours reviennent, soupira Sébastien.

— Quand il neige, le temps est comme suspendu. Il y a de la magie dans l'air. Brume, brouillard, aube, crépuscule, tout se confond.

La cloche sonna au loin, et Sébastien leva la tête pour l'écouter.

— Je suis désolée pour tes hommes, dit-elle.

— Je sais. Je devrais être là-bas, à aider les autres.

— Tu y étais ce matin. Et je t'ai demandé de revenir avec moi et mes parentes, ce que tu as gentiment fait.

— Una et toi avez trouvé un prétexte pour ramener l'invalide à la maison.

La maison... Le mot les troubla tous les deux.

— C'est vrai, reconnut-elle. Il ne faut pas que tu creuses la terre, sinon tu vas rouvrir ta cicatrice.

— Lorne m'a dit que tu taillais des pierres pour les tombes. Merci.

— Je suis contente de pouvoir faire quelque chose pour tes amis. Nos amis, corrigea-t-elle. Viens, je vais te les montrer.

Elle entra dans l'atelier, et il lui emboîta le pas. Finan se précipita pour prendre la place la plus chaude près du brasero.

Sébastien s'approcha de l'établi. Alainna l'y rejoignit, après avoir refermé la porte.

— J'utilise de petits blocs de grès. Au lieu de les sculpter en relief, je les grave. C'est plus rapide, et ça donne un assez bel effet.

Les croix étaient ornées de motifs entrelacés.

— Je suis sûr que ça demande beaucoup de travail, dit Sébastien. Pourtant, tu en as déjà terminé quatre sur cinq.

— Le grès est tendre et facile à travailler, mais les détails sont assez difficiles à rendre, c'est pourquoi j'utilise un motif plus simple. En général, je n'aime pas travailler le grès.

— Parce que tu y sculptes des pierres tombales ?

— Oui, mais aussi parce qu'il s'en dégage une poussière qui provoque une mauvaise toux. Et puis, cette pierre use trop les outils. Lulach rouspète, quand je lui demande trop souvent de les affûter.

— Tu as fait très vite. Tu as dû travailler dur.

Elle s'assit sur un tabouret et prit un ciseau en forme de V et un maillet de bois.

— Il le fallait, dit-elle simplement, en maniant les outils en cadence.

Le léger martèlement emplit l'atmosphère.

— Je n'ai jamais vu un chien dormir aussi profondément que le tien, observa Sébastien, en regardant Finan lové près du brasero. Le bruit ne le dérange pas du tout.

— Il y est habitué. Et puis, quand il a décidé de dormir, rien ne peut le réveiller. Il vieillit, lui aussi, soupira-t-elle.

— Tu as l'air fatiguée. Et tu as maigri.

— Toi aussi.

— Tu as des cernes sous les yeux, ajouta-t-il, en essuyant une trace de poussière sur sa joue.

— On croirait entendre Una. Tu vas bientôt me demander si j'ai bien mangé et combien de temps j'ai dormi !

— Eh bien, dis.

Elle lui fit une grimace, et il sourit.

— Quand il nous trouvait les joues pâles et le nez rouge, un des moines, au monastère de Saint-Sébastien, nous obligeait à manger ou à dormir plus. Il ne voulait que notre bien. Je ne veux que ton bien, déclara-t-il à mi-voix.

Alainna se pencha sur son travail et éternua.

— Cette pierre fait trop de poussière ! s'exclama-t-elle, en nettoyant la surface poudrée du bloc de grès avec un chiffon humide.

— Alainna, je crois que tu devrais te reposer.

— J'aimerais terminer aujourd'hui. C'est la dernière croix.

— Voilà plusieurs nuits que tu veilles avec une pierre pour seule couche.

Il souleva le bout d'une de ses longues nattes et la secoua pour en faire tomber de minuscules éclats de pierre.

— Quand je ne peux pas dormir, le travail me calme.

— Tu n'as pas besoin de te dépêcher autant pour finir ces pierres.

— Je n'en ai plus pour longtemps, et si je me dépêche tant, c'est pour me remettre à mon travail personnel.

300

Sébastien s'approcha de l'établi sous la fenêtre, où étaient alignées les sculptures en pierre à chaux. Il les examina l'une après l'autre.

— Tu as beaucoup avancé, ces dernières semaines. Tu as achevé trois nouvelles scènes, dont celle de la Vierge de pierre. C'est magnifique. Tu es une véritable artiste.

— Je ne suis qu'une artisane, qui tente d'immortaliser l'histoire de son clan, répliqua-t-elle en frappant la pierre avec son maillet. Je travaille dur et je termine toujours ce que j'entreprends. Je crains de n'avoir que jusqu'au printemps.

— Tu as toute la vie. Ce que tu fais est remarquable, mais tu ne le vois pas. Arrête un instant, Alainna, et viens ici.

— Je ne peux pas, répondit-elle en soufflant la poussière. Il me reste si peu de temps !

Traversant la pièce, il la souleva de son tabouret et la poussa devant lui.

— Regarde, dit-il.

— Quoi ?

Il lui tourna légèrement le visage.

— Regarde tes pierres, touche-les. Elles sont lisses et polies. Là, Labhrainn et la sirène qu'il aimait. Là, Mairead la Brave luttant contre un loup pour sauver son enfant. Ici, la Vierge de pierre – Alainna, la belle – qui veille éternellement sur son clan. Regarde les pierres, *mo càran*. Dis-moi ce que tu vois.

Elle leva les yeux vers lui, stupéfaite et ravie à la fois. Il l'avait appelée *mo càran*, ma bien-aimée.

— Dis-le-moi, insista-t-il.

Alainna reporta son attention sur ses œuvres.

— Je vois... Oh ! fit-elle en passant les doigts sur une bordure ouvragée. C'est joli. La sculpture est... si soignée.

— Elle l'est. Et quoi d'autre ?

— Je vois des symboles de... courage, d'amour du clan. Oh ! murmura-t-elle de nouveau, surprise par l'harmonie des motifs.

Elle avait voulu raconter des histoires, mais n'avait pas espéré atteindre à la beauté.

— C'est beau, murmura-t-elle, les yeux embués de larmes.

— Oui, c'est beau, dit-il en lui baisant la main. Nous en sommes tous convaincus. Mais il est important que tu le sois aussi.

Elle le regarda avec reconnaissance à travers ses larmes, et il la prit dans ses bras. Elle appuya la joue contre sa poitrine, heureuse qu'il soit là, vivant. Lorsqu'elle l'avait vu si près de la mort, elle avait été bouleversée jusqu'au plus profond d'elle-même.

Il baissa la tête et l'embrassa. Sa bouche était chaude et douce. À son contact, elle avait toujours l'impression de sentir son âme s'épanouir.

Lâchant ses lèvres, il la serra contre lui et posa la joue sur sa tête. Finan dormait à leurs pieds. Dehors, le vent sifflait.

Elle soupira. Elle avait besoin de lui parler, de lui dévoiler ce qu'elle avait sur le cœur.

Son souhait le plus cher était irréalisable. L'angoisse qui l'avait rongée quand elle avait cru le perdre facilitait son choix. S'il restait à Kinlochan, elle ne cesserait de craindre pour sa vie.

— Sébastien *Bàn*, commença-t-elle, j'ai beaucoup réfléchi, ces derniers jours, et j'ai pris une décision. As-tu toujours l'intention de retourner en Bretagne, dès que le temps le permettra ?

— J'ai réfléchi, moi aussi. J'ai parlé à tes hommes et aux miens. Nous sommes tous d'accord. Dès que la neige aura fondu, nous attaquerons Cormac.

Ce n'était pas ce qu'elle voulait entendre. Elle s'écarta, les sourcils froncés, et alla s'asseoir sur un tabouret devant l'établi. Sur celui-ci était posé le bloc de pierre à chaux couleur crème. D'un geste brusque, elle retira le linge qui le recouvrait, prit un ciseau et un maillet et se mit au travail.

— Alainna, qu'y a-t-il ? fit-il en la rejoignant.

— Tu ne peux pas rester à Kinlochan.

— Je t'ai dit que je partirai, en effet, car je dois retrouver mon fils. Mais tant que je n'aurai pas rendu à Cormac la monnaie de sa pièce, je ne m'en irai pas.

— Ne change pas tes plans. Va en Bretagne. C'est plus important, et c'est ton devoir.

— Je dois d'abord affronter Cormac, comprends-le.

— Tu n'as pas à entrer dans cette querelle. Maintenant que tu as exécuté les ordres du roi, il faut que tu t'occupes de tes affaires.

La main tremblante, elle attrapa un poinçon pour ôter une excroissance de pierre sur la gauche.

— Pourquoi ce changement ? demanda-t-il. Il n'y a pas si longtemps, tu me suppliais de rester.

Elle frappa sur le manche du poinçon, libérant un morceau de pierre, et passa les doigts sur l'arête qu'elle venait de dégager.

— Alainna, arrête-toi et parle-moi.

— Tu ne peux pas rester ici, insista-t-elle. Ton fils t'attend. Il doit être élevé en Bretagne, et tu dois rester avec lui.

Elle donna un nouveau coup sur le manche du poinçon.

— Tout ce que je sais, c'est que je dois affronter Cormac MacNechtan et venger la mort de mes amis.

— Ne change pas tes plans, répéta-t-elle. Retourne en Bretagne.

Elle frappa de nouveau, et un morceau de pierre vola par terre. L'arête paraissait plus importante à cet endroit – une imperfection dans la pierre qu'elle n'avait pas soupçonnée.

— Pas tout de suite, dit-il.

— Nous n'avons pas besoin de toi ici. Nous pouvons nous débrouiller seuls, comme nous l'avons toujours fait. Avec ton départ, notre union sera rompue, et... nous choisirons quelqu'un d'autre pour nous aider, comme nous l'avions prévu, avant que le roi n'envoie son champion.

Elle regretta aussitôt ces mots blessants.

— Je vois. Finalement, tu préfères un guerrier celte plutôt qu'un chevalier étranger.

— Ce n'est pas du tout ça. Si tu restes, Cormac attaquera de nouveau. Et la prochaine fois, il te tuera.

Elle examina le bloc, cherchant un moyen d'enlever le défaut de la pierre.

— Il n'aura de cesse de te voir mort, ajouta-t-elle en frappant sur le poinçon.

— C'est donc cela qui t'inquiète, dit lentement Sébastien.

— Va en Bretagne, en France ou même à Dunfermline. Réalise tes projets et sois heureux.

— Mes projets ont changé. Tandis que nous parlons, ils changent, déclara-t-il d'un ton sombre.

— Que comptes-tu faire ? demanda-t-elle en raclant le défaut avec le ciseau.

— Que tu veuilles ou non de moi ici, j'ai maintenant une querelle personnelle avec Cormac MacNechtan, et il me faut la régler.

— Avec Cormac et son clan, l'affaire ne sera jamais réglée ! Je vis depuis toujours avec cette querelle. Trop de ceux que j'aimais sont morts en se battant contre les MacNechtan. Je ne supporterais pas qu'il t'arrive la même chose !

— Ne t'inquiète pas pour moi. Tout ira bien.

304

— Crois-tu que j'aie envie de sculpter ta... pierre tombale dans le bloc de grès où nous... où nous...

Troublée par le souvenir de la nuit de passion qu'ils avaient passée sur cette pierre, elle se détourna et se remit à frapper.

— Je veux que tu partes, ajouta-t-elle. Cette perspective m'est insupportable.

— Avant, l'idée que je pouvais mourir à cause de cette querelle ne semblait pas te déranger.

— Je ne t'avais pas vu au seuil de la mort. Je ne t'aimais pas autant.

— Alainna... fit-il en tendant la main vers elle.

S'il la touchait, se dit-elle, elle s'effondrerait. Elle frappa avec force sur le poinçon. Un autre morceau de pierre sauta, accentuant l'imperfection.

Ach Dhia, se dit-elle en s'essuyant les yeux du revers de la main.

— Un coquillage, souffla-t-elle, au bord des larmes.

— Un coquillage ? fit-il en s'approchant.

— La pierre à chaux renferme parfois des coquillages. Et on ne sait pas à quelle profondeur de la pierre ils se trouvent. Je crois que je vais réussir à l'enlever, marmonna-t-elle en se levant pour mieux orienter son poinçon.

Elle frappa avec force, dégageant davantage le coquillage, et s'apprêta à recommencer.

— Alainna, attends, dit-il en avançant la main.

Le poinçon pénétra dans la pierre, et elle entendit un craquement. Une brèche apparut autour du coquillage, la pierre se fendit, et une partie du bloc s'écroula par terre.

28

Alainna regarda, incrédule, son travail mutilé. Puis elle se baissa, aveuglée par les larmes, et ramassa les fragments de pierre.

— Laisse-moi faire, dit Sébastien en s'accroupissant à côté d'elle.

Elle lui donna un coup de maillet sur les mains.

— Laisse-moi ! lança-t-il en la repoussant.

Alainna se leva, le visage baigné de pleurs. Lorsque Sébastien déversa les morceaux sur l'établi, elle eut l'impression que son cœur se brisait dans sa poitrine.

— C'est fichu, murmura-t-elle.

— Tu peux la retailler, suggéra-t-il, en passant la main sur la partie intacte de la pierre. Ici, et ici.

Elle secoua la tête. Une partie de la tour et de la palissade avait disparu.

— C'est irréparable, dit-elle en étouffant un sanglot.

— Nous allons l'arranger ou trouver une autre pierre, assura-t-il en lui touchant l'épaule. Alainna...

Elle s'effondra dans ses bras.

— C'est de mauvais augure, gémit-elle. Il faut que tu partes et que tu ne reviennes jamais. Si tu restes et que tu abandonnes tout ce qui t'est cher...

— Pas tout, murmura-t-il, le nez dans ses cheveux.

— Cette querelle pourrait te coûter la vie.

— Malgré tout, je resterai et me battrai. Je n'ai pas le choix, Alainna, dit-il, en écartant les mèches qui lui barraient le front.

Fermant les yeux, elle donna libre cours à son chagrin. Elle pleurait pour tous les siens, pour Sébastien, qui avait failli mourir, pour les cinq chevaliers tombés au combat, pour son père et ses frères. Elle pleurait pour sa mère, pour toutes ses parentes, et pour une vierge qui était morte, jadis, au bord du loch.

Au fond de son cœur, elle pleurait pour son clan qu'elle était incapable de sauver seule. Ses sculptures ne le protégeraient pas. Seuls des fils et des filles pourraient perpétuer l'héritage et le sang du clan Laren.

Elle n'avait pas le droit de demander à Sébastien de rester avec elle à Kinlochan. Pourtant, elle voulait être sa femme, sa maîtresse et son âme sœur ; elle voulait porter ses enfants et vivre à ses côtés dans leur paradis.

Mais ce lieu-là appartenait à la légende, et le monde réel était plein de dangers.

— Sébastien... renifla-t-elle dans sa poitrine.

— Qu'y a-t-il, *mo càran* ? murmura-t-il en lui effleurant le front de ses lèvres.

— Je t'aime. C'est pour ça que je veux que tu partes. Je refuse que cette querelle te coûte la vie.

Il l'écarta pour la regarder dans les yeux

— Alainna, écoute-moi. Je suis ici avec toi, je suis hors de danger, et je veillerai sur toi et sur les tiens. Je le jure. Si cela t'apaise, descendons ensemble jusqu'au loch, et je le jurerai, la main sur la Vierge de pierre. Tu pourras prononcer toutes les incantations bénéfiques que tu voudras.

— Pas tout de suite. Il neige toujours. Pour l'instant, reste ici avec moi. Pour l'instant seulement. Ensuite, nous parlerons de ton départ.

— Ensuite, nous parlerons de mon installation ici.

— Chut. Ne parlons plus de l'avenir.

— Très bien, dit-il en l'attirant de nouveau à lui. Disons que c'est une trêve. Un temps suspendu. Tant que le monde restera blanc et assoupi, tant que l'hiver nous retiendra ici, nous ne parlerons pas de l'avenir. Cela te convient-il ?

— Oui, répondit-elle en nouant les bras autour de son cou. Plus un mot d'héritage, de devoir ou de vengeance. Par ce temps, nous n'irons nulle part, et personne ne viendra ici. La paix règne à Kinlochan.

— Si seulement elle pouvait durer jusqu'au printemps, soupira-t-il en lui caressant le dos. Jusqu'au jour où tu traceras la marque sur la Vierge de pierre.

— Le printemps est plus proche que tu ne le crois. Selon notre coutume, nous marquons la pierre à la Sainte-Brighid. Ce n'est pas si loin...

— Chut.

Il posa sa bouche sur la sienne. Comme leur baiser se prolongeait, elle sentit son chagrin se dissoudre, son corps fondre. De ses mains expertes, il soulignait les courbes de son corps. Elle sombra dans ses bras, heureuse de perdre toute notion du monde et du temps.

Il la souleva dans un tourbillon de lainage, la porta jusqu'à la dalle de grès et la déposa dans l'ombre, puis il retira le tartan de ses épaules et l'étala sur la pierre.

— Je ne sculpterai jamais cette pierre pour toi, dit-elle en l'aidant.

— Très bien. Nous pouvons en faire un bien meilleur usage, affirma-t-il en l'allongeant doucement sur la pierre. Si tu es d'accord.

— Je le suis.

Elle l'attira à elle et, tout en suivant de ses doigts la courbe de sa hanche et le renflement de ses seins, il l'embrassa de nouveau, tendrement, intensément. Puis il promena ses lèvres sur sa gorge, lui mordilla l'oreille, tandis qu'elle glissait les doigts dans sa chevelure.

Lorsqu'il fit sauter la boucle qui fermait sa robe grise et qu'il prit ses seins dans ses mains, elle gémit de plaisir et, se pressant contre lui, elle lui lécha l'oreille jusqu'à ce qu'il reprenne ses lèvres.

Comme elle tirait avec insistance sur sa tunique, il s'en débarrassa et lui en fit un oreiller. Puis il se laissa retomber dans ses bras. Elle caressa sa peau lisse et ferme, son dos musculeux, son large buste.

Évitant sa blessure, elle passa la main sur son ventre, dénoua les cordons de ses braies et les descendit. Alors, elle entreprit de découvrir l'intimité de l'homme qu'elle aimait.

Il remonta lentement sa robe le long de ses jambes, en lui caressant les seins de la pointe de la langue. Comme elle se contorsionnait contre lui en gémissant, il l'apaisa de ses baisers.

Une fois qu'il lui eut retiré ses vêtements, il baisa ses épaules nues, ses bras, chacun de ses doigts couverts de poussière de pierre. Chaque caresse, chaque baiser avivaient le désir d'Alainna. Enveloppée de silence et de paix, projetée hors du temps, elle s'abandonna à lui et se laissa aimer. Dehors, le vent sifflait, et la lumière du jour pénétrait, argentée et glacée, à travers la fenêtre. Gardien fidèle et discret, Finan dormait à côté du brasero.

Sous les lèvres et les doigts de Sébastien, Alainna s'épanouissait comme une rose. Lorsqu'il s'agenouilla sur elle et lui souleva les hanches, elle avança le bassin, impatiente de s'unir à lui. S'accrochant à la pierre, elle cria de joie quand il plongea enfin en elle. L'espace d'un instant, elle eut l'impression que leurs esprits s'entrelaçaient pour former un motif unique.

— Je crois, chuchota-t-il plus tard, que nous devrions essayer dans un lit.

— Ce soir, fit-elle en se retournant dans ses bras pour trouver ses lèvres. Après les contes.

— Si nous pouvons attendre jusque-là, répondit-il, avant de reprendre sa bouche.

Ces semaines furent pour elle un temps béni qu'elle aurait voulu voir durer toujours. Ils évitaient les sujets brûlants – la querelle ancestrale, les futures batailles –, bien qu'elle sût que Sébastien en discutait avec ses hommes et ceux du clan. Il passait de longues heures à bavarder avec eux, mais ne faisait jamais allusion devant elle à ce qu'ils s'étaient dit.

Lorsqu'ils étaient ensemble, dans l'atelier d'Alainna, au bord du loch, ou enlacés dans le lit, la nuit, ils s'interrogeaient sur eux-mêmes, sur leur enfance, mais aucun d'eux ne parlait de l'avenir.

Chaque matin, Alainna se rendait dans son atelier, tandis que Sébastien reprenait doucement ses exercices, dans la cour ou dans la grande salle, lorsque le froid était trop mordant. Très vite, il retrouva toute sa dextérité à l'épée comme à la claymore.

Il rejoignait ensuite les hommes. Ceux-ci discutaient, maniaient les armes, réparaient le matériel et entraînaient les chevaux près du loch ou dans la cour, le temps leur permettant rarement de s'aventurer plus loin.

Presque chaque jour, Sébastien rejoignait Alainna dans son atelier, où il devint un élève assidu. Elle lui montra comment utiliser les différents outils, sabler les aspérités, polir les sculptures, déplacer les pierres à l'aide de rouleaux de bois.

Naturellement doué pour le dessin, il s'intéressait particulièrement aux entrelacs, et elle lui apprit à les construire à l'aide de grilles, de cercles et de carrés. Levant les yeux de son travail, elle le voyait parfois en train de dessiner des châteaux à la craie sur des morceaux de tissu ou sur la pierre, tandis que Finan ronflait à ses pieds.

Alainna chérissait ces instants de chaleur et de paix. Elle découvrait que leurs intérêts et leurs opinions se rejoignaient, qu'ils avaient le même goût pour le silence et la solitude. Harmonie, respect et joie présidaient désormais à leurs rencontres.

La journée finie, les soirées dans la grande salle étaient pleines de contes, de musique et de rire. Plus tard, derrière les rideaux du lit d'Alainna, ils s'abandonnaient à la tendresse et à la passion.

Chaque jour, elle regardait par la fenêtre, au-delà de la palissade, et se réjouissait de voir que la neige tombait toujours. Puis la neige commença à fondre, le soleil à briller plus longtemps, et les premières pousses de fougères apparurent.

— Il existe une île lointaine qui émerge de la brume et étincelle au soleil, racontait Lorne. Les arbres ploient sous le poids des fruits. Les plaines, vastes et verdoyantes, sont traversées de rivières de miel et de vin. Les montagnes couronnées de neige sont harmonieuses et rondes comme des seins de femme.

Assise sur le banc à côté de Sébastien, Alainna lui jeta un regard, et il lui posa une main sur l'épaule. À ce contact, elle s'étira langoureusement et reprit sa traduction.

— Les landes sont pourpres, les cours d'eau paisibles. Chagrin et traîtrise sont inconnus, vieillesse et maladie n'existent pas. Le chant des oiseaux et les accords de la harpe emplissent le silence de ce pays aux mille couleurs. C'est la Terre de l'Éternelle Jeunesse, la Terre de la Promesse...

Alainna s'arrêta en même temps que Lorne.

Lorsque Sébastien lui prit la main, elle ferma les yeux.

Ils allaient bientôt quitter l'îlot de bonheur qu'ils s'étaient créé. Les neiges ne seraient bientôt plus qu'un souvenir et le printemps apparaîtrait.

— Parlez-moi de l'île sur le loch, demanda un jour Sébastien à Ruari, tandis qu'ils traversaient ensemble la cour.

— C'est un bel endroit. Il y a une vieille ruine, un tas de pierres, guère plus, dont les murs renferment quelques petites salles qu'on peut utiliser comme abris, dit-il, les yeux pétillants.

— Des cachettes, je sais. Mais parlez-moi de l'île elle-même. Est-elle assez grande, assez solide, pour y bâtir un château de pierre ?

Les deux hommes marchaient côte à côte sur le chemin de ronde intérieur. Ils regardèrent par-dessus la palissade. Le loch étroit semblait gris et triste sous le ciel plombé, et le vent était chargé d'humidité. Sur la rive opposée, la Vierge de pierre se dressait, forte et indestructible, contre le ciel.

Avec ses arbres dénudés, ses fougères desséchées et ses rochers, l'île était une tache sombre au milieu du loch. En son centre, la vieille tour émergeait d'un fouillis d'arbres.

— C'est une bonne île, Sébastien *Bàn*, dit Ruari. Je crois qu'elle serait assez grande pour un château de pierre.

— Lorsque le temps le permettra, j'irai y jeter un coup d'œil. Si le sol n'est pas marécageux et qu'il me paraît assez solide pour supporter de puissantes fondations, j'y construirai peut-être un château.

— Vous comptez donc rester à Kinlochan.

— Le roi m'a ordonné d'élever un château. Mais

je n'ai pas l'intention de raser cette forteresse de bois, ni de la transformer en château de pierre. Il faut trouver un autre site. Le roi attend mon rapport sur cette question – entre autres.

— Allez-vous porter vous-même votre message au roi ?

— Je ne partirai pas tout de suite. J'ai une querelle à régler avec Cormac. Je vais demander à Robert de prendre avec lui quelques chevaliers et de se rendre à Dunfermline, pour remettre à William mon rapport sur les sujets qui ne peuvent pas attendre.

— Que direz-vous au roi, dans votre message, sur le rebelle et hors-la-loi Ruari MacWilliam ?

Le regard perdu dans le vague, Sébastien répondit :

— Cet homme est mort, ne l'avez-vous pas entendu dire ?

— En effet, je l'ai entendu dire, moi aussi. Mais certains racontent qu'il est toujours vivant et qu'il s'est réfugié en Irlande.

— Vous étiez conscient du danger. Alors, pourquoi êtes-vous revenu ?

— Pour Esa, répondit Ruari.

— Et la cause MacWilliam ?

— Le bruit n'est qu'en partie vrai. Je ne suis pas revenu dans les Highlands pour chercher du soutien à la cause de mon clan. Je suis venu dans un but précis. Depuis la bataille de l'an passé, j'ignore ce qu'est devenu mon fils, Iain – il doit avoir l'âge d'Alainna. La tristesse nous accable, Esa et moi. Il faut que je sache s'il est mort ou s'il est dans l'incapacité de communiquer avec nous.

— Je comprends, répondit Sébastien, la gorge serrée.

— Pour le reste, mon cousin Guthred est jeune et ardent, habile aux armes et bon meneur d'hommes. Il a de nombreux partisans, dont je ne fais pas partie.

— Vous ne le soutenez pas ?

— Je ne l'encourage pas. Il ne ferait pas un très bon roi, si par hasard il accédait au trône, ce que je crois peu probable. Les comtes celtes sont contre lui. Il a peu de réelle influence, pas de fortune personnelle et, contrairement au roi William, il est incapable de négocier avec les Normands, les Anglais et le clergé. Son seul atout est de descendre directement des rois pictes. Ce n'est pas suffisant.

— Pour beaucoup, ça l'est.

— Il en faut plus pour faire un bon roi.

— Alors, vous êtes loyal à notre roi.

— Je le suis et je l'ai toujours été. Mais je suis également loyal à ma famille et à mon clan, et quand je l'ai jugé nécessaire, j'ai combattu à leurs côtés. J'aimerais ramener mon cousin Guthred à la raison. Malheureusement, je crains qu'il ne s'entête dans sa folie.

— Si vous n'êtes revenu que pour Esa, pourquoi vous êtes-vous entretenu avec Cormac ? Vous l'avez vu, je le sais.

— Je l'ai rencontré, c'est vrai. Il est loyal à notre roi. Quand Guthred arrivera d'Irlande avec les siens, il ne se battra pas à leurs côtés. Au cas où vous me le demanderiez, s'empressa-t-il d'ajouter, j'ignore tout de leurs plans.

— Alors, pourquoi avez-vous rencontré Cormac ? insista Sébastien.

— Tout d'abord, pour me renseigner sur mon fils : il aurait pu avoir entendu parler de lui. Et puis, le père de Cormac et moi étions amis. Je n'appartiens pas au clan Laren, contrairement à ma femme. Dans le passé, j'étais le seul lien entre ces deux clans ennemis. Conscient de la situation désespérée du clan Laren et de la gravité de cette querelle, j'ai voulu renouer avec Cormac, de façon à jouer les médiateurs.

— Cormac vous est certainement reconnaissant d'avoir sauvé la vie de son fils.

— Peut-être, mais on ne peut pas se fier à lui. Il sert ses intérêts avant ceux de son clan. Retenez bien ça.

— Je ne l'oublierai pas. Dans mon rapport, j'ai écrit que l'homme était peut-être loyal à la couronne, mais qu'il n'en continuerait pas moins à mettre la région à feu et à sang.

Ruari acquiesça et leva la tête.

— Le temps va changer. La neige fond, et vos cavaliers pourront bientôt partir pour Dunfermline.

— Oui. Avant qu'ils ne s'en aillent, je dois rajouter une note à ma lettre au roi.

— Sur Ruari MacWilliam ?

— L'homme est peut-être mort, comme le veut la rumeur. Mais j'insisterai sur le fait que Ruari *Mor* n'a jamais été une menace pour la couronne et que, même si on le retrouve, il ne sera pas nécessaire de l'arrêter.

29

L'aube de la Sainte-Brighid s'était levée, rose et douce. Tous les habitants de Kinlochan, dans leurs plus beaux habits, se tenaient en cercle dans la cour. Sous son surcot vert, Sébastien portait sa cotte de mailles. Il avait drapé son tartan vert foncé sur ses épaules et chaussé ses bottes en peau de loup agrémentées de lanières de cuir.

Alainna entra dans le cercle. Elle était le printemps en personne. À cet instant, il comprit que jamais il ne l'avait autant aimée. Elle parcourut l'intérieur du cercle en s'arrêtant devant chacun. Vêtue de sa simple tunique grise sur une chemise de lin écru, elle portait sur ses cheveux dénoués une couronne de violettes et de perce-neige. Ses yeux avaient la couleur de la jacinthe et ses joues celle de la rose.

La veille, malgré la neige qui recouvrait encore en partie le sol, les femmes étaient allées cueillir les fleurs nouvellement écloses, et avaient passé la soirée à confectionner la couronne d'Alainna, ainsi que de petites poupées en paille censées représenter sainte Brighid. Au souvenir de leurs rires pendant qu'elles décoraient les figurines, Sébastien sourit.

Alainna inclinait la tête devant chacun et murmurait quelque chose en tendant les mains pour recevoir les cadeaux qu'on lui donnait.

— Nous offrons tous quelque chose à la Vierge, expliqua Una au chevalier breton. Au nom de Brighid et de la Vierge, Alainna accepte nos présents. Elle déposera ensuite les offrandes au pied de la colonne de pierre.

Sébastien hocha la tête. La veille, Alainna lui avait parlé de ces offrandes, et il avait réfléchi à sa contribution. Il regardait Alainna accepter chaque don avec grâce : de Beitris, une pomme, d'Aenghus, une poignée de noix, de Lulach, un fer à cheval, de Niall, une baguette de bouleau, de Ruari, une baguette de sorbier, de Donal, quelques carottes, d'Esa, un tartan plié, de Giric, une pierre blanche.

Un des jeunes écuyers la suivait avec un panier pour recueillir les dons.

Les quelques chevaliers qui n'étaient pas partis

avec Robert ne furent pas en reste. Richard donna une pièce d'argent et Étienne un bouquet de perce-neige. Quant à Walter et William, ils offrirent de jolies pierres.

Arrivée devant Sébastien, Alainna lui demanda, comme aux autres avant lui :

— Que vas-tu donner à la Vierge ?

La prenant par le menton, il bascula son visage en arrière et l'embrassa sur les lèvres.

— Mon cœur, chuchota-t-il. Pour toujours.

Elle le contempla de ses yeux bleus pleins d'amour. Un murmure approbateur parcourut le cercle des spectateurs. Alainna sourit et passa à la personne suivante. Lorne offrit un morceau de cristal fumé, et Una une poignée d'avoine dans un linge.

Lorsqu'elle eut achevé le tour du cercle, elle se dirigea vers la porte ouverte de la forteresse, le clan derrière elle. Les femmes marchaient en premier. Sébastien, Lorne et Giric venaient ensuite, suivis des autres hommes.

Le loch étincelait sous le soleil, et les vagues battaient le rivage en cadence.

Tandis qu'Alainna, le jeune écuyer sur ses talons, déposait les offrandes au pied de la colonne, la procession entoura la Vierge de granit, qui semblait avoir été polie pour l'occasion. L'écuyer courut ensuite rejoindre ses camarades, et Alainna se planta face à la grande pierre, munie d'un ciseau et d'un maillet.

Elle tourna autour de la pierre en psalmodiant une litanie de noms.

— Elle récite la généalogie de sainte Brighid, dit Una à Sébastien, qui se penchait vers la vieille femme. Ensuite, elle récitera la généalogie d'Alainna de Kinlochan, la jeune fille enfermée dans la pierre. Maintenant, elle offre une incantation à Brighid et à la Vierge qui protège ce clan.

— Brighid des Mantes, poursuivit Alainna, Mary la Douce et Alainna la Vierge, vous possédez les neuf grâces, dons des anges qui veillent sur nous.

Elle inclina la tête, attendit un instant, puis continua :

Sois la flamme qui brille devant nous,
Sois l'étoile qui nous guide,
Sois le chemin où nous marchons,
Aujourd'hui, ce soir, et à jamais.

À genoux, elle passa la main sur les traits gravés dans la pierre, plaça le ciseau à la fin de la rangée et donna un coup de maillet. Lorsqu'elle eut obtenu une nouvelle marque, elle caressa le granit, comme pour adoucir la blessure, et se releva. En se retournant, elle fut baignée de soleil.

— Nous remercions les fées d'avoir protégé notre Vierge et Alainna la Vierge d'avoir veillé sur son clan. Le charme est rompu, déclara-t-elle. La Vierge est libre.

Le cercle attendait en silence. Alainna se tenait droite, mince et ravissante, telle une colonne de chair, tandis que la brise faisait voler quelques mèches de ses cheveux.

Sébastien ne pouvait détacher ses yeux d'elle. Il retenait son souffle et avait l'impression que la dernière pierre du mur qui entourait son cœur venait de tomber. Alainna tourna la tête, leurs yeux se croisèrent, et il se noya dans son regard.

Il savait qu'il devrait bientôt la quitter, comme ils l'avaient décidé. Le printemps était arrivé, marquant la fin de ce temps béni d'amour et d'harmonie.

318

Il avait un jeune fils, qui avait davantage besoin de lui que cette belle et forte femme, que ce peuple fier et affectueux. Son départ briserait leur union et leurs cœurs à tous les deux, mais il fallait qu'il parte.

Il souhaitait désespérément revenir, mais comment aurait-il pu abandonner son nom ? Malgré l'amour qu'il éprouvait pour Alainna, l'idée de se forger une nouvelle identité lui semblait impensable.

Il lut une immense tristesse dans les yeux de la jeune femme. Elle s'écarta de la colonne de pierre et traversa le cercle. Tous se regroupèrent derrière elle. Sébastien, qui marchait à côté de Ruari et de Lorne, leva le regard vers les collines qui entouraient le loch.

Il se figea et fit signe à ses compagnons de s'arrêter.

— Nous ne sommes pas les seuls à être venus voir graver la dernière marque sur la Vierge de pierre, dit-il. Regardez.

Au sommet d'une des collines qui dominaient le loch, Cormac, son frère Struan et une quarantaine de MacNechtan, tartans et tresses au vent, les observaient, immobiles et menaçants. Puis ils commencèrent à descendre.

Il n'y avait pas de femmes parmi eux, remarqua Sébastien. Manifestement, ils n'étaient pas là pour assister à la cérémonie. Armés et sinistres, ils semblaient prêts à se battre.

Un frisson parcourut l'assemblée, qui s'écarta pour laisser Alainna s'avancer à la rencontre des MacNechtan.

Sébastien la saisit par le bras.

— Sois prudente, dit-il. Ils ne viennent pas en messagers de paix.

— On ne sait jamais. Le chef du clan Laren et celui du clan Nechtan ont l'habitude de se

319

rencontrer le jour où l'on marque la Vierge. C'est traditionnel. Des trêves y ont été accordées, et nos clans ont connu des périodes de paix. Le charme prend fin aujourd'hui. C'est le moment pour nos clans d'entamer une nouvelle ère.

— Peut-être est-ce la tradition, mais tu ne peux pas faire confiance à cet homme. Alainna, reste là. Laisse-moi parler avec lui.

— Ce n'est pas à toi de le faire.

Il fronça les sourcils. Finalement, ils avancèrent côte à côte vers les MacNechtan, qui s'arrêtèrent au pied de la colline. Alainna s'immobilisa devant Cormac.

Sébastien avait la main sur la poignée de son épée. Cormac lui lança un regard noir, qu'il soutint sans broncher.

— Cormac MacNechtan, commença Alainna, je te demande officiellement, devant toute cette assemblée, comme c'est la coutume le jour du marquage de la pierre, de faire la paix avec nous. Les morts de la Vierge et du premier Nechtan ont été largement vengées. Toi et moi pouvons mettre un terme à cette longue et vaine querelle et nous accorder le pardon.

— Je ne réclame pas ton pardon, rétorqua Cormac. Et je ne t'offre pas le mien. Je suis ici pour traiter d'affaires plus importantes.

— Lesquelles ?

— Le pouvoir de la Vierge de pierre a pris fin. J'attends ce jour depuis longtemps. Tu n'es plus protégée.

— Justement, si, intervint Sébastien.

— Quelques chevaliers envoyés par le roi ? s'esclaffa Cormac.

— Un mari.

Bien qu'ils ne soient pas officiellement mariés, Sébastien était convaincu que les vœux qu'Alainna et lui avaient échangés les liaient l'un à l'autre. Rien ne pouvait les rompre.

— Un mari ! glapit Cormac. Vous !

— Je t'avais dit que c'était moi qui choisirais, déclara Alainna. C'est fait. Tu n'as aucun droit sur moi, ni sur Kinlochan.

— Un mari n'est un obstacle que quand il est vivant, dit Cormac, les yeux flambant de haine.

Sébastien se raidit, prêt à tirer son arme de son fourreau, mais il se contint.

— Vous n'avez plus rien à faire ici, dit-il. Partez avec vos hommes, ou restez et combattons seul à seul.

— J'ai avec moi quarante guerriers, et vous n'avez qu'une poignée de chevaliers et des vieillards.

— Te battrais-tu contre des anciens ? s'exclama Alainna, les joues rouges de colère. Ton père et son père avant lui s'y seraient refusés.

— Renvoie les vieux, dit Cormac. C'est au Breton que j'en veux, surtout maintenant qu'il a pris la place de mari qui me revenait. Et je vois, ajouta-t-il à l'adresse de Sébastien, que vous avez trouvé Ruari MacWilliam. J'ai décidé de le conduire au roi, puisque vous avez négligé de le faire.

— MacWilliam n'est pas une menace pour la couronne, intervint Sébastien.

— C'est toi le chef, pas lui, dit Cormac en se tournant vers Alainna. Ton parent Ruari est un traître. Si tu ne veux pas assister à une bataille devant ta Vierge de pierre, ordonne à MacWilliam de venir avec moi pour affronter la justice du roi.

— Ruari n'est pas un traître, protesta Alainna. Il reste ici.

— Très bien. Tous les tiens trouveront la mort aujourd'hui, et ton mari aussi, puisque c'est le seul moyen d'obtenir ce que je réclame. À moins que tu ne me livres le traître. Décide-toi, ma fille !

Il empoigna le manche de son poignard. Ses hommes avancèrent d'un pas.

Sébastien fit glisser l'acier de son épée contre le cuir du fourreau.

— Ordonnez à vos hommes de reculer, dit-il. Cette affaire ne concerne que nous. Alainna, écarte-toi.

Elle se retourna. Il la vit pivoter vers lui, comme au ralenti, sa longue chevelure se déployant derrière elle.

Avec la rapidité du serpent, Cormac se jeta en avant, l'attrapa par les cheveux et la tira si violemment vers lui qu'elle poussa un cri et trébucha en arrière. Avant que Sébastien n'ait eu le temps de réagir, Cormac appliqua la lame de son poignard sur la gorge de la jeune femme.

— Lâchez-la ! lança Sébastien en brandissant son épée.

— Dites aux anciens de reculer.

Derrière Sébastien, tous les hommes s'étaient approchés, Lorne, Ruari et Giric en tête. Sébastien leva une main, et ils s'arrêtèrent.

— Laisse-moi, fit Alainna en haletant.

— Je veux d'abord le traître ! MacWilliam, rends-toi à mon frère. Nous partons aujourd'hui même pour Dunfermline.

— Ne bougez pas, gronda Sébastien.

— Ne bouge pas, Ruari, répéta Alainna, en essayant de repousser le bras qui lui enserrait la gorge.

Lorne s'avança et se planta devant Cormac.

— Lâche-la, dit-il.

— Jamais.

— Écoute-moi, dit Lorne. Ce qu'a dit Alainna est vrai. Depuis ton père jusqu'à Nechtan des Combats, en passant par ton grand-père et le grand Aodh, fils de Conn, aucun des chefs de ton clan n'aurait agi comme toi aujourd'hui. Montre-toi digne d'eux et lâche-la.

— Dégage, barde. Ne te mêle pas de ça. Elle est mon otage, et je veux ma rançon. Écarte-toi.

— Cormac, rappelle-toi ce qui s'est passé, il y a sept cents ans, sur les rives de ce loch. Un homme du clan Nechtan a malmené une femme du clan Laren. As-tu vraiment envie de relancer la querelle ?

Cormac resta un instant interdit, puis il fronça les sourcils.

— Il n'y a pas de malédiction à craindre. Les fées n'existent pas, dit-il.

Mais Sébastien perçut dans sa voix une nuance de doute.

— Elles existent, répliqua Lorne en s'approchant un peu plus. Elles rôdent alentour, bien que nous ne les voyions pas. En ce moment même, elles nous regardent. Lâche la femme du clan Laren, et elles t'en remercieront. Si tu la retiens, tu t'attireras leur courroux et tu mettras ton clan en danger pour encore sept cents ans.

Cormac recula, entraînant Alainna avec lui.

— Le charme est rompu. La Vierge de pierre a perdu son pouvoir, et mon clan n'a plus rien à en craindre.

— Alors, pourquoi provoquer une nouvelle malédiction ? demanda Lorne en tendant le bras. Puissante est la magie, Cormac MacNechtan, et tu le sais. Laisse-la et épargne aux générations à venir les horreurs d'une autre querelle.

Cormac le regardait, perplexe. Alors, avec calme et assurance, Lorne prit Alainna par la main. Sébastien vit avec stupéfaction Cormac lâcher prise et Alainna s'élancer vers Lorne.

Comprenant ce qu'il venait de faire, Cormac hurla un juron et se jeta en avant pour récupérer la jeune femme. Celle-ci poussa un cri et tomba dans les bras de Lorne. Aussitôt, Sébastien se précipita pour la repousser derrière lui et s'interposer entre elle et Cormac.

Au même instant, il vit Lorne tomber à genoux, la poitrine écarlate. La pointe du poignard de Cormac était luisante de sang. Le vieux barde s'affaissa en avant. Alainna hurla et se rua vers lui.

Bouleversé, Sébastien s'approcha de Cormac, qui recula en trébuchant.

— À nous deux, assassin ! gronda-t-il en pointant son épée sur Cormac.

Tout en criant, il tournait autour de Cormac. La colère montait en lui comme un feu dévorant, l'emplissant d'un sentiment de puissance, de détermination et d'invincibilité.

Il inclina la lame vers le sol et se planta, jambes écartées, devant Cormac.

— Tout de suite ! Un combat loyal, sans perfidie, sans mettre d'autres vies en jeu !

30

— Eh bien, soit, lança Cormac, le souffle court.

Il se tourna vers les siens, et Struan lui présenta une claymore, qu'il empoigna par la garde.

— Retire ton armure, Breton. Moi, je n'en ai pas. Un Highlander n'a besoin que de sa *claidheamh mor* et de son courage.

Avec des gestes qui trahissaient sa fureur, Sébastien détacha les lanières qui retenaient le

324

camail au haubert, puis il arracha tartan, baudrier et surcot. Étienne et Giric l'aidèrent à enlever le lourd haubert, puis il remit son baudrier sur sa tunique de serge brune. À présent, il se sentait plus léger, plus fort, plus habile.

Comme il se retournait vers Cormac, il aperçut Alainna agenouillée à côté de Lorne. Una était penchée sur lui, tandis qu'Esa et Morag lui bandaient la poitrine.

Sébastien ignorait s'il était vivant ou mort, mais la large tache qui assombrissait la chemise du vieillard et le fléchissement de sa noble tête ne lui disaient rien de bon.

Alainna leva la tête. Elle avait le visage pâle et les yeux pleins de peur. Il soutint son regard, l'espace d'un instant, puis se détourna.

Sans un mot, il conduisit Cormac vers le pré qui s'étendait entre la Vierge de pierre et la plage de galets. Tous firent cercle autour des deux adversaires. La colonne dominait la scène, telle une géante sereine.

Alainna resta avec Lorne et les femmes. Une fois le cercle des spectateurs refermé, elle fut invisible aux yeux de Sébastien.

Cormac, le regard noir, tournait autour de son adversaire en traînant la pointe de sa claymore sur le sol. Sébastien pivotait en se balançant d'un pied sur l'autre.

Avec un hurlement, le Highlander se rua sur lui, brandissant l'énorme épée au-dessus de sa tête. Il abattit son arme. Sébastien l'évita et se retourna, pendant que Cormac reprenait son équilibre et se préparait à frapper de nouveau. À ces coups désordonnés, il comprit qu'il aurait moins à craindre l'habileté de son adversaire que sa force et sa rage.

Sébastien arrêta la claymore avec l'extrémité de son épée, mais le choc l'ébranla et il s'esquiva sur le côté, tandis que Cormac faisait tournoyer sa lame pour le frapper de nouveau.

Sébastien l'observait en tournant lentement autour de lui. Cormac évoquait un taureau ou un ours. Puissant, ardent, décidé, armé d'une lame redoutable, il manquait de souplesse et de finesse. Mais ses yeux sombres étaient pleins de ruse.

La claymore était plus longue que l'épée de Sébastien, et son poids la rendait encore plus dangereuse. Cormac la maniait comme un forcené, frappant sans relâche. L'arme plus courte de Sébastien était plus maniable, et lui-même était plus vif et plus léger. Il dansait devant son ennemi, esquivant la lourde lame, excitant la rage de Cormac.

Le tintamarre de l'acier contre l'acier était assourdissant. Les vibrations qui suivaient chaque choc d'une lame contre l'autre remontaient le long de son bras jusqu'à son cœur, ses poumons le brûlaient, mais Sébastien ne lâchait pas prise.

Il connaissait le terrain autour de la Vierge de pierre, ses déclivités et ses bosses, et n'avait pas besoin de scruter le sol pour éviter un petit trou caché par une touffe d'herbes. D'instinct, il s'efforçait de garder le soleil dans son dos. À plusieurs reprises, Cormac fut aveuglé et dut fermer les yeux.

Une étrange exaltation s'empara de Sébastien. Il avait l'impression de s'être entraîné cent fois pour cet ultime défi. Plein de calme et de confiance, il se laissait emporter par sa fureur, mais savait la maîtriser.

Profitant d'une ouverture pour se fendre en un éclair, il toucha Cormac au bras gauche. L'homme tituba, et Sébastien doubla son coup, le frappant à la cuisse. Impassible, le Highlander leva sa claymore et l'abattit avec une telle force qu'il aurait fracassé le crâne de son adversaire, si celui-ci ne s'était dérobé.

Cormac pivota en faisant tournoyer sa claymore. Une parade basse de Sébastien envoya la pointe de son épée se ficher dans le sol. Cormac frappa la lame, la brisant net.

Sébastien rompit, ne tenant plus qu'un moignon d'épée. Cormac marchait sur lui avec un sourire sinistre. Il esquiva de justesse un coup de la claymore, trébucha, roula au sol et s'arrêta sur le dos, genoux levés et prêt à bondir, tandis que Cormac se ruait sur lui avec un rugissement.

Soudain, il entendit crier son nom et vit choir à ses pieds une longue lame scintillante. Il empoigna par la garde la claymore tombée du ciel et se releva. À présent, lui et Cormac combattaient à armes égales.

Refermant les deux mains sur la poignée habillée de cuir, il éprouva un sentiment de puissance et d'assurance. La présence d'Alainna et de Lorne, tout près, attisait sa rage de vaincre. Il avança, animé d'une fureur glaciale. Cormac rompit.

Sébastien l'enveloppa d'un ouragan de coups, parés avec peine par le Highlander, qui se repliait. Il ne cessait de riposter, mais ses frappes étaient courtes, et leur force déclinait.

Ils arrivèrent près de la colonne de granit. La foule recula. Cormac hurla et se rua sur son adversaire, la lame brandie. Sébastien para du plat de sa claymore, mais il se retrouva coincé contre la colonne.

S'arc-boutant contre le roc, il réussit à bloquer la lame adverse, qui luisait à présent à quelques millimètres de son visage.

Puis, soudain, comme si la Vierge elle-même lui

communiquait sa puissance, il se sentit envahi par une force irrésistible.

Repoussant Cormac presque sans effort, il se libéra et esquiva un coup d'un bond de côté.

Déséquilibré, Cormac heurta violemment la colonne, s'en écarta d'une brusque poussée et pivota sur lui-même pour faire de nouveau face à son adversaire. Sébastien attendait, la lame dressée, les jambes écartées.

Tel un sanglier furieux, Cormac se précipita sur lui, tête baissée et lame en avant. Sébastien para du plat de son épée et repoussa de nouveau Cormac. Le pied du Highlander se prit dans le trou que Sébastien avait évité à plusieurs reprises, et il tomba en arrière.

Sa tête buta contre la colonne avec une telle force que Sébastien sut qu'il était mort avant même qu'il ne s'écroule à terre.

Il s'appuya, haletant, sur l'épée plantée droit dans le sol. Personne ne bougeait. Le silence était aussi assourdissant que l'avait été le fracas de l'acier.

Du revers du bras, il s'essuya le visage. Puis il arracha la claymore du sol et se retourna. La foule s'écarta à son approche. Struan et les autres MacNechtan se dirigèrent vers Cormac, mais il ne s'arrêta pas pour leur parler.

Il leva les yeux. Seule, droite comme une statue, la tête haute, Alainna le regardait. À son expression égarée, il comprit qu'elle avait assisté au combat.

Elle courut vers lui en poussant un cri. Il ouvrit les bras et la reçut contre sa poitrine. Son baiser et le frôlement de ses mains furent comme un baume, apaisant tous les maux et tous les chagrins qu'il avait pu connaître. Il ferma les yeux en l'étreignant, et ils restèrent ainsi, immobiles et silencieux.

— Lorne ? demanda-t-il enfin en s'écartant.

— Il est vivant, mais... *ach*, je ne sais pas combien de temps il survivra. Nous craignons de le bouger...

Ils rejoignirent le groupe accroupi auprès du barde. Tels deux anges enveloppés de tartans, Morag et Esa encadraient Una, qui branlait plus que jamais du chef. Posant son épée à plat sur le sol, Sébastien s'agenouilla près du vieillard. Alainna fit de même.

Peu après, Lorne ouvrit les yeux.

— Il est parti ? demanda-t-il.

— Oui, parti. Mort, répondit Sébastien.

— Bien, dit Lorne en fermant les yeux. Et je vais le suivre.

— Non, vieux, s'indigna Una.

— Fais mon lit, femme, et entonne le chant funèbre.

Una secoua la tête et lui prit la main.

Sébastien croisa le regard suppliant d'Alainna. Il aurait voulu la serrer dans ses bras, mais se contenta de lui tendre une main qu'elle étreignit avec ferveur.

— J'ai entendu le tintement de l'acier, dit Lorne en tirant Sébastien par la manche. C'était un beau bruit.

— C'était un beau combat, ajouta Lulach en s'agenouillant à côté de Lorne.

— Comme nous l'espérions, Sébastien *Bàn* a vaincu le chef de nos ennemis, dit Niall.

— Je savais qu'il le ferait, souffla Lorne. Je savais qu'il était le guerrier dont nous avions besoin. Le guerrier dont Alainna avait besoin.

— Chut, fit Alainna. Ne parle pas.

— Maintenant que notre ennemi a été défait, Sébastien ne restera pas avec nous, reprit Niall. Son devoir l'appelle ailleurs.

— Mais c'est chez vous, ici, protesta Lorne.

La gorge serrée, Sébastien posa la main sur celle du vieillard.

— Sébastien *Bàn*, vous me rappelez mon fils... doré, fort et courageux.

— Merci, murmura Sébastien en fermant les yeux.

— Vous êtes un bon Highlander.

— Peut-être le deviendrai-je un jour, dit-il avec un sourire triste.

— Ce sera un beau jour pour le clan Laren.

En cet instant, Sébastien éprouvait un tel amour pour cet homme qu'il aurait fait n'importe quoi pour lui. Il aurait sacrifié son orgueil, son nom, sa vie même, pour qu'il ne meure pas.

— Il faut le ramener à la maison, dit Una en regardant Sébastien.

Celui-ci alla ramasser son tartan abandonné par terre et le plia pour en faire un hamac. On glissa Lorne avec précaution sur le tartan, et plusieurs hommes s'apprêtèrent à le soulever. Comme Sébastien empoignait un angle de la civière improvisée, Alainna l'arrêta.

— Ils veulent te parler, dit-elle en désignant Struan MacNechtan et les siens.

Il arracha la claymore du sol et se redressa. Giric, Ruari, Étienne et quelques autres lui emboîtèrent le pas.

Struan attendait, le regard sombre sous ses sourcils roux.

— Mon frère est mort, annonça-t-il en croisant les bras.

— J'en suis navré, dit Sébastien en plantant la lourde épée dans le sol. Mais le combat était équitable.

— Oui. En prenant une femme en otage et en attaquant un vieux barde, Cormac s'est déshonoré et a déshonoré notre clan. Cela n'aurait pas dû arriver. Mon frère était rempli d'une haine que nous ne partagions pas tous. Il n'a eu que ce qu'il méritait.

La main sur la garde de son épée, Sébastien le regardait fixement.

— Aujourd'hui s'achève la malédiction qui pèse depuis des générations sur votre clan, déclara-t-il. Ce jour devrait voir la fin de l'ancienne querelle et non le début d'une nouvelle.

Struan jeta un regard aux siens, puis il se tourna de nouveau vers Sébastien.

— Sans doute, répondit-il. Dans l'immédiat, nous ne vous attaquerons pas. Il y a déjà eu un mort, et il se peut qu'il y en ait un deuxième. Nous allons enterrer mon frère et déciderons ensuite de ce qu'il convient de faire.

— Allez-vous prendre la tête de votre clan ?

— Jusqu'à ce que le fils de Cormac, Eoghan, soit en âge de le faire.

— Je suis rassuré pour l'avenir du clan Nechtan. Je sens en vous, Struan, un homme juste.

— C'est réciproque. Mon frère a fini par être puni de ses agissements envers le clan Laren. À mesure que ce clan s'affaiblissait, il se croyait plus fort. Nous l'avons mis en garde, mais il était notre chef, aussi l'avons-nous suivi. Sa mort était juste. Vous ne l'avez pas tué, ajouta-t-il en fixant Sébastien. Je l'ai vu. C'est la Vierge qui l'a tué. Son pouvoir est encore grand. Nous ne sommes pas assez bêtes pour l'ignorer.

— Alors, tenez-en compte.

Struan fronça les sourcils, puis il tourna les talons et fit signe à ses hommes. Ceux-ci se dirigèrent vers la colonne de pierre pour ramasser le corps de Cormac.

Sébastien se retourna et rejoignit le groupe qui entourait Lorne.

Alainna lui prit la claymore des mains. Les hommes avaient gardé une place pour Sébastien à un angle de la civière. Et il était fier de partager avec eux ce fardeau bien léger.

Alainna marchait à côté de lui. Ils traversèrent le pré de la Vierge de pierre, dont l'ombre géante s'étendait sur l'herbe. Comme ils gravissaient la pente rocheuse qui menait à la forteresse de Kinlochan, tout le clan entonna un chant mélodieux :

Je suis las et je suis étranger,
Conduis-moi au pays des anges,
Sois mes yeux dans les ténèbres,
Sois mon bouclier contre les armées des fées,
Sois mes ailes jusqu'à ce que je trouve un lieu où me
[*reposer.*

Sébastien écoutait, le cœur serré. Il avait été étranger ici, mais ne l'était plus. Il avait trouvé un foyer. Maintenant, il en était sûr.

Il aimait ce peuple, il aimait le vieillard sur la civière comme le père qu'il n'avait jamais connu. Des larmes lui brûlèrent les yeux, et il regarda Alainna. Elle marchait à côté de lui, portant son épée. Ses cheveux formaient autour de son visage une auréole de flammes, ses yeux étaient brillants comme un ciel d'été. Le sentiment qui jaillissait en lui avait la solidité du roc et la pureté du feu. Il l'aimait plus qu'il n'avait jamais aimé personne.

Son amour pour elle était plus important que son orgueil, ses ambitions ou son nom. Son amour l'apaisait, l'exaltait, faisait de lui un homme meilleur. Mille liens l'attachaient à elle, aux siens, à ce lieu.

Mais il manquait toutefois quelque chose à son bonheur.

31

La pluie s'était mise à tomber durant la nuit, tandis qu'ils priaient et chantaient au chevet de Lorne, dans la plus haute chambre de la tour.

Prévenant, fort et calme, Sébastien veillait lui aussi le vieux barde.

Alainna n'avait guère l'occasion de lui parler en tête à tête, mais elle chérissait les sourires, les frôlements, les mots banals qu'ils échangeaient. Malgré l'angoisse de ces heures, sa présence lui faisait du bien.

À l'expression de ses yeux gris, aux plis de son front, à l'affaissement de sa bouche, elle voyait qu'il s'inquiétait pour Lorne. Elle aurait voulu effacer ces marques d'un baiser, mais elle n'en fit rien, car elle sentait chez lui un besoin de solitude qu'elle comprenait et partageait.

À l'approche de l'aube, tandis que la pluie tambourinait sur le toit, elle descendit dans la salle. Niall et Lulach regardaient Giric et Ruari jouer aux échecs. Beitris enroulait du fil sur un fuseau. Donal, Aenghus, les chevaliers et les écuyers dormaient sur leurs paillasses.

Debout dans l'embrasure de la porte, une main sur la tête de Finan, Sébastien se tenait immobile.

Beitris coupa trois brins de fil rouge et les tissa en psalmodiant une prière. Comme tous les autres, elle rappelait à sa façon l'âme de Lorne. Aucun d'eux ne voulait le laisser partir.

Le jour pointait, argenté, quand Una descendit de la chambre. Avec ses cheveux blancs comme neige et sa tête branlante, elle paraissait vieille et frêle.

Elle sourit et s'assit à côté d'Alainna.

— Il va mieux, enfin, dit-elle. Et il va s'en sortir, je crois.

Puis elle cacha son visage dans ses mains et se mit à pleurer.

Alainna l'étreignit et leva les yeux vers Sébastien, qui s'était retourné vers elle en entendant Una. Manifestement ému, il soutint longuement son regard.

Elle aurait voulu sentir ses bras autour d'elle, mais Una sanglotait, et elle baissa la tête pour la consoler.

Lorsqu'elle releva les yeux, il était parti.

Elle aurait aimé le rejoindre, mais Una avait besoin d'elle, ce qui n'était probablement pas le cas de Sébastien.

Puis quelqu'un lui toucha l'épaule. Elle tourna la tête et reconnut Esa.

— Vas-y, dit celle-ci. Je l'ai vu par la fenêtre. Il a pris son cheval et s'est dirigé vers la porte de la forteresse. Va le trouver. Ne le laisse pas partir. Il est l'ami de ton âme et toi de la sienne. Ce lien ne doit pas être brisé.

Alainna courut vers la porte, l'ouvrit et dévala l'escalier. Finan sur ses talons, elle traversa la cour détrempée par la pluie.

La porte de la forteresse était ouverte, mais elle n'aperçut Sébastien nulle part. Elle sortit de l'enceinte, la pluie lui dégoulinant sur le visage, et vit la pente déserte, le loch agité par la pluie, la

Vierge de pierre solitaire et mystérieuse sur la rive opposée, l'herbe verdoyante à sa base.

Elle s'arrêta. Il était donc parti, sans lui dire au revoir. Elle se rappela le jour où elle l'avait attendu au même endroit, enveloppée de voiles de neige. À présent, elle était enveloppée de rideaux de pluie. Et il n'apparaissait pas.

Au bout d'un moment, elle remonta son *arisaid* sur sa tête – geste vain, car la laine était aussi trempée qu'elle.

Elle se couvrit le visage et se mit à sangloter. Comme pour la consoler, le chien se pressa contre elle.

Il chevauchait sous la pluie, les sabots de son cheval martelant les prés détrempés. Le tartan qu'il portait jeté sur sa tunique le protégeait étonnamment bien, et il s'en fit une capuche. Il apercevait devant lui le petit groupe de cavaliers qu'il avait repéré depuis la tour. Ils étaient en armure et arboraient la bannière du roi.

En s'approchant, il reconnut Robert et agita le bras. Son ami lui répondit et pressa sa monture.

— Robert ! s'écria Sébastien, quand ils se furent rejoints. Qu'est-ce qui te ramène si tôt à Kinlochan ? demanda-t-il, élevant la voix pour dominer le crépitement de la pluie. Je pensais que tu resterais à Dunfermline ! Y a-t-il un message du roi William ?

— Oui. Et ce n'est pas tout. À Dunfermline, nous avons trouvé une lettre du duc de Bretagne.

— Le duc ! Nous rappelle-t-il à son service ?

— Non, il nous laisse au service du roi William. Mais le duc Conan donne aussi des nouvelles de ton fils.

— De mon fils ! s'écria Sébastien. Où est la lettre ? demanda-t-il en tendant la main.

— Là, derrière, répondit Robert en souriant. Et voici un petit paquet que t'envoie le duc.

Sébastien se retourna et vit approcher trois autres cavaliers. L'un d'eux, un moine, portait devant lui un enfant enveloppé dans une cape doublée de fourrure.

Le cœur battant, Sébastien sauta à bas de son cheval et courut à sa rencontre. Le moine arrêta sa monture et ouvrit la cape, découvrant un petit visage ovale, de grands yeux bruns et des cheveux blonds et soyeux.

— Conan ! s'exclama Sébastien en tendant les bras.

— Papa, souffla l'enfant en tombant dans les bras de son père.

La pluie tambourinait toujours, éclaboussant de boue le bas de sa jupe. Alainna frissonna et toucha la tête de Finan, qui leva vers sa maîtresse des yeux tristes.

Sébastien devait partir, c'était inévitable, mais jamais elle n'aurait pensé qu'il s'en irait si tôt, sans un adieu. Dès qu'il avait su Lorne hors de danger, il s'était éclipsé, sans doute pour ne pas lui briser le cœur.

C'était pourtant bien ce qu'il avait fait.

Tournant les talons, elle s'éloigna de la porte, et le chien aboya.

— Viens, Finan *Mor*, dit-elle. Désolée de t'avoir fait sortir par ce temps. Allez, viens maintenant.

Finan aboya de nouveau, puis gémit. Alainna l'attrapa par son collier et le tira, mais il aboya de plus belle, refusant d'avancer.

Elle entendit alors un fracas de sabots et se

retourna. Quatre cavaliers franchissaient la porte. L'un d'eux menait un destrier à la robe crème sans cavalier. Reconnaissant le cheval de Sébastien et l'homme qui le tenait, elle courut à sa rencontre.

— Robert ! s'écria-t-elle, inquiète.

— Mes salutations, gente dame, dit-il en mettant pied à terre. Nous revenons de Dunfermline.

Derrière lui se trouvaient ses trois compagnons. L'un d'eux portait un gros paquet. Elle leur adressa un bref signe de tête et se détourna. Sébastien n'était pas parmi eux.

— Vous avez le cheval de Sébastien ! Où est-il ?

— Il arrive. Pouvons-nous aller directement dans l'écurie ? Nous vous rejoindrons ensuite dans la grande salle.

Alainna l'examina, intriguée par son sourire énigmatique.

— Je vous en prie, rentrez vite vous réchauffer et vous sécher. Je vais attendre Sébastien.

Elle se tourna vers la porte et se figea, stupéfaite.

Un homme se tenait là. Un Highlander à pied vêtu d'un *breacan*. Ses cheveux, son tartan et ses bottes en peau de loup étaient trempés.

Elle le regarda, muette.

— Que Dieu te bénisse, dit-il en gaélique. Qu'Il aplanisse ta route.

— Que... Dieu te bénisse, balbutia Alainna.

Sébastien fit un pas en avant, puis il s'arrêta et déclara :

— Autrefois, il y a bien longtemps, une jeune et belle femme vint un jour à la cour du roi. Et elle supplia le roi de lui accorder une faveur.

— Quelle faveur ? demanda Alainna, le cœur battant.

— Elle pria le roi de lui envoyer un champion. Elle réclamait un guerrier celte descendant d'une longue lignée de Highlanders, un homme compatissant et courageux, et susceptible d'anéantir l'ennemi de son clan.

— Elle voulait un guerrier exemplaire.

— Oui. Elle demanda au roi de lui trouver un guerrier qui parlât gaélique, et dont les terres ne fussent pas trop éloignées des siennes, afin qu'il pût se rendre chez elle en un jour.

— Et que s'est-il passé ? fit-elle, les poings sur les hanches. A-t-elle trouvé son guerrier ?

— Il vint à elle vêtu comme un Highlander... bien que mouillé jusqu'aux os, car il arriva un jour de pluie. Il avait voyagé à pied, puisque ses terres entouraient les siennes. Et il parlait gaélique comme il pouvait – c'est-à-dire pas trop mal.

Il souriait, tandis que la pluie dégoulinait le long de ses joues.

— Et était-ce un homme compatissant et courageux ? demanda-t-elle en s'approchant encore, suivie de Finan, qui gémissait de contentement à la vue de Sébastien.

— Il l'était. Mais pour la dame, qui était plus belle que la lune et plus brillante que le soleil, il se dépassa.

— Et son lignage, que la femme avait si sottement exigé ?

— Il était lui-même issu d'un ancien lignage celte, et il espéra qu'elle s'en satisferait.

— J'en suis sûre.

— Il vainquit l'ennemi de la dame. Il le fit pour elle et pour les siens, qu'il aimait comme sa propre famille.

Alainna sentit les larmes inonder ses joues. Elles se mêlaient à la pluie torrentielle qui ruisselait sur elle, sur lui et sur Finan, qui semblait déconcerté, mais heureux.

— Il y avait une dernière condition, dit-il. Et c'était la plus difficile à remplir.

— Laquelle ? demanda-t-elle, retenant son souffle.

— La dame voulait offrir son propre nom à ce guerrier. Mais, par orgueil, il refusait, car il tenait beaucoup au sien.

— Ah, bon... Et que s'est-il passé ?

— Il vint à elle – sous la pluie – et lui proposa un marché. Il adopterait son nom et le transmettrait, comme elle le désirait, à leurs fils et à leurs filles. Mais, en échange, elle devait prendre ce qu'il lui offrait.

— Quoi ?

— Son cœur.

Alainna sentit son propre cœur bondir dans sa poitrine et s'avança en souriant. Il fit un pas en avant, et ils se retrouvèrent face à face.

— Un nom est moins précieux qu'un cœur, dit-elle. Elle a eu la meilleure part.

Il inclina la tête, et les gouttes de pluie qui perlaient au bout de ses cils tombèrent sur le visage d'Alainna levé vers lui.

— Le marché pourrait être plus équitable, suggéra-t-il. En échange, elle pourrait lui donner son cœur.

— En effet. Un cœur contre un cœur.

Elle noua les bras autour de son cou et lui offrit ses lèvres, qu'il prit avec ferveur.

— Alors ? fit-il en l'éloignant pour la regarder. Voulez-vous un mari et un guerrier, gente dame ?

— Oui, répondit-elle. Et vous, voulez-vous une femme des Highlands ?

— Oui, dit-il, avant de reprendre ses lèvres pour un baiser intense et interminable.

Le chien tournait autour d'eux en aboyant. Sébastien s'écarta.

— Alainna, *mo càran*, laisseras-tu un pauvre homme trempé entrer pour se mettre à l'abri ?

Elle l'entraîna dans la cour en riant, le bras de Sébastien fort et chaud autour d'elle. La tour était éclairée par les torches, et des rires sortaient de la porte ouverte.

Au pied des marches, ils s'arrêtèrent.

— Le guerrier apporte encore autre chose à la dame, dit-il, en tendant la main vers elle pour écarter de son front quelques mèches mouillées.

— Et quoi donc ?

— Un fils. Le sien.

— Conan ?

Il leva la tête vers le sommet des marches et sourit. Et elle vit dans ses yeux la flamme de l'amour. Mais, cette fois, cet amour n'était pas pour elle.

Elle suivit son regard. Dans l'embrasure de la porte, Una et Giric tenaient un petit garçon par la main. Il avait de magnifiques yeux sombres et des cheveux d'or.

— Robert me l'a amené, murmura Sébastien. Monte, *mo càran*. Viens près du feu. Je vais te présenter le plus jeune membre du clan Laren.

Elle posa le pied sur la marche, à côté du sien, et ils gravirent l'escalier côte à côte.

Épilogue

Été 1171

— On va bientôt traverser le loch ? demanda Conan en gaélique.

Sébastien sourit, heureux que son fils fût doué pour les langues. En quelques mois, il avait appris presque autant de gaélique que lui-même en trois ans à la cour du roi.

— Je veux marcher sur le nouveau chemin que les hommes ont fait pour aller dans l'île ! insista l'enfant.

— La chaussée, rectifia son père. Pas tout de suite, Conan. Nous attendons les autres, car nous y allons tous aujourd'hui pour admirer le travail des maçons. Patience, mon fils.

Conan sautillait sur la plage de galets à côté de son ami Eoghan, d'un an plus jeune que lui. Vêtus de tartans et de chemises, les garçons couraient à la rencontre des vagues, qui léchaient leurs petits pieds nus. Ils gloussaient et s'éclaboussaient, leurs cheveux volant au vent, bruns chez l'un, blonds chez l'autre.

— Quand, Sébastien *Bàn* ? demanda Eoghan. Quand pourrons-nous y aller ?

— Patience, mes garçons, répéta Sébastien, mais aucun des deux ne l'écouta.

Un rire argentin lui fit lever la tête. Alainna arrivait. Elle se déplaçait avec la grâce qu'il lui avait toujours connue, mais avec plus de lenteur, à cause de l'enfant qu'elle portait. À mesure qu'il grandissait en elle, sa beauté s'épanouissait, de même que l'amour qu'il éprouvait pour elle.

— Ce ne sont que de petits garçons, le taquina-t-elle. Comment veux-tu qu'ils patientent si longtemps ?

— On dit que la patience peut user la pierre la plus dure. C'est une bonne vertu, qu'il faut leur enseigner.

— Pour ton projet, nous devrons tous apprendre à être patients, dit-elle en lui prenant le bras.

— En effet. Notre château ne sera pas fini avant deux ou trois ans. À propos de patience, tu étais toi-même bien pressée qu'on apporte les premières charretées de pierres.

Elle rit, offrant son visage au vent tiède qui jouait avec ses longues nattes.

— J'avoue que j'étais impatiente de voir la pierre. Tu as bien choisi. Ce grès couleur de miel sera superbe sur notre île. On dirait de l'or.

— Maître John attend un nouveau chargement aujourd'hui ou demain. Et d'autres encore les jours suivants.

— Et la pierre à chaux pour la chapelle ?

— Elle doit arriver cette semaine, je crois.

— Maître John a finalement accepté qu'une femme en sculpte les motifs décoratifs. Au début, il refusait tout net.

— Jusqu'à ce que tu lui aies montré tes œuvres et que tu l'aies séduit.

— Et promis d'attendre que mon enfant soit né pour me mettre au travail.

— Ce qui, entre parenthèses, me rassure. Maître

John est convaincu que la pierre à chaux de Caen arrivera avec le premier chargement.

— La pierre de la couleur de la crème ! Déjà ! s'exclama-t-elle en l'embrassant. Tu es un homme merveilleux. Quelle bonne idée d'avoir demandé aux moines bretons de nous en envoyer !

— Je ne pouvais pas y aller moi-même, sinon notre union aurait été annulée. À ce propos, pourquoi ne pas célébrer notre mariage avant Noël ?

— Ma famille tient à ce que nous attendions un an et un jour, pour que le mariage ait lieu à Noël et qu'ainsi la fortune nous sourie.

Il fronça les sourcils et regarda son fils, qui bavardait avec Eoghan en entassant des pierres.

— Que se passe-t-il ? demanda Alainna. C'est cette cohabitation qui te chagrine ? Aux yeux de Dieu et aux yeux des Highlanders, nous sommes mariés.

— Je sais.

— Tu t'inquiètes pour la naissance ?

Il haussa les épaules, refusant d'admettre combien cette perspective l'angoissait. Il pensait à sa première femme, qui n'avait pas survécu à ses secondes couches. Il ne pouvait supporter l'idée de perdre Alainna. Sans mot dire, il prit sa main.

— Tout ira bien, assura-t-elle en l'enlaçant. Je le sais. Nous avons devant nous un avenir long et lumineux.

Il la serra contre lui et l'embrassa sur le sommet de la tête.

— Tu as raison, dit-il, les yeux fixés sur le loch. Et nous vivrons ensemble dans ce château sur notre île verdoyante.

La base dorée de la tour brillait dans le soleil. Une large chaussée en pierres et remblais reliait le rivage à la plage de l'île. Le bruit des maillets et des ciseaux résonnait sur le loch.

— Ah, les voilà, fit Alainna en se retournant. Les enfants n'auront plus longtemps à attendre pour découvrir ton château.

— Notre château, murmura-t-il.

Il entendit un chien aboyer et vit Finan traverser le pré comme une flèche. Derrière lui arrivaient les membres du clan Laren. Conan et Eoghan trottinèrent à leur rencontre en agitant les bras. Le chien aboya avec enthousiasme et vint leur lécher le visage, mais Giric bondit en avant pour l'empêcher de les renverser.

Lorne et Una marchaient en tête, Ruari et Esa derrière eux. Niall, Lulach, Beitris, Donal, Aenghus et les autres les suivaient. Lorne se baissa pour admirer les pierres amassées par les petits garçons. Giric prit Conan sur ses épaules, et Ruari hissa Eoghan sur les siennes.

Sébastien les regardait en souriant de plaisir.

— J'ai fait dire à Struan que je serais heureux d'élever Eoghan à Kinlochan, lorsqu'il en aura l'âge, annonça-t-il.

— J'en serais ravie, quoique Lileas ne soit pas encore prête à se séparer de son fils. En tout cas, j'ai de bonnes nouvelles : Struan et elle attendent un enfant pour le printemps.

— Ce mariage m'a étonné, je dois l'avouer.

— Pas moi. Struan est plus gentil avec elle que Cormac ne l'a jamais été. Et, dans la tradition celte, il n'est pas rare qu'un homme épouse la veuve de son frère, pour s'occuper d'elle et de ses enfants. Struan a jugé bon de respecter cette coutume. Et puis, je crois qu'il a toujours aimé Lileas, et le père Padruig approuve certainement cette union. Le clan Nechtan sera différent, avec Struan à sa tête.

Sébastien jeta un coup d'œil par-dessus son épaule. La Vierge de pierre scintillait dans le soleil.

— La Vierge doit être contente de voir la paix s'installer sur sa terre.

— C'est ce qu'elle voulait pour nous, dit Alainna avec un doux sourire.

Incapable de résister, il se pencha pour baiser ses lèvres.

— Est-ce que je t'ai montré le dernier dessin du château ? demanda-t-il.

— Tu m'en montres un nouveau presque chaque semaine, ajoutant ceci, améliorant cela. Tu passes tellement de temps sur l'île que j'ai l'impression que tu me délaisses pour ton château de pierre.

— Je ne te délaisserai jamais. En outre, tu as tes pierres pour t'occuper. Mais si tu as besoin de moi, pour n'importe quelle raison...

— N'importe quelle raison ? demanda-t-elle, l'œil pétillant, le sourire coquin.

Il l'embrassa avec une telle ardeur qu'elle gémit sous sa bouche.

— N'importe quelle raison, répéta-t-il en s'écartant. Envoie quelqu'un par la nouvelle chaussée et j'accourrai. Ah, j'oubliais ! Maître John et moi avons prévu des niches sur tout le pourtour des murs de la grande salle, pour pouvoir y installer d'autres pierres.

— Mes pierres ?

— À mesure que tu les finiras, elles seront exposées dans la grande salle. Ainsi, l'histoire du clan Laren se transmettra de génération en génération.

— Merci, dit-elle, la tête contre son épaule. Sois mille fois béni pour avoir pensé à cela.

— Mille fois béni, *mo càran*, je le suis déjà.

— Nous venons voir ton château sur l'île, Sébastien *Bàn*, annonça Lorne en s'approchant d'eux. Belle journée pour une telle visite.

Il sourit, ses cheveux blancs balayés par la brise.

— Eh bien, allons-y, dit Sébastien, en prenant la main d'Alainna pour l'aider à descendre sur la plage de galets.

Reliant la rive du loch à l'île, la chaussée était assez large pour permettre à trois chevaux d'avancer de front, et suffisamment élevée pour ne pas être recouverte d'eau, même pendant les crues de printemps. Des hommes envoyés par le roi avaient travaillé pendant des mois pour la construire. Bien qu'elle ne fût pas encore terminée, on pouvait déjà l'emprunter.

— Comment allez-vous l'appeler ? demanda Niall.

— Nous n'avons pas encore décidé, dit Sébastien.

— Château MacLaren, proposa Lulach.

— Kinlochan, dit Donal. Château Kinlochan.

— Le château de la Vierge, suggéra Esa.

Sébastien écoutait en souriant.

— Comment voudrais-tu l'appeler, mon amour ? murmura-t-il à l'adresse d'Alainna.

— Le château de la Promesse, répondit-elle, après un instant de réflexion. Car l'île sur laquelle il s'élève est la Terre de la Promesse.

Il sentit son âme déborder d'amour pour elle, pour ce peuple et pour ce pays, qui étaient devenus les siens. Prenant Conan et Alainna par la main, il s'engagea sur la chaussée qui menait à la Terre de la Promesse.

À l'aube, Alainna déposa une offrande au pied de la colonne – un bouquet de fleurs et une petite pierre qu'elle avait gravée. Ensuite, elle leva les yeux vers la Vierge de pierre et entonna un cantique d'action de grâces.

Puis elle recula. Autour d'elle, la nature s'éveillait. Le soleil était chaud et l'herbe parsemée de fleurs. Elle commençait à s'éloigner, accompagnée par le doux chuchotement des vagues et le chant des oiseaux, lorsqu'elle sentit comme un picotement dans son dos. Elle se retourna.

Devant la colonne, là où le soleil aurait dû jeter la première ombre de la pierre, se tenait une jeune fille, le regard fixé sur le loch.

Elle était mince et délicate, et ses cheveux lui tombaient dans le dos, telle une cascade d'or pâle. Sa robe était du même gris tourterelle que la pierre. Alainna remarqua que le bas de sa jupe touchait le granit et semblait s'y fondre, comme si elle avait été l'ombre vivante de la pierre.

La jeune fille se tourna vers Alainna. Ses yeux avaient la couleur argentée de la lumière avant l'aube. Son beau visage avait quelque chose de familier.

— Alainna, dit-elle en souriant. La paix soit avec toi et les tiens.

— La paix soit avec toi, Vierge, murmura Alainna, frappée de stupeur.

— Tu étais notre seul espoir, et ton guerrier et toi avez sauvé notre clan. À présent, le clan Laren continuera de vivre.

— Et toi ? demanda Alainna. Que vas-tu devenir, maintenant que tu es libérée de la pierre ?

— Je suis libre, répondit-elle, d'une voix douce comme l'air en été. Et je vais retourner dans mon clan. Tu me reverras.

— Quand ? Ici ?

— Bientôt.

À mesure que le soleil montait dans le ciel, la silhouette de la jeune fille se faisait de plus en plus translucide.

— Vierge...

— Tu me reconnaîtras, murmura la jeune fille.

Elle s'évanouit dans la lumière, et seule demeura l'ombre de la pierre.

— Chut, entendit-elle. Ta mère dort.

Alainna ouvrit les yeux. Elle était assise dans l'herbe, le dos contre la colonne de granit chauffée par le soleil. Des fleurs des champs étaient posées sur ses genoux.

Levant les yeux, elle vit Sébastien et Conan accroupis à côté d'elle, en train de cueillir des fleurs. Sébastien lui sourit et lança une nouvelle fleur sur ses genoux. Les oreilles dressées, Finan regarda Conan arracher des bleuets et les jeter à son tour.

— Tu dormais si paisiblement que nous n'avons pas eu le cœur de te réveiller, dit Sébastien, debout au-dessus d'elle. Après avoir inspecté le château, les autres sont rentrés à la forteresse. Notre petite escapade sur l'île t'a fatiguée, *mo càran*. Tu t'es endormie dès que tu t'es assise.

Elle lui sourit, tandis que Conan riait en tournant en cercle avec Finan.

— Sébastien, dit-elle en caressant son ventre, ça t'ennuierait si notre premier enfant n'était pas un garçon, mais une fille ?

— Cela me serait complètement égal, répondit-il en l'aidant à se mettre debout. J'en serais même très heureux.

Il la prit par les épaules, et l'enfant tressaillit de joie dans son sein.

— Je crois que ce sera une fille. Une ravissante

348

petite fille, avec des cheveux d'or pâle et des yeux de la couleur de l'argent.

— Je crois que tu as fait un rêve, dit-il en l'entraînant vers la forteresse, tandis que Conan et Finan gambadaient autour d'eux.

— Je vis un rêve.

Rendez-vous au mois de septembre
avec trois nouveaux romans de la collection

Aventures et Passions

Le 3 septembre 2001

Tout feu, tout flamme

de Brenda Joyce (n° 5982)

Storm est une jeune Texane sauvageonne, un peu garçon manqué. À dix-sept ans, ses parents décident d'en faire une jeune fille de bonne famille et l'envoient chez des cousins à San Francisco. Elle y rencontre Brett, charmant et charmeur homme d'affaires à succès. Ils sont aussitôt subjugués l'un par l'autre, et entament une liaison passionnée. Mais leurs comportements, jugés trop libres, font scandale...

Le 10 septembre 2001

La belle effrontée

de Connie Mason (n° 5983)

Le père de la belle Irlandaise Casey O'Cain est accusé d'avoir fomenté une révolte contre la Couronne et est condamné à la pendaison. Casey tente de convaincre le juge de l'innocence de son père, mais le rustre ne veut rien entendre et tente de la violer. Elle le repousse brutalement et tue involontairement l'odieux personnage. Casey est immédiatement exilée en Australie, où elle est confiée comme cuisinière aux Penrod. Dare, le fils aîné, n'est pas insensible au charme de la jeune femme...

Le 24 septembre 2001

Une femme mise à prix

de Michele Jaffe (n° 5984)

Angleterre, XVIe siècle. Crispin, comte de Sandal, est un espion au service de la reine Elizabeth. De retour de mission à l'étranger, il apprend qu'il est accusé de haute trahison et qu'il sera jugé deux semaines plus tard. C'est donc le temps qui lui reste pour prouver son innocence. Il rencontre Sophie, liée malgré elle à cette affaire et également recherchée par les autorités. Tous deux décident de s'allier pour démêler cette sombre histoire...

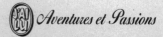

Aventures et Passions

Quand l'amour s'aventure très loin, il devient passion

Ce mois-ci, découvrez également
un nouveau roman de la collection

Amour et Destin

Le 24 août 2001
La nuit du bayou
de Tami Hoag (n° 3930)

Laurel Chandler revient dans la paisible bourgade de Louisiane où elle a
passé son enfance pour prendre un peu de repos. Son métier d'avocate
lui en fait voir de toutes les couleurs, et elle vient de divorcer. Elle
espère oublier ici ses soucis en retrouvant ses racines et sa sœur
Savannah. Mais le séjour ne s'annonce pas si rose : Laurel apprendra à
ses dépens qu'on ne peut revivre intensément et heureusement les
moments inoubliables du passé...

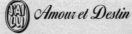 *Amour et Destin*

Quand l'amour donne aux femmes le choix de leur destin

5924

Composition Jouve
Achevé d'imprimer en Europe (France)
par Maury-Eurolivres – 45300 Manchecourt
le 23 juillet 2001.
Dépôt légal juillet 2001. ISBN 2-290-31158-8

Éditions J'ai lu
84, rue de Grenelle, 75007 Paris
Diffusion France et étranger : Flammarion